La Universidad

Cátedra UNESCO-UNU
"Historia y Futuro de la Universidad"
de la Universidad de Palermo

LA UNIVERSIDAD

Henry Rosovsky
Decano de la Facultad de Artes
y Ciencias de Harvard, 1973-1984

UP
**Universidad
de Palermo**

Colección de Educación Superior

Rosovsky, Henry
   La universidad. - 1a ed. - Buenos Aires : Universidad de Palermo - UP, 2010.
   304 p. ; 24x16 cm. - (Educación superior / Ricardo H. Popovsky)

   Traducido por: Martha Ardila Higuera
   ISBN 978-987-1716-02-9

   1. Educación Universitaria. I. Ardila Higuera, Martha, trad. II. Título
   CDD 378

Diseño general y maqueta:
DG. Pablo De Ferrari

Diseño original de tapa:
Patricia Fiuza

Editor a cargo:
ED. Rosanna Cabrera

Traducción:
Martha Ardila Higuera

Título original:
The University

© 1990 Henry Rosovsky

© 2010 Fundación Universidad
de Palermo

ISBN: 978-987-1716-02-9

Mayo de 2010

Hecho el depósito que marca la
ley 11.723

Impreso en China / Printed in
China

Universidad de Palermo
Rector y Director de la Colección
Ing. Ricardo H. Popovsky

Facultad de Ciencias Sociales
Decana
Elsa Zingman, MBA, M.Ed.S

Secretario académico
Lic. Luis Brajterman

Cátedra UNESCO-UNU "Historia y Futuro de la
Universidad" de la Univesidad de Palermo

Director de la Cátedra
Dr. Miguel Ángel Escotet

Para Leah, Judy, Michael y Benjamín
1990

contenido

agradecimientos

M i más cálido agradecimiento a David Bloom, Derek Bok, John Bok, William Bowen, Ken Galbraith, Phyllis Keller, David Landes, Nitza Rosovsky, Frederick Starr, Yana Van Der Meulen y Dean Whitla por las críticas constructivas, los comentarios perspicaces y las valiosas sugerencias que aportaron. Ninguna de estas buenas personas puede considerarse responsable en lo más mínimo por las posibles deficiencias de hecho o interpretación en este libro.

También agradezco profundamente a Edwin Barber y Donald Lamm de Norton, editores modelo, por la generosa ayuda brindada.

Finalmente, estoy en deuda con Bonnie Currier, Ellen DiPippo y Kim Ayres por haber mecanografiado los textos de muchas versiones de mis manuscritos y nunca, pero nunca, haber perdido el sentido de humor. Sin ellas, hubiese perdido el mío sin duda alguna.

Las universidades de investigación constituyen la elite de las instituciones de educación superior. Entre ellas, la más antigua en Estados Unidos es la Universidad de Harvard (1636), cuyo prestigio se cimienta sobre sus logros de investigación, la reputación de sus profesores —43 de ellos han recibido el Premio Nobel— y por contar entre sus graduados a líderes políticos, económicos, intelectuales y sociales que signaron muchos aspectos de la civilización actual.

Harvard es una universidad privada cuya persona jurídica es una de las corporaciones autónomas e independientes más antiguas del hemisferio occidental.

En los Estatutos del entonces llamado *Harvard College*, se indica que fue establecido para *"el avance de toda la buena literatura, las artes y ciencias; el avance y educación de la juventud en todas las formas de la buena literatura, artes y ciencias; y toda otra provisión necesaria que pueda conducir a la formación de los jóvenes de este país".*

Para los estudiosos de la educación superior, las universidades de investigación despiertan curiosidad. Muchos se preguntan: ¿por qué en estas universidades se produce el mayor porcentaje de las nuevas ideas y descubrimientos?; ¿cuál es la esencia de su calidad?; ¿cómo están gobernadas?; ¿por qué organizan su currículo de la forma en que lo hacen?; ¿por qué tienen éxito sus graduados?

Sobre Harvard se han escrito muchos libros. Sin embargo, este libro es diferente, está escrito en primera persona por el decano de su Facultad de Artes y Ciencias, la más compleja de las 11 unidades académicas que componen la universidad, y de la cual dependen el Harvard College heredero de su tradición, la Escuela de Posgrado en Artes y Ciencias, la Escuela de Ingeniería y Ciencias Aplicadas y la División de Educación Continua. Esta diversidad temática agrupada en una sola facultad solo puede entenderse remontándose en el tiempo a las palabras pronunciadas por Charles Eliot, en el discurso inaugural de su presidencia que se extendió por 40 años (1869-1909): "*Esta universidad reconoce que no hay un antagonismo real entre la literatura y la ciencia y no da su consentimiento para alternativas tan estrechas como lo clásico o la matemática, la ciencia o la metafísica. Las vamos a tener a todas y en su máxima expresión*".[1]

En esta obra Henry Rosovsky nos brinda un vívido relato de su experiencia como decano y nos otorga la oportunidad única de acompañarlo en su trabajo cotidiano. Nos muestra una visión "*desde dentro*" de la dinámica universitaria matizada con sus opiniones y sentimientos.

La obra está dirigida a "*todos los que se sienten dueños de la universidad*", a todos aquellos que se refieren a su casa de altos estudios como "*su universidad*", y es a ellos a quienes su autor les habla y da consejos desde la posición de quien luego de ascender por la pirámide organizacional hasta alcanzar su punto más alto, siente que debe compartir sus creencias, aciertos y errores.

Rosovsky aborda las diferentes facetas de la gestión a partir de sus convicciones sobre el "*deber ser*" de la universidad. Respeta la diversidad de modelos institucionales, pero enfatiza su creencia de que sus funciones esenciales son la enseñanza y la investigación.

En el marco expuesto, resulta de gran interés para los actores de la educación superior el análisis que efectúa el Dr. Rosovsky del currículum de los estudios de grado y las razones que lo llevaron a impulsar la reforma del plan de estudios del Core de Harvard.

El autor nos expone sus ideas sobre la manera de alcanzar el objetivo de formar ciudadanos cultos, con valores éticos y responsabilidad social, capaces de encarar estudios que los conviertan en mucho más que en solo profesionales. Lo hace introduciendo una concepción innovadora, enfatizando que la educación de grado debe capacitar en las diferentes formas de pensar y analizar de las artes y las ciencias en lugar de brindar un contenido enciclopédico de cada una de las disciplinas componentes del Core.

Nos sorprenderá con su relato sobre el mundo competitivo en el cual se desarrolla la enseñanza en las universidades de investigación de su país, el proceso para incorporar "*al mejor profesor disponible en el mundo para cada posición*" y la naturaleza de la relación entre los profesores y la universidad, deteniéndose en un análisis agudo sobre el modelo del *tenure*.

Por último, analiza el gobierno universitario y pondera el sistema utilizado en Harvard, caracterizado por ser un modelo jerárquico y ejecutivo de toma de decisiones, sin dejar de lado la consulta a los diferentes estamentos de la universidad, destacando sus roles, capacidades y conflictos de intereses.

Y es justamente a esta combinación de modelo curricular, el énfasis en la investigación, un riguroso proceso de búsqueda y selección de profesores y un eficaz sistema de gobierno, la razón que asigna Rosovsky al éxito y prestigio de la universidad norteamericana.

Este libro se ha convertido en un clásico para los estudiosos de la educación superior, una circunstancia que ha hecho relevante su incorporación a la Colección de Educación Superior de la Universidad de Palermo a fin de facilitar en nuestro medio el acceso al conocimiento del modelo de la universidad de investigación estadounidense acompañando a su autor en un recorrido vivencial por los principales tópicos que hacen a la universidad contemporánea.

17

Ing. Ricardo Popovsky
Rector, Universidad de Palermo
Mayo, 2010

1. Discurso transcripto en Levine, Arthur, *Handbook on Undergradute Curricuum*. Jossey Bass: 1988, p. 562

El concepto

Los libros sobre universidades, en especial aquellos escritos por profesores y administradores, por lo general llevan un título inspirador. El rector de Harvard, Derek Bok, nos brindó *Más allá de la torre de marfil* (*Beyond the Ivory Tower*); el difunto rector de Yale, A.B. Giamatti hace poco ofreció *Un espacio libre y bien organizado* (*A Free and Ordered Space*.) Hace más de una década, el rector de la Universidad de California, Clark Kerr, presentó *Las funciones de la universidad* (*The Uses of the University*) a los lectores. Tan solo los títulos de estas publicaciones inspiran cierta admiración: al menos a uno le gustaría que lo viesen hojeando esos libros.

La intención de mi título, *La universidad, manual del rector,* es presentar un tema central y un mensaje bastante diferente al de otras publicaciones. Solía ser un economista, lo digo en pasado porque nadie que haya trabajado como administrador durante 11 años puede luego pertenecer plenamente a una única área académica. Algunas veces se llama "educadores" a los antiguos administradores, ya sea caritativamente o porque se lo merecen; por desgracia, solo los diarios norteamericanos de provincia utilizan este término como un cumplido. Por supuesto que aún recuerdo algo de economía y encontré dos conceptos —"ventaja comparativa" y "diferenciación del producto"— que me resultaron útiles al crear mi testamento literario. En pocas palabras: conocer el tema e intentar algo diferente.

Siempre que me he acercado a un objeto desconocido, sea éste una nevera o una computadora, he descubierto que los manuales me resultan útiles y reconfortantes. A pesar de que a veces carecen de estilo o claridad, los manuales de instrucciones se han transformado en el género literario más importante de nuestra civilización. Puede que sea por mi amor a los automóviles que estoy ampliamente familiarizado con los textos referidos a ellos; debo confesar que soy subscriptor devoto de la revista *Road and Track* y miembro en buena posición del SAAB Club of America. Invariablemente, estos escritos tienen un estilo práctico y optimista. Permítanme citar brevemente a Datsun (1978). Sin duda, causaría una mayor impresión si la cita fuera de Mercedes-Benz (1986) o Jaguar (1988), pero estos autores no suelen encontrarse en las guanteras de los automóviles de los profesores: "Gracias por haber elegido Datsun. Estamos seguros de que se sentirá satisfecho por haberlo hecho". Estas son dos oraciones que, cambiando el nombre, pronuncian algunos rectores, prebostes o decanos en, prácticamente, cada campus de Norteamérica. Ahora, considere algunos títulos de un índice de contenidos representativo: Indicios de economía, Instrumentos y controles, Características de confort y conveniencia, En caso de emergencia...

¿Acaso existe alguna similitud entre una nevera, una computadora, un automóvil y una universidad? Solo en el sentido de que nos enfrentamos a lo poco familiar. Muchos estudiantes son los primeros en la familia en ir a la universidad y gran parte de los miembros del plantel docente son los primeros en su familia en dedicarse a carreras académicas.[1] La movilidad social es un signo del vigor norteamericano; pero, como resultado nuestro sistema de educación superior debe alcanzar ciertas metas específicas. Es imposible pensar que todos los aspirantes cuentan con la misma preparación o antecedentes académicos. En muchos países desarrollados, más antiguos, la transición entre la escuela secundaria y la universidad es un pequeño paso para unos cuantos, un paso sin complicaciones, bien ensayado y cómodo. Para los norteamericanos, la experiencia del paso a la universidad no es tan armoniosa. Es por eso que un manual didáctico que explique a qué puerta se debe llamar

---

1. "En 1900, solo 238.000 estudiantes (algo más que el 2% de la población entre los 18 y 24 años de edad) asistían a la universidad. Al final de la Segunda Guerra Mundial, el número había ascendido a 2.078.000, y para el año 1975 llegó a 9.700.000 (más de un tercio de la población entre los 18 y 24 años de edad) el número de estudiantes registrados en instituciones de educación superior acreditadas." Obviamente, muchos de esos jóvenes fueron los primeros de su familia en ir a la universidad.

Respecto a los padres de los profesores, las encuestas realizadas en 1969 y 1975 indican que solo el 4% de estos eran docentes o administradores en la universidad o institutos de educación superior.

Para ambos casos véase, Seymour Martin Lipset y Everett C. Ladd Jr., "The Changing Social Origins of American Academics", Robert K. Merton, James S. Coleman y Peter H. Rossi, eds., en *Qualitative and Quantitative Social Research* (Nueva York: The Free Press, 1979), pp. 319-321.

o cuándo es el momento de efectuar un mantenimiento preventivo, puede ser muy útil.

Pero, ¿por qué un manual para *propietarios* si, después de todo, uno no puede comprar una universidad y adquirirla como una posesión personal? Dado el valor actual de la matrícula en algunas instituciones privadas, los padres pueden sentir que están adquiriendo partes importantes de las universidades con el plan de cuotas, pero eso no es lo que tengo en mente con este título. Estoy pensando en "propiedad" en su más amplio y sofisticado sentido. Las personas dicen "éste es *mi país*". Esa es la noción de propiedad que quiero transmitir a mis lectores.

Muchas personas se pueden identificar con este amplio enfoque. Algunos miembros del plantel docente muchas veces aseguran que ellos son la universidad. La enseñanza y la investigación, consideradas como los principales objetivos de la educación superior, están en manos de los profesores; sin ellos, es difícil pensar en la existencia de una universidad. Se sabe que los administradores académicos se han comportado como si la universidad les perteneciera. En Estados Unidos existe una gran cantidad de catedráticos, decanos, prebostes, consejeros, rectores, vicerrectores y más, que tienen control sobre feudos privados. Personalmente, creo que la calidad de una escuela está negativamente relacionada con el poder ilimitado de los administradores, pero este es un tema para abordar más adelante.

Los estudiantes conforman otro importante grupo que reclama derechos de propiedad; con frecuencia, dicen que son la *raison d'être* [*razón de ser*] de una universidad. Una universidad es una institución educativa y, sin estudiantes la erudición eventualmente se marchitaría. Toda organización social necesita que los jóvenes reemplacen a los ancianos para poder sobrevivir. Cuando los estudiantes se gradúan, asumen otros roles de "propiedad" al convertirse en profesores, ex alumnos, donantes y miembros del consejo administrativo. Asimismo, los estudiantes universitarios pasan un promedio de 4 años persiguiendo un título, y muchos de ellos creen que eso les da derecho a tener cierto control sobre el plan de estudios, la elección del personal docente, las políticas de inversión de la universidad, las residencias estudiantiles, la clase y calidad de los alimentos que se sirven en el comedor, quién puede o no hablar en el campus, la elección de rectores y decanos, etc.; la lista es infinita, y

21

algunos puntos son más válidos que otros.

El plantel docente, los administradores y los estudiantes son el enfoque primordial de este manual. Sin embargo, existen otras categorías que aparecen indirectamente y que se mencionan pocas veces. Ya he mencionado tres grupos que coinciden parcialmente: miembros del Consejo Administrativo, ex alumnos y donantes. Estos son los grupos que formalmente ratifican las políticas más importantes, donan dinero y se interesan ampliamente por la reputación de *sus* instituciones educativas. La gama de temas que les preocupa es amplia y generalmente incluye: la calidad de la enseñanza, la destreza del equipo de fútbol, políticas de los estudiantes y del plantel docente, políticas de admisión y preferencias sexuales de la comunidad, entre otros.

También existen otros propietarios parciales. Uno de estos es el Gobierno (federal, estatal y local): financia la investigación académica, actúa como banco para estudiantes y universidades, regula y oficia de juez y jurado en muchas actividades académicas. Las instituciones públicas, las asambleas legislativas y los contribuyentes impositivos tienen, por supuesto, una influencia muy fuerte. No obstante, el caso es que ninguna universidad puede funcionar sin el apoyo del Gobierno Federal y en muchos casos sin el apoyo del Estado; lo que significa que el Gobierno es de alguna manera propietario de las universidades.

El último grupo a considerar es el público en general y, en particular, la autoproclamada voz de ese grupo: la prensa. El derecho a saber está arraigado en nuestra tradición nacional y se refiere, particularmente, al conocimiento acerca de figuras e instituciones públicas. Lo que sucede en nuestras universidades más importantes es noticia nacional; lo que ocurren en institutos menores de enseñanza es noticia en el ámbito local. Los descubrimientos científicos llegan a las portadas. Los debates sobre los planes de estudio (en especial si estos se pueden resumir en pocas frases como "de vuelta a lo básico") reciben amplia cobertura en diarios y revistas; y lo mismo sucede con las encuestas de opinión en las universidades, en especial si abarcan temas como el alcohol o el sexo. Los editores suelen dar consejos a las universidades (lamento decir que últimamente se encuentran más críticas que halagos). Pero de todas maneras, ese no es el tema. Lo único importante de comprender es que las universidades se consideran propiedad pública y que muchos de sus habitantes pasan a ser tratados como figuras públicas. Esa es una limitación a la libertad, una petición de responsabilidad a otro propietario más.

La intención de cada uno de los capítulos de este libro es que sean útiles para aquellos que afirman tener algún tipo de derecho de propiedad. Espero que, a través de su lectura, los estudiantes puedan llegar a comprender mejor lo que implica la vida de los profesores y que estos puedan entender más a los alumnos, y que ambos —profesores y alumnos— logren un mayor entendimiento del plantel administrativo y la administración en general. Asimismo, que el público en general y la prensa puedan tener una mejor comprensión de nuestras actividades y costumbres. El principal propósito de este libro es mostrar cómo todos podemos sacar el máximo provecho de la universidad, como ésta puede ser utilizada (tal vez hasta mejorada) sin ser maltratada: la justificación de cualquier manual de instrucciones.

23

introducción

CAPÍTULO UNO

Carta de presentación

25

A ntes de iniciar lo que los lectores probablemente considerarán un número de capítulos subjetivos (aunque creo que cada grupo va a aprobar lo que se dice de los otros), un poco de información autobiográfica puede ser útil. Mi intención es dar a conocer mis referencias.[1]

En Japón, el lugar del mundo donde se formó gran parte de mi personalidad profesional, una carta formal de presentación es de rigor. Cuando se intenta conseguir una entrevista o un puesto de trabajo es muy importante llegar con una carta de presentación, o bien enviarla antes y, de ser posible, conseguir a alguien de renombre para que la firme. El contenido puede variar: a veces se le da mucha importancia al linaje o a las conexiones familiares, en

---

1. Por lo tanto, no estoy de acuerdo con mi amigo y antiguo colega Carlo M. Cipolla, distinguido historiador en economía de Berkeley, quien tras haber recibido un pedido de su editor respecto a información biográfica contestó: "Arthur Koestler una vez dijo que el deseo de conocer personalmente a un autor porque se admira su trabajo es tan desaconsejable como querer conocer al ganso porque se disfruta el *paté de foie gras*". Ver Cipolla, *The Economic History of World Population* (Harmondworth, Middlesex: Penguin Books, 1962), en la solapa interior.

otros casos, quien escribe la carta responde de los logros profesionales de la persona interesada; pero siempre el objetivo principal es el mismo: hacer que el primer encuentro, que suele ser incómodo y rígido, sea más personal.

Lo que propongo es seguir con esta tradición japonesa y presentar dicha carta; aunque esta sea algo extraña dado que yo mismo me presento. Quizá debería haber conseguido a alguien importante para que escribiera mi carta de presentación, pero, luego de considerar distintas posibilidades, decidí que era más ventajoso hacerlo yo mismo. Una de estas ventajas es que conozco los hechos relevantes como nadie y francamente me gusta más mi interpretación de los mismos. Los textos autobiográficos tienden a ser en pro del interesado, pero de todas maneras no es mi intención crear un fetiche por la objetividad al principio de este libro ni en la conclusión. Este es, sin reparo alguno, un libro de opiniones y observaciones basadas en mis experiencias. Comencemos de una vez.

Estimado Sr. o Sra.:

26

Tengo el placer de presentarle al Sr. Henry Rosovsky, profesor de la Universidad de Harvard con el título de profesor universitario Lewis P. y Linda L. Geyser. Su título, bastante extenso, intenta ser impresionante, pero recuerde que las universidades aman los rangos jerárquicos y las distinciones tanto o más que el ejército. También es ex decano de la Facultad de Artes y Ciencias de Harvard, puesto que a veces es descrito, con cierta arrogancia en Cambridge, Massachusetts (lamentablemente rara vez en otros lados) como "la mejor y más importante posición académica en Norteamérica".[2] Por el resto de su vida va a llevar la etiqueta de antiguo decano, cosa que a los 60 probablemente no sea una carga exorbitante.

La trayectoria universitaria de Henry Rosovsky ha sido variada y llena

2. Ver David S. Landes, *Revolution in Time* (Cambridge: Harvard University Press, 1983), p. xi. En una entrevista reciente en un diario, el distinguido lingüista Noam Chomsky dijo que aquellos que dirigen nuestras universidades son "comisarios de la mente". Dada la opinión política de Chomsky, no resulta evidente si su comentario debe tomarse como ofensivo o no. Pero el final de la oración aclara las dudas: son "los burócratas intelectuales que manejan las universidades de nuestra nación, la prensa y los intereses sobre publicaciones 'constriñendo la verdadera libertad de pensamiento' con el fin de obedecer complacientemente al statu quo". Sería difícil imaginar una concepción más exagerada sobre el poder administrativo en las universidades. Ver Richard Higgins, "A Critic with Targets Galore", en *Boston Globe* (4 de septiembre de 1988).

de experiencias. Fue estudiante de grado en el William and Mary College, y de posgrado (Ph.D) de Harvard. Su primer puesto de docente fue en la Universidad de California, en Berkeley, en 1958. Allí se dedicó a estudiar e investigar el crecimiento económico de Japón, tema que en aquella época no era tan popular como ahora. Siendo un "especialista en el tema", Rosovsky vivió siempre bajo una nube profesional: los economistas lo alababan por su conocimiento de lo japonés, y los orientales estaban preparados para testificar sobre su excelencia como economista. Dado que esos dos grupos casi nunca se encontraban, Henry Rosovsky vivió —por algún tiempo— su vida de académico de manera tranquila y sin dificultades.

El final de los 50 y el inicio de los 60 fueron años maravillosos para el sistema público de enseñanza superior en California. La expansión de las universidades y la generosidad de los contribuyentes impositivos crearon una ráfaga de optimismo. Se requería razonable brillantez y mediana diligencia en el trabajo para poder obtener el *tenure* —un puesto vitalicio y el objetivo de todo profesor universitario— y sumado al clima de California, ¿qué otra cosa se podía desear?

Esa maravillosa fase de su vida profesional llegó a un abrupto fin durante el año lectivo de 1964-1965. Berkeley resultó ser el lugar donde nació la revolución estudiantil en Norteamérica. Ahora, casi 25 años después del hecho, ocasionalmente se discute sobre las posibles causas de este importante suceso social. Tanto la Guerra de Vietnam como el Movimiento por los Derechos Civiles tuvieron un importante papel en todo eso, y también influyó el sentimiento de rechazo de algunos a la impersonalidad de las grandes organizaciones. Recordemos el eslogan revolucionario: "¡no doblegarse, no alienarse, no mutilarse!".[3] Otro factor contribuyente fue el hecho de que las universidades no tenían experiencia en el manejo de los repentinos disturbios estudiantiles, que ahora se transformaron en ataques a las instituciones consideradas neutrales y apolíticas. Sin embargo, para lo que ahora nos concierne, las causas no son de importancia. Las consecuencias fueron inequívocas desde el principio; una atmósfera nueva y completamente desestabilizada: reuniones masivas, toma de edificios, demandas no negociables que llevaron a negociaciones

27

---

3. Nota de la traducción: El eslogan era *"Do not fold, spindle or mutilate"* cuya traducción literal es "no doblar, aguja o mutilar". Esa frase (ícono de la cultura norteamericana en la década del 60) y las tarjetas perforadas a las que se refería, se convirtieron en un símbolo de la computadora, de la alienación y, sobre todo, de la vertiginosidad de los avances tecnológicos.

perpetuas, interminables reuniones del claustro de profesores llenas de explosiva retórica política. Ciertamente, este no era un ámbito propicio para la búsqueda del conocimiento, o al menos del conocimiento tradicionalmente asociado con las universidades.

En ese momento, Rosovsky hizo un pronóstico desafortunado, un logro compartido generalmente con muchos de los prominentes profesionales de economía. Habiendo sido criado en el Este y nacido en Europa, tenía un cierto escepticismo acerca de California: el sol resultaba algo monótono, la población era desarraigada, y todo aquello que era raro y estaba a la moda, parecía florecer en este ambiente extraño. Berkeley explotó, pero él creía que estos sucesos no se repetirían en las universidades más arraigadas de la Costa Este. En la vida universitaria de la *Ivy League* [así se denomina al grupo de universidades más prestigiosas de Norteamérica] y lugares similares, los estudiantes y profesores todavía vestían chaqueta y corbata y, al dirigirse a las personas mayores, la gente utilizaba a veces un "Señor" delante de su nombre. Prevalecía la buena educación. Más que nada, la enseñanza y la investigación en las universidades seguían funcionando tranquilamente. Debo agregar que él sintió que no podía seguir apartado de los asuntos de la universidad. A pesar de su desagrado —expresado categóricamente— por las negociaciones, la retórica del plantel docente y los comités de educación, cuando la crisis explotó en Berkeley, Henry Rosovsky tuvo su cuota de participación en todos estos males sociales. Se podría afirmar que en su contribución se comportó como tantos otros profesores que anunciaban su deseo de paz y tranquilidad en la biblioteca y al mismo tiempo no perdían nunca la oportunidad de participar en política académica o juegos de poder; pero, por supuesto, él sugiere otra interpretación en la que destacan la importancia del amor a las instituciones, la responsabilidad como ciudadano y los valores morales.

De todas maneras, a fines del año lectivo 1964-1965, Rosovsky renunció a su puesto como Jefe de Cátedra de Economía e Historia en la Universidad de California y se unió a ese pequeño grupo de refugiados de la Costa Oeste, cuyos miembros eran más que nada científicos sociales en busca de un poco de tranquilidad tradicional. Dada la prosperidad de esa época, las invitaciones no se hicieron esperar. Él eligió volver a la universidad en la que se graduó, Harvard.

La Universidad de Harvard siempre había ejercido una gran influencia en él. Como estudiante de grado había estudiado Economía e Historia (egresado en 1949) en William and Mary College (un *college* de 4 años), que en aquel entonces ponía el énfasis en enseñar bien y en pasarlo bien. Los profesores eran accesibles, meticulosos y, a veces, hasta fuentes de inspiración. La simpatía sureña, además de ser bastante genuina, era el mayor atractivo de esta institución. William and Mary College se fundó en 1693, tan solo 57 años después de que Harvard abriera sus puertas a la educación superior en Norteamérica. Es la segunda universidad más antigua de nuestro país y yo intento sacarle el mayor provecho a su herencia. Sin embargo, la atracción por lo tradicional no era muy popular en la década del 40. Quizá en el siglo XVIII, William and Mary y Harvard fueron consideradas iguales. Solo unos pocos estarían de acuerdo con esto después de la Guerra Civil, no obstante William and Mary ganó un gran respeto en los últimos tiempos como universidad pública de renombre, casi una *Ivy League* pública.

Harvard era especial para un recién graduado en 1949, pero, no porque ahora represente los buenos tiempos o los años de juventud de Henry Rosovsky. Sus características esenciales se han mantenido inalteradas: primero, un plantel docente que siempre está en busca de nuevas ideas y conocimientos y donde quienes escriben los libros se suben al estrado. Segundo, los estudiantes de todos los estados y de muchos países extranjeros seleccionados mediante rigurosos estándares, conforman un grupo variado, intelectualmente inquieto y maravillosamente estimulante. Tercero, un desdén por la ortodoxia y las "soluciones de escuela" combinado con una gran admiración por la excelencia académica. Finalmente, la existencia de una significativa tradición: hoy en día la universidad ha recorrido 350 años de constante progreso.

29

Groucho Marx dijo una vez que no le gustaría ser parte de ningún grupo que estuviera dispuesto a aceptarlo como miembro y, como era de esperar, la invitación de Harvard lo llevó a recordar estas palabras. Henry Rosovsky sentía una exagerada admiración hacia los miembros del plantel docente de Harvard —cosa que no duraría mucho tiempo— y, por un momento, se preguntó si realmente merecía un lugar en aquella institución.

Gran parte del material que sigue se basa en las experiencias de Rosovsky en Harvard desde 1965. No han sido años de aislamiento de la realidad. Si dijera que solo fueron algunas conferencias y tutorías por la mañana, una tranquila caminata por el Charles River, luego de un ameno almuerzo en el Faculty Club [sala donde se reúnen docentes y administradores de la universidad], y seguida por una tarde en la Biblioteca Widener sería una imagen errónea. Una descripción realista de esa época debe empezar por mencionar que lo sucedido en Berkeley se extendió a todo el país. Columbia, Cornell,

Michigan, Wisconsin, todos estos campus universitarios fueron arrastrados a una intensa y duradera atmósfera de protestas estudiantiles. La Universidad de Harvard no fue la excepción; aunque muchos de los que pertenecían a la institución creían que la suya, denominada de manera jactanciosa como "el buque insignia de la educación superior de Norteamérica", no sería afectada. Algunos de ellos se dieron cuenta de la realidad en 1967 y 1968, años en que sucedieron diversos incidentes que cada vez eran mayores y más serios. El punto culminante fue el 9 de abril de 1969 con la toma del *University Hall* [edificio principal del campus de la universidad], símbolo de la autoridad del cuerpo docente, por los estudiantes protestantes, y la consecuente represión policial. A partir de ese momento y por casi una década, Harvard formó parte del grupo de universidades politizadas. Un gran número de institutos educativos pasaron a ser parte de ese grupo; ninguna parte del país se salvó.

Algunas observaciones resultan relevantes sobre los primeros años en que Henry ejerció como profesor. Ya hemos remarcado que él no podía quedarse en la biblioteca y en las aulas, lejos de los incidentes del momento. ¿Por qué le resultaba imposible asistir a las aburridas reuniones del plantel docente sin ceder al fuerte deseo de dar un discurso? ¿Por qué participar en los debates sobre la relación entre la invasión de Camboya y la suspensión de los exámenes finales? Y sobre todo, ¿por qué involucrarse en estudios sobre los afroamericanos? Estas son preguntas difíciles.

Ustedes recordarán el asesinato de Martín Luther King Jr., en 1968, acontecimiento que provocó una profunda pena y sentimiento de culpa entre los liberales, importantes disturbios en las grandes ciudades, y sentimientos de furia entre los pensadores de todas partes. Una consecuencia directa en los campus universitarios fue que los estudiantes militantes afroamericanos demandaran mayor presencia de su cultura e historia en los planes de estudio y en la investigación académica. Algún tiempo antes de la trágica muerte del Dr. King, Rosovsky le mandó una carta a Franklin Ford, que en ese momento era el decano de la Facultad de Artes y Ciencias, formulando unas cuantas preguntas simples de equidad. Él había notado que Harvard ayudaba a muchos estudiantes extranjeros de países en desarrollo brindándoles becas y cursos especiales. Dicha política contaba con apoyo general: Harvard usualmente ayudaba a aquellos que tenían apremiantes necesidades educativas. Pero, ¿no teníamos acaso una obligación mayor para con nuestros propios ciudadanos, y en especial hacia aquellos que habían sufrido esclavitud, discriminación y heridas provocadas por los prejuicios? ¿Estaba la Universidad de Harvard haciendo lo suficiente por los afroamericanos?

La respuesta del decano Ford llegó durante el verano de 1968. En el momento oportuno y en forma completamente razonable, creó un comité para el investigar la viabilidad de los estudios sobre los afroamericanos y temas relacionados; como es de predecir, él eligió a Henry Rosovsky para el puesto de consejero (¡él se lo había buscado!). El comité estaba conformado por profesores de planta y algunos estudiantes afroamericanos, y su primer informe, relativamente aclamado interna y externamente, se dio a conocer durante el fatídico invierno de 1969. El *The New York Times* publicó casi una página entera con pasajes del informe y puso la fotografía de Rosovsky en la portada. (Esto fue una señal de peligro: los nombres de profesores pertenecen a publicaciones académicas, no a diarios internacionales). En febrero de 1969, en una reunión del claustro de profesores llamada "El Comité de Rosovsky" se aceptaron las recomendaciones con entusiasmo y casi sin oposición alguna. Los detalles de dicho informe son historia antigua y no tendrían porque acaparar nuestra atención. Las recomendaciones incluyeron la creación de una Comisión Interdisciplinaria de Estudios Afroamericanos (*no* un Departamento), nuevos puestos de trabajo para profesores científicos sociales con especialización en estudios afroamericanos, y se fundó también un centro cultural afroamericano al estilo de las conocidas Hillel Houses, una especie de fraternidad para estudiantes judíos.

Un brevísimo momento de gloria: en la primavera de 1969, casi dos meses después de aquel despliegue de entusiasmo, el plantel docente de Harvard (en medio de comandos policiales, paros estudiantiles y amenazas) decidió alejarse de las recomendaciones del Comité Rosovsky, las que según Rosovsky habían sido cuidadosamente pensadas. En cambio, se otorgó a los estudiantes afroamericanos y a sus organizaciones un poder reservado hasta la fecha para profesores con *Tenure*: el voto en la toma de decisiones respecto a los requisitos de los planes de estudio, contrataciones, decisiones sobre el *Tenure*, y otros temas. Realmente ese fue un momento inolvidable en la larga historia de Harvard. Rosovsky llamó al evento "un Munich académico" y nuevamente se preguntó si no debería haber seguido el consejo de Grouch Marx: ¿era acaso ese club que lo había elegido, el club al que quería pertenecer? Cortó todo contacto con los estudios afroamericanos y se apartó, momentáneamente, de los asuntos académicos.

Durante el otoño 1969, Rosovsky se convirtió en Director del Departamento de Economía, cargo que ocupó hasta 1972 (este dato es primordial).

31

Quizás el mundo exterior pueda sentirse impresionado por esta elección, pero dentro de la universidad de Harvard (como en cualquier otra gran universidad) se solía evitar ese tipo de cargos porque conllevan poco poder, no otorgan una mayor remuneración y consumen una considerable cantidad de energía. Algunos de los más grandes eruditos tratan de evitar estos cargos debido a que se consideran demasiado importantes como para perder su tiempo con cuestiones administrativas. Por otro lado, hay profesores que no son adecuados para cargos de esta índole por las características de su personalidad: vagancia, brusquedad, actitud pusilánime y hasta falta de sentido común. Es importante mencionar que algunos de esos profesores cultivan dichas características con el fin de evitar las tareas administrativas. Desde un punto de vista intelectual, el período en que Rosovsky ocupó este cargo transcurrió, quizás lamentablemente, sin incidentes. El Departamento de Economía se mantuvo bastante estable aunque era parte de una universidad que estaba siendo atacada agresivamente desde distintas direcciones: el activismo estudiantil estaba alcanzando su punto máximo; el radicalismo estaba de moda; la Guerra de Vietnam iba de mal en peor; las ceremonias de graduación eran canceladas en todo el país, incluyendo las de Harvard; y la Guardia Nacional asesinó a balazos a cuatro estudiantes en la Universidad de Kent State. Henry Rosovsky se alegró de completar su período como Director en el verano de 1972, y volvió a realizar viajes de investigación a las más tranquilas fronteras de Asia.

Un día de febrero de 1973, mientras desayunaba en Yakarta, Indonesia y leía el diario local en inglés, Rosovsky vio una nota que luego tendría agradables consecuencias para él. El presidente Nixon acababa de elegir a John T. Dunlop, decano de la Facultad de Artes y Ciencias de Harvard, para que presidiera el nuevo Consejo de Costo de Vida en Washington, agencia encargada de controlar tarifas y precios. Algunos días después, su esposa lo llamó ansiosa para contarle la noticia de que el *Harvard Crimson* [diario de noticias de los estudiantes] había comenzado con las usuales especulaciones sobre quién sería el sucesor de Dunlop. Le dijo que, a su pesar, él estaba entre los preferidos para cubrir el puesto. Rosovsky le dijo a su esposa que el *Crimson* frecuentemente se equivocaba en sus predicciones, que Bok (presidente de la universidad) tenía muchas y mejores opciones; y que incluso si le ofrecían el puesto él se sentía inclinado a rechazarlo. Los 46 años de edad parecían un buen momento para dedicarse exclusivamente a Japón y a las economías emergentes del Este de Asia, a ser un mentor para los graduados y un buen profesor para los estudiantes de grado de Harvard. Todas las otras actividades universitarias eran una pérdida de tiempo; eso era lo que sentía, mejor dicho lo que pensaba que realmente sentía. Las predicciones no son el fuerte de Henry Rosovsky.

Cuando volvió a Cambridge en abril, el presidente Bok le extendió la invitación. Rosovsky solo preguntó una cosa: "Si me niego, ¿quién ocuparía el puesto?" Al escuchar la cordial respuesta del rector, pidió 24 horas para pensarlo; y luego aceptó el puesto. Por los siguientes 11 años fue el decano de la Facultad de Artes y Ciencias, responsable de aproximadamente 8.500 estudiantes, algo como 6.000 empleados, un presupuesto de más de 200 millones de dólares, y casi 1.000 profesores en distintos cargos.

¿Por qué *él*? La relativa juventud y la energía no eran cualidades difíciles de encontrar. La predisposición a decir que sí tal vez haya servido para algo, pero había muchos otros ansiosos de aceptar un puesto de autoridad. Podría preguntarle directamente al presidente Bok; sin embargo, su reputación de persona reservada era justificada, y cualquier respuesta que pudiera darle seguramente no sería muy aclaratoria. Quizá vendrían bien algunas sugerencias de alguien que supiera del asunto.

Ya había mencionado algo respecto a la politización del plantel docente en Harvard durante la segunda mitad de la década del 60. Existían entonces dos partidos o sectores: uno que se autodenominaba "liberal" y tendía a apoyar posiciones de izquierda, y al otro al que se denominó "conservador"; aunque llamarle "reaccionario" no sería del todo inapropiado. Ambos partidos creían que la elección de un nuevo decano era una oportunidad para conseguir mayor control; su objetivo era evitar, a toda costa, que se eligiera un miembro del partido opuesto.

Un típico centrista, "pragmático" es una de sus adjetivos preferidos, Henry Rosovsky no tenía interés en asociarse a ninguno de los dos partidos. Asistió a reuniones de los dos bandos y, de hecho, cada uno de ellos lo consideró un miembro (seguramente, se arroja alguna luz sobre su carácter al observar que Rosovsky no hizo ningún esfuerzo para disipar dicha ambigüedad); por lo tanto, era una de las pocas personas (o quizás la única) que resultaba aceptable a los ojos de ambos partidos y ese criterio de elección era mínimamente satisfactorio.

También, recuerde que Henry es economista. Me imagino que usted se preguntará ¿qué tiene eso de importante? ¿Acaso los economistas han mostrado tener algún talento o distinción especial para dirigir cualquier institución?, ¿logran cumplir sus responsabilidades financieras?, ¿sus teorías son relevantes

33

para comprender lo que llamamos el "mundo real"? No me opongo si estas preguntas se responden con un "no"; aunque, es sabido que en las últimas décadas los economistas (y los abogados) han llegado a ocupar puestos cada vez más a altos en la administración académica. Los rectores de las universidades de Princeton, Northwestern y Michigan han practicado esta "ciencia oscura" en los últimos años. El predecesor de Rosovsky era economista, y también su sucesor. Existen tantos otros ejemplos que se podrían citar, pero ¿es posible que estas cosas sucedan al azar? Resulta difícil creerlo.

Pero, ¿qué es eso que los economistas comprenden mejor que sus colegas académicos? Antes que nada, los economistas se sienten cómodos con la noción de intercambio: la elección entre distintas opciones incluye un poco más de esto y un poco menos de aquello. Los humanistas encuentran repulsivo este tipo de razonamiento, los científicos tienden a creer que es inmoral aplicarlo a sus opciones. En segundo lugar, los economistas están entrenados para considerar los efectos colaterales de todo. Para comprender la totalidad de los efectos que puede provocar una decisión o política específica, es necesario cotejar todos y cada uno de los resultados posibles; por ejemplo, aumentar las matrículas produciría un mayor ingreso solo si hay suficientes estudiantes con el dinero necesario para pagarlas y el aumento de las becas no excede al de las ganancias. En tercer lugar, los economistas usan un razonamiento marginal, tienden a pensar de términos en "incrementos" y no de "absolutos". Por último, cualquiera que haya estudiado economía sabe que el valor del dinero varía, y dado que nuestra sociedad ha vivido con inflación por mucho tiempo, esa simple verdad es ahora más evidente, pero la ilusión del dinero no ha desaparecido. Ninguna de las premisas anteriores son teorías elaboradas, o técnicas pomposas, pero posiblemente ayuden a explicar por qué los economistas pueden poseer ciertas cualidades ventajosas. Cualesquiera que sean las razones por las que lo hubieran elegido, Rosovsky aceptó el trabajo con entusiasmo y se mantuvo en su puesto más tiempo que cualquier otro decano de Artes y Ciencias en la época de posguerra.

Después de 11 años como decano de la Facultad de Artes y Ciencias, Henry Rosovsky hizo algo inesperado: renunció a su puesto administrativo (entregó el poder *voluntariamente*) y se dedicó por completo nuevamente a la enseñanza y la investigación. Once años es una gran parte de la vida de cualquiera, es aproximadamente un tercio de lo que dura típicamente el cargo de Profesor Titular Plenario; la mayoría de los doctorados en Estados Unidos se obtienen en menos tiempo. ¿Acaso es posible recuperar, después de tanto tiempo, el ritmo personal y la propia dirección, imprescindibles para llevar una vida de creatividad intelectual? El tiempo lo dirá; aunque Rosovsky siempre creyó en el principio llamado *John Quincy Adams Principle*, denominado así en honor de nuestro sexto Presidente, quién ocupó un puesto en la Cámara de Representantes después de haber terminado su presidencia. Poco después de que él anunciara que se iba, se sorprendió gratamente al recibir una carta de Edward B. Hinckley (egresado 1924, de Harvard) dándole la bienvenida a Retired Administrator's Teaching Society (RATS) [Sociedad de Profesores Administradores Retirados] cuyo lema es *ministrare sed non administrare* [ocuparse pero no administrar]. En palabras del "Chief Cheese" (Sr. Hinckley):

> El propósito de este egregio grupo de sabios filósofos es obvio: agrupar en una asociación intelectual libre a aquellos hombres (¡y mujeres!) que son lo suficientemente prudentes como para renunciar a la dudosa autoridad y a las inevitables responsabilidades de la administración a favor de la innegable satisfacción intelectual y espiritual que brinda la difusión de las eternas verdades. Este es el coto de caza ideal para los académicos: bibliotecas y manuscritos, el sagaz dar y recibir, el juego ágil y brusco característicos del proceso de investigación y descubrimiento académico.

35

Tal vez el Sr. Hinckley hubiera debido darse una ducha de agua fría antes de escribir estas líneas, pero logran expresar bastante bien lo que Rosovsky sentía. A su vida como decano no le había faltado ni "dar y recibir" ni juegos "ágiles y bruscos" (más de lo último que de lo primero), pero sí se había cansado del cargo. También se había dado cuenta de que la posibilidad de volver a las aulas o a la biblioteca, cosa que si luego de 11 años resulta difícil, en más tiempo sería directamente imposible. Si se quedaba iba a condenarse de por vida a la administración, y él optó por salir en libertad condicional. En 1985 también aceptó la invitación a unirse a la organización más poderosa, la Harvard Corporation (el organismo de gobierno más poderoso dentro de la universidad). Fue el primer profesor en recibir esa invitación en 100 años y, por supuesto, la aceptó con entusiasmo. En cada ocasión especial, los miembros masculinos de la Junta de Gobierno vestían frac, pantalones a rayas y sombrero de copa. Sin contar a la Universidad de Harvard, tengo la impresión que ese tipo de vestimenta solo era costumbre en casamientos y funerales japoneses o en la Corte Imperial. Aquella coincidencia con la vestimenta japonesa quizás fue lo que más lo atrajo, ya que lo que más quería hacer era concentrarse cada vez más y más en Japón.

Estimado Sr. o Sra.: esta carta de presentación ya es muy extensa, pero mi fascinación con el tema no me permitió ser breve. Espero que haya suficientes datos sobre mi historia o, al menos, suficiente de mi experiencia profesional como para poder establecer que el autor es calificado. Sé que él cree que los capítulos siguientes son una especie de penitencia, pero recuerde que *advertir al lector* siempre es una buena idea.

Sinceramente.

Dos tercios de lo mejor

P robablemente los lectores habrán percibido durante los textos anteriores que el autor está orgulloso de su profesión y no lo niega. A mi parecer, algunos aspectos del sistema norteamericano de educación superior encarnan algunas de las grandes glorias del país. Es más, hasta me animo a decirle a nuestros críticos (y son muchos) que de dos a tres cuartos de las mejores universidades del mundo están situadas en Estados Unidos (que también tengamos algunas de las peores universidades e institutos de educación superior, no es relevante ahora). ¿Qué otro sector de nuestra economía o sociedad puede afirmar lo mismo? Se podría pensar que los equipos de béisbol, fútbol y basquetbol son bastante buenos, pero hasta ahí llega la lista. Nadie dice que actualmente Norteamérica sea la sede de dos tercios de las mejores fábricas de acero, fabricas de automóviles, productores de *chips*, empresas bancarias o agencias gubernamentales; pero sí me han sugerido que albergamos una proporción similar de los mejores hospitales del mundo, y dado que muchos de esos hospitales son parte de las facultades de medicina, mi punto queda reforzado. El hecho de estar en los puestos más altos en la escala de calidad en educación superior es inusual, puede que sea un patrimonio especial nacional, y debe ser explicado.

Al decir que tenemos dos tercios (o quizá tres cuartos) de lo mejor, me refiero a que en las encuestas mundiales sobre universidades, las instituciones (públicas o privadas) de educación superior de Norteamérica están en los puestos más altos. Una investigación llevada a cabo por académicos asiáticos (publicada en el diario *Asian Wall Street Journal*)[1] arrojó como resultado el siguiente ranking: 1. Harvard; 2. Cambridge, Oxford; 3. Stanford; 4. Universidad de California (Berkeley); 5. MIT; 6. Yale; 7. Tokio; 8. París-Sorbona; 9. Cornell; 10. Michigan, Princeton. La verdad es que no le doy gran importancia al ranking, pero sí me complace encontrar a Harvard en el primer puesto. La lista solo es una aproximación, pero estoy seguro de que si se extendiera a 20, 30 o hasta 50 posiciones, la proporción de universidades estadounidenses no caería; universidades como Columbia, Chicago, UCLA, CalTech y Wisconsin, entre otras, no deberían tener mucha competencia en el exterior. Nótese que en esta nómina hay puestos ocupados dudosamente: las universidades de Tokio y Sorbona están en los primeros puestos en la lista probablemente por cortesía oriental. Algunos pueden argumentar que la sola idea de confeccionar estos rankings o seleccionar a "las mejores" es envidiosa, ruda e insignificante; pero no acepto esa postura si tomamos una definición amplia de esos términos. Las universidades mencionadas son líderes mundiales en investigación científica básica, ofrecen una importante porción de los programas más competitivos para graduados y se encuentran a la vanguardia en ciencias sociales (cosa que no es común en estos días). Los estudiantes de todo el mundo buscan masivamente entrar a estas instituciones en todos los niveles de educación.[2]

¿Por qué ocurre esto? Podemos comenzar mencionando la devoción por todos los niveles de educación que demostraron nuestros Padres Fundadores, la sociedad nuestra, que se acerca a una sociedad sin clases, y la consecuente (casi única) admiración por la educación para todos. Nuestra riqueza nacional, la gran cantidad de habitantes, el apoyo del Gobierno especialmente a la ciencia, son factores significativos en esta explicación. La influencia de los refugiados de Hitler fue, sin duda, muy importante para que elaboráramos

---

1. 5 de mayo de 1986.

2. "Estados Unidos de Norteamérica es ampliamente el destino número uno para estudiantes extranjeros; solo los de África eligieron masivamente un destino diferente: Francia". Ver Elinor G. Barber, ed. "Foreign Students Flows" (IIE Research Report N° 7), p. 8.

nuestros estándares de calidad a principios de la década del 30. Muchos estudiosos de prestigio internacional huyeron de Europa y vinieron a nuestras universidades donde elevaron el nivel intelectual a alturas impensadas; tanto las ciencias naturales como las sociales se transformaron positivamente. En Norteamérica, la costumbre del sector privado de realizar obras benéficas y el estímulo que da el gobierno a través de políticas impositivas sigue siendo de gran importancia. Todos estos factores son influyentes, pero, en mi opinión existen algunos factores no tan obvios, y puede que igual de importantes, dentro de las universidades.

Una característica inusual de las universidades norteamericanas es la competitividad. Instituciones del mismo tipo compiten por conseguir profesores, fondos para investigación, estudiantes, atención al público, y muchas otras cosas. El hecho de que, por ejemplo, las universidades de Harvard o Stanford reclutan activamente y compiten por estudiantes —estudiantes de grado, graduados y profesionales— resulta incomprensible para los institutos de educación superior de Tokio o Kioto donde un examen de ingreso determina todo; es casi tan inusual como el contratar profesores de otra universidad (ofreciéndoles mayores sueldos y mejores condiciones de trabajo) para beneficio de los individuos y la institución. En Japón, y en menor medida en otros lugares, uno debe ser graduado de la misma universidad donde pretende conseguir empleo. La endogamia es desenfrenada y contrasta fuertemente con las universidades norteamericanas donde se le da importancia a la calificación del individuo sin importar dónde haya recibido su educación.

La competitividad entre instituciones está asociada a algunas consecuencias negativas (en especial si tu universidad pierde posiciones en el mercado). Lo negativo incluye: profesionales estrella que cambian de una institución a otra sin reparo, solo buscando el beneficio personal; un menor nivel de lealtad a las instituciones; la comparación envidiosa entre los campos del saber, otorgándole excesivas ventajas a aquellos temas con mayor poder en el mercado (como en el caso de la informática contra el estudio de la lengua inglesa); y, sobre todo, los efectos negativos de una mentalidad de tipo Wall Street que se enfoca en los grandes logros a corto plazo en vez de en los logros beneficiosos a largo plazo o no muy populares.

Sin embargo, no tengo dudas acerca de los beneficios generales derivados de la competitividad entre universidades; ya que esto ha llevado a evitar la autocomplacencia y a estimular el impulso de llegar a la excelencia y el cambio. En 1980, todavía era posible para un periodista británico escribir: "La

39

Universidad de Oxford no está obligada a competir. No existen competidores preparados para derrocar a Oxford de su prominente posición [...] Oxford [...] a diferencia de sus equivalentes norteamericanas no está buscando probar su excelencia en cada oportunidad. Esto demuestra compostura y dignidad".[3] Esta expresión de sentimientos puede que se aplique a Tokio, París, Oxford y Cambridge, pero no podrían describir a ninguna universidad norteamericana. Puede que nos falte compostura y dignidad, pero logramos alcanzar una mayor calidad universitaria.

Las prácticas norteamericanas difieren en su selección del plantel docente para el empleo permanente o el *tenure* (Titular Plenario). Sé que este es un tema irritante a pesar de todo lo que se habla en nuestra sociedad sobre la seguridad y estabilidad laboral. Los críticos dicen que no se le da importancia a la capacidad de enseñanza de los profesores y que, en cambio, se dejan personas inoperantes en los cargos durante muchos años. Sin discutir esas críticas (y no estoy en lo más mínimo de acuerdo con ellas) se puede decir con certeza que en las principales universidades del país se toma muy en serio el otorgamiento de derechos de *tenure* a los profesores; no es solamente una cuestión de antigüedad. Los derechos de *tenure* se otorgan después de un período de prueba, generalmente de 8 años, y de una extensa investigación interna y externa por sus pares; es un proceso de elección altamente competitivo. En Harvard solemos hacer la siguiente pregunta: ¿quién es la persona más calificada para ocupar el puesto?, y después intentamos convencer a ese profesor a unirse a nuestro cuerpo docente. Puede que lleguemos a una conclusión errónea, pero incluso si no logramos convencer a la persona que fue nuestra primera o segunda opción, la meta que nos fijamos es elevada. Los detalles pueden variar, pero en esencia el proceso por el cual se obtiene el derecho al *tenure* es el mismo en nuestras universidades más prominentes (aquellas incluidas·en los primeros puestos del ranking). Todas estas instituciones tienen bien en claro que la calidad del plantel docente es el factor más importante para mantener la reputación y posición de la universidad. Un mejor plantel docente atrae a los mejores estudiantes, produce las mejores investigaciones y consigue la mayor cantidad de apoyo externo.

La forma de gobierno de las universidades es otra cosa inusual en Norteamérica. El papel de amplio alcance de la educación superior privada puede

---

3. Christopher Rathbone, "The Problems of Reaching the Top of Ivy League... and Staying There", en *The Times Higher Education Supplement* (1° de agosto de 1980).

ser un factor importante, pero no es la única explicación para el fenómeno. El tipo de gobierno tanto en universidades públicas y como en privadas es similar, y difiere ampliamente de lo que podría llamarse el "modelo continental".

El sistema norteamericano es unitario: en última instancia hay una persona (el presidente) que está a cargo. En general, las políticas educativas (planes de estudio, tipo de títulos, elección del cuerpo docente, admisión de estudiantes, etc.) las inician y son delegadas al sector académico. Sin embargo, el presupuesto universitario, la distribución de los donativos, las decisiones sobre nuevos programas, los planes a largo plazo y cuestiones similares están todas en manos de la jerarquía que acompaña al rector, quien responde a un consejo administrativo. Existen dos puntos que vale la pena mencionar: Primero, catedráticos, decanos, prebostes y otros cargos importantes de administración son todos designados (no elegidos) y pueden ser despedidos. Este tema es primordial dado que las elecciones académicas tienden a resultar en un débil liderazgo, ¿qué profesor en su sano juicio elegiría un decano que piensa acotar el plan de estudios de *su* materia? Segundo, hay fideicomisarios relativamente independientes que trabajan tanto en instituciones privadas como públicas y otorgan, de esta manera, una buena protección contra la interferencia política incluso a las universidades estatales. Contamos con un sistema de gobierno que permite la toma de decisiones necesarias aunque estas no sean apoyadas por consenso ni las más populares. Hemos aprendido que no siempre se mejora algo al hacerlo más democrático y, también, aprendimos que el gobierno en la universidad funciona mejor si se minimizan los conflictos de interés.

Por supuesto, no puedo describir el "modelo continental" (es una abstracción muy compleja), pero, en líneas generales, está diseñado para que las universidades interactúen con los Ministerios de Educación o con una especie de comité de subvenciones que desembolsa los fondos del Gobierno. Los profesores suelen ser servidores civiles sujetos a numerosas regulaciones burocráticas; el favoritismo fácilmente reemplaza a la competitividad. Otra característica común es que los cargos administrativos son electos, cosa que asegura un débil liderazgo: aquellos que son fuertes y proponen cambios seguramente no están entre los favoritos. En los últimos 20 años, una forma de democratización denominada "paridad" se arraigó en Europa: las decisiones respecto a las universidades las toman representantes de los estudiantes, administrativos y plantel docente en partes iguales. En Holanda, el resultado fue un ataque a la misma noción de excelencia en la educación superior. El profesor Isaac Silvera,

41

quien por muchos años enseñó física en Leiden, escribió hace poco: "La función principal de una universidad es la enseñanza y la investigación, pero, lo que parecía primordial en el sistema educativo holandés era crear un instituto democráticamente estructurado cuya organización y reglamento lograra promover el contento social de los estudiantes y empleados; solo después de lograr eso, se volcará su atención a la enseñanza y a la investigación". El ganador de un Premio Nobel, Nicolaas Bloembergen acotó algo mordazmente: "En algunos años [...] los holandeses estarán tristes si su equipo de fútbol gana la Copa Mundial: eso implicaría excelencia".[4]

Si consideramos solo a los dos tercios de las mejores universidades, también diferimos respecto al énfasis que se pone a la educación liberal de los estudiantes de grado, y algunas veces en el esfuerzo que eso impone a los estudios de grado. Por supuesto, fuera de Estados Unidos de Norteamérica, la situación varía de país en país pero las afirmaciones que siguen son verdaderas. En Japón, inclusive en las instituciones más prestigiosas, los estudiantes de ciencias humanistas y sociales pueden considerar la universidad como unas vacaciones de 3 años, y lo hacen muchas veces; el tenis parece ser la especialización preferida. Con frecuencia se dice que los estudiantes japoneses necesitan vacaciones largas para recuperarse del rigor impuesto por el sistema educativo secundario que es altamente exigente y la intensa ansiedad asociada a los exámenes de ingreso de las universidades, pero ¿realmente necesitan 3 años?

En Gran Bretaña, Alemania Occidental y Francia el primer título académico ya es altamente especializado; la idea de educación general es desconocida en el nivel universitario. Se espera que los estudiantes se inscriban a las universidades con los conocimientos generales ya aprendidos en el nivel medio. En comparación a Estados Unidos, esa es una expectativa válida.

En muchos países no se hace ningún esfuerzo para dar a estudiantes y profesores las mínimas instalaciones: no hay oficinas, bibliotecas ni laboratorios básicos; las aulas son completamente inadecuadas (todo esto se aplica a Italia) y las charlas teóricas tendrían el mismo valor si emanaran de un grabador portátil. De hecho, me he encontrado con esa técnica en Indonesia, donde ningún profesor puede realmente vivir con su sueldo. Mientras que la clase teórica se escucha grabada, el pobre profesor se encuentra tratando de conseguir algún ingreso extra.

---

4. *Harvard and Holland* (una colección de ensayos publicada con motivo del 350 aniversario de Harvard). 1986, p. 72.

Al intentar explicar por qué tenemos tan desproporcionada cantidad de las mejores universidades, debo mencionar otro factor importante: orgullo regional. Puede que ese orgullo exista en otras partes, pero con seguridad no en un grado tan alto. Muchas de nuestras instituciones, sean públicas o privadas, expresan claramente nuestro patriotismo; las universidades de California, Carolina del Norte, Wisconsin y Minnesota entran en esta categoría; se podrían citar otros tantos ejemplos, pero ya es suficiente. En nuestro enorme y descentralizado país, cada región quiere compartir parte de la grandeza, y esto a veces se logra. El Estado de California es un claro ejemplo de eso: la cantidad creciente de habitantes y, por ende, de impuestos, las nuevas riquezas, y un maravilloso clima son algunas de las características que llevaron a California a crear, en menos de 100 años, una asombrosa cantidad de universidades de renombre en el ámbito internacional; y todas se encuentran alejadas de los centros culturales tradicionales al Noreste de California. En Norteamérica, el poder preventivo de París, de Tokio, del Berlín de antes de la Guerra simplemente no existe (¡gracias a Dios!).

Respecto a la educación superior, la etiqueta *"Made in USA"*, o sea, fabricado en Estados Unidos todavía denota calidad, de hecho, la mayor calidad si nuestra mirada permanece fija en el punto más alto de la escala de calidad. Tal, vez sería bueno agregarle un rótulo más: "¡Manipúlese con cuidado!". Las instituciones que se incluyen en este grupo son básicamente las que tuve en mente al escribir este libro. ¿De cuáles y cuántas estoy hablando? En Estados Unidos hay aproximadamente 3.000 instituciones de educación superior. En un extremo se encuentran aquellas instituciones cuyas carreras duran 2 años donde se matricula el 36% de los estudiantes.[5] En la otra punta se encuentran las universidades con mejores programas de investigación, son 50 aproximadamente (el 57% públicas) y se inscribe el 10% del total de los estudiantes. Solo una parte (quizá muy poco) de lo que he escrito puede ser útil para las primeras; sin embargo, todo lo dicho puede aplicarse, en distinta medida, a las universidades de investigación. Dentro del paréntesis que brindan las 1.000 instituciones de carreras cortas y las 50 universidades de investigación más importantes, nuestro país cuenta con una enorme variedad de instituciones de educación superior. Hay universidades que hacen muy poca investigación, pero que enseñan a numerosos estudiantes; algunas ofrecen hasta el

43

5. Respecto a estos y otros datos estadísticos véase: Burton R. Clark, *The Academic Life* (Princeton: The Carnegie Foundation for the Advancement of Teaching, 1987), pp. 17-23.

título de maestría. Somos la cuna de instituciones de artes liberales de considerable variedad, en lo que respecta a calidad; esta categoría contiene algunos de nuestros mejores institutos. También debemos mencionar las numerosas instituciones especializadas en arte, música y diseño, y las academias militares. Todas estas instituciones llegan a las 2.000 y los lectores experimentados deberán pensar por sí mismos qué es válido y qué no lo es, desde el punto de vista de sus propias escuelas.

Me gustaría agregar que el énfasis puesto en nuestras mejores universidades de investigación no debería restarle valor a mis observaciones. Esas instituciones están en la cúspide del desarrollo intelectual nacional, determinan la agenda intelectual de la educación superior y marcan tendencia. Es verdad que Princeton, Michigan y Cornell son "típicas", solo una porción de la educación superior norteamericana y que existen considerables diferencias entre ellas; sin embargo, todas son muy importantes: importantes para nosotros, en Estados Unidos y para el mundo también.

CAPÍTULO TRES

Un día como decano[1]

45

6:30 a.m.
Medio dormido, bajo la escalera en busca de los periódicos *The New York Times*, *Boston Globe* y *The Wall Street Journal*. En otra época hubiera mirado las portadas concentrándome en las noticias locales e internacionales más importantes, pero no ahora. Ojeo rápidamente los tres diarios en busca de alguna nota (generalmente críticas) sobre Harvard. Esta mañana hay una nota en *The Wall Street Journal* que no me molesta mucho que digamos:

> ¿Qué llamada telefónica atendería en primer lugar el presidente Reagan si los que llaman son: el editor del *Washington Post*, el gerente general de IBM, el principal obispo episcopal o el rector de Harvard? En una encuesta de Gallup el 41% dijo que el Presidente elegiría al editor del periódico primero, después [...] venía el gerente de IBM y, por último, el rector de Harvard.

---

1. En honor de la exactitud histórica, debo confesar que el día que se describe aquí, es una recopilación de varios días a lo largo de un período y que cada evento sucedió realmente.

Y bueno, ahora me voy a dar una ducha relajante y a afeitarme.

7:00 a.m.

Me voy de casa a un desayuno en el *Faculty Club*. Enciendo la radio del automóvil y me sorprendo un poco al escuchar una voz que dice (con evidente satisfacción) que el decano Rosovsky de la Universidad de Harvard le había llamado la atención a un profesor por acosar sexualmente a una estudiante. Mi sorpresa fue limitada, porque en el día anterior había cumplido el penoso deber de reprender a uno de nuestros profesores por darle un beso (totalmente inapropiado y nada bien recibido) a una estudiante. No me sorprendió que la historia hubiera sido claramente distorsionada por la prensa. Me he acostumbrado a esperar estas cosas. Dado lo temprano que era (probablemente pocos estudiantes estarán enterados y los docentes a esta hora estarían probablemente mirando envidiosamente a sus amigos en el *Today Show* (uno de los programas de televisión más populares en Estados Unidos) y solo pocas personas que me interesan habrán escuchado el informe antes de que se emitiera una retractación y corrección de los hechos. (Una de mis secretarias escuchó la emisión e inmediatamente llamó a la estación de radio. Es interesante destacar que en ese momento no me dijo nada al respecto, con la clara intención de protegerme de la irritante noticia.) Ese fue un comienzo esperanzador para otro largo día.

7:30 a.m.

Entro a los elegantes y gastados alrededores del *Faculty Club* de Harvard, donde la versión local del desayuno de poder se está poniendo en movimiento. Noto la presencia de ciertas personas que lo frecuentan a diario: solteros y quizás aquellos cuyas esposas se niegan a preparar huevos fritos o a hacer panqueques. Hay un número de reuniones en marcha, conozco a la mayoría de los grupos y probablemente pueda adivinar el tema principal que los llevó a reunirse. Hay un miembro de la *Harvard Corporation* (el principal organismo de gobierno), algunos estudiantes medio dormidos y profesores; sin duda la "desinversión" y "Sudáfrica" están en la agenda. Nuestro vicerrector a cargo de las relaciones con los ex alumnos y algunos especialistas de desarrollo se encuentran en un rincón, sin duda están discutiendo el progreso de la campaña monetaria: ¿cómo recaudar 350 millones de dólares estadounidenses? Parecen estar entusiasmados y sonríen bastante. Como el principal beneficiario de sus labores, me complace que se encuentren de tan buen humor.

Mi reunión es con el decano de *Harvard College* —en otros lados conocido como el decano de estudiantes— y algunos de sus asistentes. Los temas a tratar: la elección de nuevos encargados para las residencias, la superpoblación de las residencias (con dormitorios realmente extravagantes), y las tensiones existentes con el *Radcliffe College*. Todos estos temas comparten una característica común para la administración académica: nunca se acaban y raramente se resuelven. Los estudiantes de Harvard viven en 13 residencias o casas (vagamente parecidas a las de los *colleges* de Oxbridge) que hoy en día cuentan cada una con una pareja de encargados, en general un profesor de la universidad y su esposa. Es un puesto codiciado por sus múltiples ventajas; pero es muy complicado encontrar a la pareja correcta, es decir, una pareja "equilibrada",[2] que complazca a los estudiantes, pero que, al mismo tiempo, observe criterios de madurez. Muchas veces aquella pareja que mejor serviría rechaza la invitación y, entonces, el decano de estudiantes y yo revisamos la lista de profesores y tratamos de identificar las mejores opciones.

El tema de la superpoblación en las residencias tiene una explicación simple. Las residencias de Harvard se construyeron en la década del 30 y reflejan el estilo de vida de los estudiantes de aquél entonces: servicio doméstico, habitaciones en *suite*, camareras, menús a la carta, y manteles en las mesas. En la época posterior a la Segunda Guerra Mundial nuestra misión fue lograr acomodar quizás un 25% más de estudiantes en las residencias y al mismo tiempo tratar de preservar ciertas comodidades. Tuvimos que hacerlo para tener clases con grupos más grandes, que generan mayores ingresos, y porque la demanda de inscripciones por parte de candidatos altamente calificados parece infinita. Entonces, discutimos la posibilidad de realizar nuevas construcciones y remodelaciones. Hay muchos comentarios sobre los "balances finales", bonos exentos de impuestos, tasas de interés, y temas similares; y a esta temprana hora del día, el tema resulta difícil de digerir (¡aunque es mejor que la desinversión!)

Harvard y Radcliffe son instituciones separadas. En 1974, sugerí la posibilidad de unir a las dos instituciones y propuse un nuevo nombre para la nueva entidad: Harcliffe. Solo unos pocos lo encontraron entretenido, en especial en los círculos menos poderosos de Radcliffe. En cambio, desarrollamos un *entente cordiale* (el grado de cordialidad entre las instituciones estaba sujeto

47

---

2. "Pareja equilibrada" hace referencia a las parejas en las que la mujer no es simplemente un ama de casa, sino que, además, se ocupa de otras actividades (trabajar fuera de casa, por ejemplo).

a variaciones cíclicas) que yo interpreté como un mandato de coeducación y que en Radcliffe se interpretó como una autoproclamación de ser ellos quienes debían defender el rol de la mujer en la comunidad de Harvard.

La universidad de Radcliffe fue fundada algo más de 100 años atrás con el fin de dar a las mujeres acceso a la educación de Harvard. Desde sus comienzos, Radcliffe no era realmente una universidad en el estricto sentido de esta palabra debido a que nunca tuvo un plantel docente propio. Las mujeres siempre asistían a las clases de los profesores de Harvard, por muchos años en aulas separadas, y desde los 50 en clases conjuntas. En los últimos 15 años los estudiantes universitarios, hombres y mujeres, han coincidido en las mismas residencias, han asistido a las mismas clases, han recibido los mismos títulos y han sido cuidados por el mismo cuerpo administrativo de Harvard. Radcliffe redirigió sus esfuerzos hacia la creación de una gran biblioteca dedicada a la historia de la mujer y de un instituto para mujeres académicas. A pesar de esto, Radcliffe sigue teniendo la voz de respaldo en asuntos del instituto, y eso puede crear problemas diplomáticos y sustanciales. Algunos de estos conflictos son los temas de esta mañana: se nos ha acusado de manejar un club de hombres, de comportamiento sexista, que no reconoce las necesidades especiales de las mujeres. ¿Es esto verdad? ¿Qué hacer...?

8:45 a.m.

Después de no haber logrado solucionar ninguno de los problemas y habiendo desayunado suculentamente, cruzo el patio hacia mi oficina en el *University Hall*. Aún está todo tranquilo (no hay estudiantes a la vista, y algunos profesores van camino a la Biblioteca Widener). Mi primera cita es con un colega furioso de mi propio Departamento de Economía que acababa de recibir mi carta anual donde se anuncia su sueldo para el siguiente año lectivo. Luego de calcular rápidamente el monto, este economista cuantitativo concluyó que el aumento era del 1%: un insulto, una atrocidad. Tengo el malicioso placer de corregir sus cálculos; el aumento es del 6%: él no sabía cuál era su sueldo y calculó sobre una base errónea. Mi colega se retira algo avergonzado. Luego de este pequeño y malicioso triunfo estoy ansioso de seguir con mi día.

9:00 a.m. a 11:00 a.m.

El personal de oficina ha llegado, un asistente administrativo y cuatro secretarias. Todas las llamadas telefónicas se filtran y empieza el eterno juego de las "notas telefónicas": "X llamó. Por favor devolverle la llamada". Eventualmente, una de mis secretarias devuelve la llamada y deja un recado similar, ad infínítum. Sin duda, la compañía telefónica está contenta.

Dos horas para cuatro entrevistas. Uno aprende rápidamente a terminar cada entrevista a tiempo; ya sea por un aviso por el intercomunicador del asistente administrativo, por mirar repetidas veces al reloj o por pararse y caminar hacia la puerta; alguna de estas estrategias a veces funcionan.

Primera cita: un catedrático preocupado. Su Departamento es pequeño y tres de los profesores con mayor antigüedad han anunciado repentinamente que desean tomarse licencias sin goce de sueldo o tomarse el próximo año sabático. Estos profesores son sus colegas y él tiene que seguir viéndolos por muchos años más: decirles que no es desagradable y puede afectar su relación con ellos en el futuro; decirles que sí es fácil, solo los estudiantes sufrirán las consecuencias. Este hombre tiene más conciencia que coraje (en mi experiencia, algo muy común) y quiere que yo emita un edicto de decano negando dos de los pedidos de licencia. Comprendo mis responsabilidades, y ser el malo de la película es una de ellas. Una severa carta se mandará esta tarde.

Todavía quedan 10 minutos libres para este encuentro, me encantaría ir al baño;[3] pero, terminar la reunión temprano puede que le resulte descortés. Entonces, mi amigo aprovecha la oportunidad para desahogar motivos de queja eternos: el inadecuado espacio de oficina, la escasa cantidad de secretarias, el poco interés en su materia. Dejo de escuchar, aunque pongo cara de interés. Son las nueve y media y el intercomunicador suena.

Segunda cita: mi principal asistente financiero. Dos temas: matrículas del año entrante y sueldos de los profesores. Son temas muy serios y, entre otros,

49

---

3. Podría, sin mucha dificultad, escribir un capítulo entero sobre baños. Mi problema es consecuencia directa de la antigüedad de Harvard. La oficina del decano se encuentra en el *University Hall*, edificio creado a principios del siglo XIX, antes de que se usara la plomería en la parte interior. Cuando finalmente se instalaron, los baños se pusieron donde había suficiente lugar para ellos. En mi caso, los baños más cercanos me quedaban a dos minutos y medio corriendo en cualquiera de las dos direcciones. Mis frecuentes escapadas al baño me brindaban un buen ejercicio y entretenían ampliamente a todos los que trabajaban en el edificio.

Lo que muchos podrían considerar una humillación, resultó una ventaja en mi relación con los científicos de laboratorio de mi departamento. Aquí contamos con una especie de académicos que se "derriten en la lluvia": exigen, a un costo desorbitado, un acceso directo a sus laboratorios. Un corto paseo de un edificio a otro es algo inadmisible. A esas personas yo les decía en tono inocente: "seguramente ustedes podrían caminar tanto como me toca a mí para ir al baño". Creo que algunos creían que al lado de mi oficina existía un baño romano secreto, hecho de mármol, con su *jacuzzi* y salón de masajes. A mi pregunta, la respuesta era siempre un inmediato "sí". Puede que le haya ahorrado a Harvard miles de dólares.

definen los costos e ingresos del plantel docente. Ambos deben ser considerados con espíritu competitivo: las decisiones tomadas en Stanford, Berkeley, MIT, Yale, y otras universidades son cruciales; compartimos la información libremente. Ser líder en salarios del plantel docente y un seguidor respecto a la matrícula es una ambición personal algo contradictoria. La asistente pide con insistencia un aumento considerable del valor de las matrículas, y tiene buenas razones. Sin embargo, sé que el rector y la corporación van a oponerse, y también pienso en el peso que vamos imponer sobre los hombros de los padres de clase media: los ricos pueden costear el aumento, la mayoría de las becas se otorgan a los grupos con menores ingresos y los que están en medio son los que más sufren. Mi asistente me dice que no se puede equilibrar el presupuesto con mi actitud pusilánime y poco masculina. Se requiere actuar inmediatamente. Una vez más, el intercomunicador irrumpe en la oficina y decidimos posponer el fúnebre día para más adelante. Sé que hay pocas decisiones que deben tomarse de inmediato, y es mejor no apresurarse a tomarlas temperamentalmente.

50

Tercera cita: un episodio doloroso, inusual, pero no sin precedentes. Uno de nuestros profesores, un académico de bastante experiencia y muy distinguido, que conozco desde nuestra época como estudiantes era un residente semipermanente del *Faculty Club* donde creó numerosos disturbios. Es divorciado, se siente solo, y se ha estado comportando de manera cada vez más extraña. Lo último que hizo fue negarse a dictar a su clase. No tenemos problemas en tolerar la excentricidad, inclusive podemos soportar cierto grado de paranoia; pero negarse a enseñar es inaceptable.

El profesor llega puntual. Es un hombre pequeño y, a mi parecer, tiembla y se rasca más de lo normal. No niega que decidió por sí solo dejar de enseñar. Los estudiantes, según él, no son auténticos y no existe otra explicación más razonable. Le sugiero gentilmente la posibilidad de que visite a un médico para una evaluación, pero lo rechaza. Remarco que va a ser necesario tomar una fuerte medida disciplinaria, que negarse a dar clase es algo que no se puede tolerar en lo más mínimo. El profesor dice que quizás deba llevar su caso a la reunión del claustro de profesores. Nos separamos con convicciones completamente opuestas: estoy seguro de que mi colega está demente y él cree que soy un completo inepto por no poder distinguir entre los estudiantes auténticos y los no auténticos.

Cuarta cita: ya son las 10:30 a.m. y, para mi sorpresa, veo que una pequeña delegación de estudiantes activistas políticos está en mi agenda. Como decano, es difícil ver a los estudiantes o a los profesores en su mejor humor, ya que todo el mundo siempre quiere algo. Los estudiantes son agradables durante las clases, en actividades extracurriculares, o durante la cena. Desafortunadamente, como políticos crecen demasiado rápido: son argumentativos, utilizan un lenguaje exuberante, tienen pretensiones de superioridad moral, son engreídos, condescendientes y desconfían todo el tiempo de las instituciones y los mayores. Hay excepciones, pero, el estudiante políticamente activo modelo debería reconocerse en la descripción mencionada. No me sorprendió que ellos quisieran verme (nunca faltan motivos), pero que hubieran pedido una cita por la mañana era extraño.

La delegación consistía de tres estudiantes judíos, dos de ellos ortodoxos. (Esto puede explicar su predisposición a reunirse a las 10:30 a.m. Los rezos mañaneros ya habían terminado hacía rato.) Sabía que lo que tenían en mente era complejo y que no estaba de acuerdo con su postura. En junio, nuestra ceremonia de graduación caería en el segundo día de *Shavuoth*, la festividad judía que celebra el día que Moisés recibió la Ley en el Monte Sinaí. En pro de los estudiantes ortodoxos, quienes tendrían dificultades para asistir a su propia graduación (aunque no les sería imposible según lo que me dijeron mis consejeros rabinos), y como reconocimiento simbólico del interés hacia los judíos, este honesto joven me pidió (de hecho, demandó) que se cambiase la fecha de la ceremonia de graduación. Traté de explicar mi oposición a su solicitud.

¿Es razonable modificar los planes de 25.000 personas para que quizás unos 100 interesados no sufran inconvenientes? ¿Qué hay de las demandas por un trato especial de otros varios grupos religiosos? ¿Acaso no somos una universidad laica? De hecho, hemos efectuado varios cambios deseados por los judíos [hasta hace poco era difícil evitar los exámenes de los sábados o tener que registrarse en *Yom Kippur* (Día del Perdón) o conseguir comida *kósher* (regla de salud alimentaria)], pero, aparentemente este pedido era poco razonable y sentaría precedentes nocivos.

Este tema provocó más presiones de las imaginadas. Los estudiantes me dieron una petición firmada por "3.000 miembros de la comunidad de Harvard"[4] pidiendo el cambio de fecha. (Había campaña por carta y teléfono en pleno movimiento, una carta de un rabino ortodoxo comparaba al presidente

51

---

4. Uno debe comprender que en nuestra comunidad se pueden obtener miles de firmas en pocas horas para casi cualquier cosa.

Bok con el Faraón y le instaba a no cerrar su corazón al pueblo de Israel). Dado que conozco y he participado en la política del activismo judío, logré poner dichas tácticas en perspectiva. Mis asociados no judíos no eran tan afortunados y vivían con miedo de que se los acusara de ser antisemitas.

Como se dice, los estudiantes y yo tuvimos un franco "intercambio de opiniones". A sus ojos yo no era mejor que un Tribunal Judío del siglo XVII donde se aplicaba lo que un amo dictaminaba. Sus sentimientos no me molestaron en lo absoluto; estaba completamente convencido de que mi postura era correcta y que apoyaba los intereses de comunidades judías más extensas.

Un día mi asistente administrativo, quien trabajó para cuatro decanos en un período de más de 40 años, me dijo: "Sr. Rosovsky, ser decano es un trabajo muy difícil; pero ser un decano judío es simplemente imposible".

11:00 a.m.

Cruzo el patio desde el *University Hall* hasta *Massachussets Hall* para encontrarme con el rector. El camino entre los edificios está desgastado; puede que mi ir y venir sean la razón del desgaste.

Como siempre el saludo del rector es caluroso: me palmea la espalda, se ríe alegremente y nos sentamos en las sillas de su oficina donde siempre nos acomodamos; la mía ya está amoldada. Tanto el camino entre edificios como la silla están desgastados, quizás por las mismas razones. Nos reunimos con bastante frecuencia, al menos tres o cuatro veces a la semana, y todos son encuentros agradables; disfruto de su compañía, es uno de los momentos más agradables de mi día.

Se discuten dos temas completamente diferentes. Mi entusiasmo por ahorrar dinero ha llevado a una decisión del momento: reducir la frecuencia con que se pintan las aulas; la pintura descascarada nunca ha provocado que no se pueda estudiar. Desafortunadamente, hay un efecto dominó y algunos de los pintores gremiales de Harvard deberán ser despedidos. El rector me dice que siguiendo la política de "el último en incorporarse, es el primero en despedirse", las personas a despedir son todos afroamericanos. Entonces, rápidamente acordamos que la Facultad de Artes y Ciencias se va a seguir pintando con la misma frecuencia de siempre.

El otro tema es el deseo del presidente Bok de fomentar el planeamiento académico a largo plazo y sus derivados, estudios y estadísticas. Nuestras respectivas actitudes —y no para sorpresa de alguno de los dos— son extrañas, un poco fuera de lo común. Uno esperaría que el rector, como abogado, se enfoque en el aquí y el ahora, y que ponga el énfasis en todo lo práctico. Como economista (de manera presuntuosa, un científico social) yo debería haber estado entusiasmado con las cuentas, la información, la manipulación estadística, y todo tipo de investigación educativa. Pero ese no fue el caso, porque nuestras actitudes se ven afectadas por nuestros cargos y responsabilidades. Un rector ve a la universidad desde el punto de vista de un entrenador en las Olimpíadas: siempre trata de dar pequeños empujones, buscar las debilidades sugerir mejoras, etc. Él se para en los hombros de los decanos observando a la distancia, pensando en los desafíos que vendrán durante los próximos 5 años (a veces durante las próximas décadas). Me veía a mí mismo como un comandante en el campo de batalla, esquivando balas de direcciones inesperadas. Muchas veces los objetivos se planteaban en cuestión de horas, a lo sumo semanas. Quizás equivocadamente, creía que la mayoría de los planes y estudios arrojaban resultados obvios que ya estaban en mi mente de manera intuitiva. Por supuesto tenía un gran respeto por la sabiduría e inteligencia del rector y también comprendía que él compensaba mis debilidades. Acordamos realizar nuestras estimaciones financieras para un plazo de 5 años y analizar al Departamento de Lenguas Romances con profundidad.

53

12:00 p.m.

Me apuro, por el mismo camino desgastado, de regreso al *University Hall* para asistir a un *lunch*, con los decanos en mi oficina. Asisten: el decano de la Escuela de Posgrado de Artes y Ciencias (historiado ruso), el decano de la División de Ciencias Aplicadas (físico estadístico), el vicedecano de Educación de Grado (científico político), el vicedecano de Ciencias Biológicas (neurobiólogo), un asistente especial de asuntos académicos (profesor de lógica), y mi asistente especial para planeamiento académico (historiador y administrador de carreras). No es una ocasión elegante. Nos sentamos alrededor de una mesa de café, siempre en las mismas sillas, saboreando los mismos emparedados, apoyando nuestros cafés y gaseosas entre las pilas de documentos. Nuestras reuniones son semanales (duran dos horas) y algunos de nosotros hemos asistido por casi una década. Ellos son mis consejeros más íntimos. Nada se les oculta; conocen prácticamente todos los hechos que yo conozco,[5]

---

5. Hay una excepción importante. En Harvard, el decano es la única persona que conoce y fija los sueldos de los profesores, con cargo de Titular Plenario, de Artes y Ciencias (los sueldos de los demás profesores se fijan según una escala conocida por todos). Prácticamente en todas las otras universidades los directores, y a ▶

y muchos que todavía no conozco.

Aparte de los temas de rutina, la reunión de hoy presenta un encuentro a gritos (algo más bajos que de costumbre) y entre dos científicos. Es realmente un choque entre culturas. Nuestro severo físico cree que la mayoría de los biólogos son demasiado indulgentes consigo mismos y que sus esfuerzos en nombre del bien común (por ejemplo, la enseñanza a estudiantes de grado) son mínimos. Se deben reducir sus recursos si no mejoran sus esfuerzos. El decano de Biología está totalmente en desacuerdo, y explica con impaciencia las "circunstancias muy especiales" que existen en su área, que es la que más rápido se desarrolla en el mundo académico. Nuestro historiador, algo humanista, pone el dedo en la llaga al recordarnos la difícil situación de nuestros jóvenes profesores de lengua, y dice que comparados con ellos, los profesores de todas las ciencias naturales virtualmente no enseñan. Y así sigue. Yo escucho, aprendo y trato de poner cara de Buda.[6]

2:00 p.m.

Se acompañó a los decanos a la salida y se retiraron las sobras del almuerzo. Mi próximo compromiso es una sesión de cortejo: el novio, es la Facultad de Artes y Ciencias, representada por mí, y la novia es un joven filósofo que enseña en una universidad del Medio Oeste. Mi tarea es convencerlo de que acepte una cátedra en la Universidad de Harvard. Esta es una tarea importante y nada de lo que haga hoy, tendrá tanta importancia. Siempre que exista la posibilidad de mejorar la calidad promedio, el corazón de un decano palpita con más fuerza, y todo indica que este joven ronda la genialidad (¡la novia es muy hermosa!); pero eso no es todo. Nuestro Departamento de Filosofía

---

► veces los consejeros, tienen voz a la hora de determinar los salarios del plantel docente, y en muchas instituciones públicas los salarios se publican como parte del presupuesto académico. Nuestro sistema funciona porque evitamos los "sueldos estrella", tratamos de minimizar las diferencias entre las áreas académicas, y se le ha otorgado dicha autoridad sobre los salarios a los decanos hace mucho tiempo. No le recomendaría hacer lo mismo que Harvard en cualquier institución, y de hecho creo que ya es tiempo de que nosotros cambiemos nuestro método.

6. Al menos este Buda estaba pensando en un viejo chiste judío. Se le pidió a un rabino que resolviera una disputa entre dos comerciantes. El primero contó su caso en detalle; el rabino se tocó la barba y dijo: "mmm, tiene usted razón". Entonces, el segundo dio su versión de los hechos, una versión completamente opuesta a la del otro; el rabino lo miró, se tocó la barba de nuevo, y opinó: "mmm, tiene usted razón". La mujer del rabino que estaba sentada al fondo intervino con una pregunta: "has escuchado dos versiones completamente diferentes de los mismos hechos, ¿no es imposible que ambos tengan razón?" El rabino asintió, se volvió a tocar la barba, y le dijo a su esposa: "tú también tienes razón".

es excelente, generalmente ocupa el primer lugar en el ranking nacional. El Departamento es tan bueno que muestra síntomas de una patología muy común: la imposibilidad de encontrar a alguien que esté a la altura para unirse a él. Existe el inminente riesgo de que se transforme en un club de veteranos, cada vez más exclusivo con la jubilación y el fallecimiento de sus miembros. Imagino que el departamento queda con un único miembro: un patriarca que sujeta en su mano un enorme bolso con bolas negras. Y ahora, ¡al fin un candidato!

Por estas razones decidí ser tan encantador y persuasivo como me fuera posible y hacerle una oferta extremadamente generosa. Con una sonrisa en mi rostro —tratando de no pensar en Pagliacci— entro al área de recepción para saludar a mis invitados, el joven filósofo y su esposa. Hoy en día la presencia de la esposa no es algo inusual. Ella es programadora de computación y su opinión sobre Harvard y sus posibilidades de empleo pueden determinar el resultado del cortejo.

Hice mi mayor esfuerzo para crear la atmósfera correcta en mi amplia y hermosa oficina: el hogar está encendido y hay botellas de jerez y brandy a la mano (estoy convencido que estos agasajos son poco comunes al oeste de las montañas Allegheny). Afuera está lloviendo, y noto que el joven filósofo puso, sin cuidado, sus zapatos embarrados sobre mi nuevo sofá blanco. Mi asistente administrativo no va a alegrarse con esto. Empezamos con el típico discurso de reclutamiento. Harvard es especial, quizás hasta única; es un lugar donde los académicos pueden crecer, y ofrece lo mejor a graduados y estudiantes; Nunca me arrepentí de haberme mudado a Harvard y estoy seguro que tampoco lo lamentarán, Boston es muy emocionante, etc.[7] Déjenme remarcar que este no es un discurso cínico, creo vehementemente en su mayor parte a pesar de darme cuenta de que debe haber docenas de reclutadores que dicen cosas similares en otras universidades y con igual convicción. También noto (y no me sorprende) que mis invitados ya conocen este tipo de discurso persuasivo. En todos los campus se compite fervientemente por los servicios de los mejores académicos y tener más ofertas resulta familiar. (El novio está ansioso.)

La segunda parte de la entrevista también es deprimentemente familiar. Debo escuchar un discurso sobre todo lo que está mal en Harvard, Boston,

55

---

7. Cuando el candidato viene de California, paso mucho tiempo hablando del estímulo intelectual que representa vivir en un clima de cuatro estaciones.

Cambridge, nuestros departamentos, los sueldos y demás: las viviendas son muy caras; las escuelas públicas son malas y las privadas muy caras; la esposa tendría pocas posibilidades laborales; el Departamento de Filosofía es demasiado pequeño; los buenos graduados van a Princeton; hay poca cooperación entre colegas en Harvard; etc. Hay algo de verdad en cada una de estas observaciones, y el hecho de detallarlas es parte del regateo. (La novia se cuida de no demostrar mucho entusiasmo.)

Rápidamente estamos hablando de puntos concretos: ofrezco un sueldo alto, peleándome con mis principios de equidad en mi interior; agrego un subsidio muy generoso para la vivienda; agrego un pequeño "fondo económico" (dinero para gastos académicos imprevistos); prometo que voy a ayudar a la esposa a conseguir trabajo y a que su hijo entre a alguna de las escuelas más importantes en Cambridge. La generosidad de nuestra institución es recibida sin la más mínima expresión en el rostro, sin palabras de gratitud; en cambio, me hacen una serie de preguntas respecto a días de descanso, licencias y jubilación.

Termina la hora. Hay otras personas esperando afuera. Ahora se deberá redactar una carta oficial, aclarando todos los compromisos ofrecidos hoy. Les digo adiós a mis visitantes y se los entrego al Director del Departamento de Filosofía. A ellos los esperan una ronda de festejos con cócteles y cenas, una breve entrevista con el presidente Bok, y algunos encuentros con los agentes inmobiliarios; y a mí, el *Harvard Crimson*.

3:00 p.m.

El *Harvard Crimson* es un diario publicado por estudiantes. Su influencia es considerable ya que la prensa nacional e internacional frecuentemente lo utiliza como fuente principal de noticias sobre la Universidad. Por lo general, el estilo de redacción es magnífico y vivaz. Este periódico atrae a los estudiantes inteligentes y para ellos participar del diario resulta su actividad principal en la universidad: les consume más tiempo que las clases u otras actividades. Muchos han conseguido carreras distinguidas en periodismo.

En mis 20 años de lector del diario he descubierto que la precisión de las noticias no es constante. En la década del 60 y a principios del 70 el diario se volvió partidista, apoyando las fuerzas revolucionarias. Sus reporteros suelen ser más precisos y, a veces, imparciales; ni mejor, ni peor que la prensa nacional. Las notas editoriales son otra cosa. Aquí el *Crimson* ha sido resuelta y consistentemente de izquierdas durante mucho tiempo. Más importante es el estilo beligerante del diario, especialmente de cara a "la administración". Si "Todas las noticias apropiadas para imprimir" es el eslogan adecuado para *The New York Times*, el de *Crimson* debería ser "¿Cuándo dejaste de golpear a tu esposa?". Durante mis 11 años como decano rara vez me encontré con una nota a mi favor en sus columnas: Se opusieron prácticamente a todas mis iniciativas y sus informes respecto a mis actividades generalmente aludían a motivos más oscuros, ocultos y manipuladores que se ilustraban con fotos mías poco favorecedoras (respecto a la calidad de las fotos, sin duda tengo una gran, si bien inevitable responsabilidad).

Tres periodistas vinieron a mi oficina para nuestra tradicional sesión mensual. Miro a estos jóvenes hombres y mujeres que visten camisetas, suéteres y jeans; y me pregunto, ¿a quién me encontraré primero vestido con traje y chaleco (o su equivalente para mujer)?, ¿alguno de ellos es un futuro Franklin Roosevelt, Cap Weinberger o Anthony Lewis? El encuentro de esgrima se inicia.

Se le negó el cargo de Titular Plenario a una auxiliar docente muy popular. ¿Cómo puedo explicar mis desagradables acciones respecto al tema? Ellos bien saben que nunca hago comentarios sobre temas confidenciales, pero, estoy dispuesto a explicarles, por enésima vez (el *Crimson* cambia los reporteros cada dos por tres y se les deben repetir las explicaciones con cierta frecuencia), el complicado proceso de promoción laboral; a mi parecer, están siendo injustos. Lo que, seguramente, suena a una respuesta paternalista es recibida con una media sonrisa. No tendrán problemas en conseguir citas textuales (casi siempre anónimas) que pondrán en duda mis afirmaciones.

La reforma educativa es un tema muy popular que se discute entre los estudiantes. Se sabe que estoy a favor de que se implemente un nuevo plan de estudios que daría una estructura más sólida a la educación básica universitaria. ¿Acaso no comprendo que esto limitaría la libertad de los estudiantes? ¿Por qué no se les permite a los estudiantes tomar sus propias decisiones? ¿Por qué no se les da a los estudiantes el *poder* de decidir qué estudiar? Estas preguntas son serias y legítimas, y trato de contestarlas con algunos detalles. Les hablo sobre las responsabilidades del cuerpo docente, de la educación liberal, de la necesidad de que todos estudien ciencias, humanidades y muchas otras asignaturas. La portada del diario de mañana tendrá un titular que diga: "Bienvenidos de nuevo a la escuela secundaria".

En los últimos 5 minutos del encuentro me la pasé mirando (y haciéndolo evidente) mi reloj. Los periodistas siempre se aprovechan del tiempo cuando son bienvenidos, pero debo prepararme para una reunión con el plantel docente. Mis invitados se van justo cuando llegan el presidente Bok y los miembros de la comisión del orden del día para una breve reunión previa a la mía con el personal docente.

3:45 p.m.

La reunión mensual con la Facultad de Artes y Ciencias es como un baile con Coreografía excelente y el escenario es la imponente sala de reuniones que está al lado de mi oficina que, por consenso, es el lugar más bello de la universidad. Las paredes están llenas de retratos de profesores y rectores ilustres, y hay varias fotografías dispersas de profesores vistiendo toga. El pasado de Harvard puede resultar un peso o una inspiración: Eliot, Lowell, Benjamín Franklin, Theodore William Richards (el primer norteamericano en ganar el Premio Nobel de Química), William James, Samuel Eliot Morison y otros miran en silencio la insensatez de nuestros tiempos. Todas las caras son masculinas, la mayoría "personas de clase privilegiada de Estados Unidos: blancas, anglosajonas y protestantes", y eso es una imagen realista de nuestro pasado. Espero vivir lo suficiente como para ver representaciones de nuevas categorías.

La sala tiene capacidad para acomodar fácilmente 250 personas y ese es un número apropiado. Nuestros miembros (todos los docentes y más de 100 administrativos) alcanzan los 1.000, pero, muchos profesores optan por no asistir a las reuniones a menos que haya alguna situación crítica. Siempre me pongo nervioso si nos vemos obligados a trasladar la reunión a un lugar con mayor capacidad porque me remonta a recuerdos poco felices de la crisis de los 60 y 70. Por suerte no tuvimos la necesidad de trasladarnos a menudo durante mi período como decano. Hasta el momento (justo antes de la hora oficial de comienzo de la reunión, 4:00 p.m.) una pequeña multitud está reunida al fondo de la sala, tomando té con masitas. Este civilizado intervalo puede ser el momento oportuno para mencionar una nota de pie de página en la historia de Harvard: Escuché que mucho tiempo atrás —en los buenos viejos tiempos— antes de que yo llegara, tomar el té siempre había sido una costumbre; luego, en medio de uno de nuestros peores y más politizados debates, en 1971 (el tema podría haber sido el eliminar las calificaciones a causa de los males del imperialismo norteamericano) impulsé exitosamente una moción para reinstituir esta práctica.

Nuestras reuniones son formales. Seguimos las reglas denominadas "Robert Rules": en cada reunión tenemos un parlamentario y el presidente que encabeza cada sesión se sienta en una tarima elevada a cuyo costado hay un surtido de decanos y el rector de Radcliffe. Luego de que la reunión entre en sesión y de que se nombren las formas parlamentarias, nos dedicamos durante dos o tres minutos a escuchar comentarios conmemorativos que, por lo general, son relatos exquisitos, encantadores, y graciosos sobre la vida de los académicos (colegas que murieron en los últimos años). Realmente me encanta esta primera media hora. Muchos de los elogiados eran profesores, amigos o conocidos; y algunos de nuestros miembros escriben notas necrológicas de primera clase. Contemplar los logros de otras personas puede también incentivar la humildad de cada uno, al menos en aquellas personas que todavía somos capaces de tal sentimiento.[8]

Casi todas nuestras tareas de hoy son informes de rutina, con solo una pequeña moción significativa. El Departamento de Biología propone dividirse (como la ameba) en dos partes: biología de los organismos y biología celular; dado que este es un tema de política educativa, se requiere el voto formal del plantel docente. El "debate" es ameno y muy bien organizado. Los que proponen y los que respaldan esta moción se ponen de pie y dan discursos ya preparados, algunos pocos miembros hacen comentarios de apoyo; no hay oposición alguna, y casi toda la audiencia está aburrida. ¿Por qué debería interesarles a ellos la cantidad de departamentos de Biología que existen en Artes y Ciencias? No se dan cuenta que la armonía y la falta de oposición son el resultado de incontables horas de negociación y que eso ha dejado algún sabor amargo. Asimismo, los temas intelectuales no son triviales ya que se refieren a la futura concepción de una importantísima disciplina. Ninguno de esos sentimientos sale a la luz y la moción se aprueba por unanimidad. Me siento aliviado: el regateo llegó a su fin y cada uno representó su papel muy bien. Aunque esto no es siempre así; muchas veces en las reuniones del plantel docente se producen conflictos y eventualidades imprevistas. Los decanos preferimos la armonía y el orden.

Las 6:00 p.m. es la hora de cierre de la reunión. Tengo menos de una hora

59

---

8. Por muchas buenas razones una vez rechacé una de los más elevados y emocionantes puestos administrativos en una gran universidad. Una de estas razones tenía que ver con eso de los minutos de conmemoración. Nuestra costumbre es redactarlos solo para los profesores que se jubilan en Harvard y no aquellos que se van antes por renuncia. En su momento le comenté a mi esposa que en las reuniones del cuerpo docente, al escuchar esos minutos conmemorativos iniciales, yo había creado mi propio obituario. Escribir el propio obituario es probablemente un deseo común entre las personas que rara vez se logra alcanzar. Realmente no quisiera perderme la oportunidad de que mi obituario se leyese frente a esta audiencia.

para llegar al *Logan Airport*. Mientras estoy saliendo de la reunión, un periodista de *Crimson* me detiene y me pregunta sobre el significado oculto del pedido de hoy de Biología; murmuro algo entre dientes y agarro mi maletín.

6:15 p.m.

Estoy en un taxi rumbo al aeropuerto. El tránsito en el túnel Callahan se mueve a dos por hora, el avión rumbo a San Francisco sale en 30 minutos, ¿llegaré a tiempo?, ¿debería sentirme algo culpable por haber alabado las virtudes del área de Boston?

Mañana tengo una reunión con los "aumentados a siete" de Palo Alto, es el grupo de los prebostes[9] de universidades privadas que se reúne dos veces al año para una terapia de grupo. Mi predecesor, McGeorge Bundy, casi 30 años atrás, fundó este grupo cuyos miembros originalmente eran las universidades de Cornell, Yale, Columbia, Stanford, Chicago, Pennsylvania y Harvard. Tenemos un fuerte sentido de exclusividad pero, consideraciones sobre la vecindad me llevaron a defender la anexión del MIT, pasó una década hasta que esa iniciativa tuvo éxito y de ahí viene el nombre. Nos reunimos para comparar notas sobre políticas, problemas, preocupaciones del futuro, relaciones con el Gobierno, o cualquier otro tema relevante. La mayor parte del tiempo nos tomamos la mano los unos a los otros en una atmósfera de encuentro amistoso. Imagine cada institución como un vagón que es parte del círculo de defensa contra los enemigos internos y externos. No conozco un espacio más apropiado para quejarse de rectores ignorantes, un plantel docente que no coopera, estudiantes molestos, ex alumnos mezquinos. Algunos años atrás el Consejo General de Harvard sugirió que nuestras actividades podían interpretarse como un freno al intercambio comercial y, por lo tanto, una violación a las leyes antimonopolio. Yo nunca podría estar de acuerdo con tan siniestra interpretación de nuestras reuniones.

Llego justo a tiempo para tomar mi avión, y me acomodo en mi asiento entre turistas y algunos bebés que lloran. Las comodidades de la primera clase están prohibidas por política universitaria, y con razón; de todas maneras, tener seis horas ininterrumpidas de vuelo me parece mucho mejor que doce horas de actividad desenfrenada. Luego de tomarme dos vasos de escocés con hielo abro mi maletín para mirar la correspondencia acumulada; la mayoría

---

9. Harvard no tiene preboste. Creemos que nuestros decanos son iguales a cualquiera rango académico, y aparentemente los miembros de los "aumentados a siete" están de acuerdo.

es sobre temas bastante sencillos, y garabateo las respuestas en los márgenes. Hay dos cartas que resultan más interesantes: la primera es una copia de una nota enviada al Director de nuestro Departamento de Química respecto a la búsqueda de un profesor titular para la cátedra de Química Orgánica. La redactó un galardonado del Nobel Británico y dice en parte:

> Con la reputación que ustedes han adquirido por el trato que dan al área de la química que se ha desarrollado con mayor rapidez en los últimos 30 años,[10] sinceramente, no le recomendaría a ningún profesor para ocupar ese puesto en Harvard. Cualquiera de los distinguidos caballeros que aparecen es su corta lista estarían más locos que una cabra si dejaran sus cómodos cargos, en especial aquellos que fueron rechazados por Harvard en el pasado.[11] Diría que están ustedes perdiendo su tiempo.

La otra es una copia de la renuncia personal presentada por una de mis hijas a quien se había contratado para trabajar en el laboratorio de experimentación animal de la universidad. Respecto a la razón por la cual renuncia, escribió: "insatisfecha con el rol de trabajadora en una sociedad capitalista; oportunidad de viajar". Como dijo Scarlett O'Hara: "pensaré en todo esto mañana...", y sacó la novela más reciente de John Le Carré. Aterrizamos en el aeropuerto de San Francisco. Son las 12:30 a.m., EST (hora del Este).

61

---

10. Leer: *mi* campo de investigación.

11. En algún momento este distinguido caballero fue un profesor asistente en Harvard que no recibió promoción alguna. Claramente, este fue un grave error por parte de Harvard.

estudiantes

CAPÍTULO CUATRO

El *college* de la universidad: selección y admisión

La educación superior en Estados Unidos ofrece a los estudiantes (y a sus padres) una cantidad desconcertantes de opciones. Los futuros estudiantes pueden elegir entre universidades públicas o privadas; confesionales o no confesionales; *colleges* y universidades para estudiantes de un solo sexo o mixtas; instituciones grandes o pequeñas; institutos especializados en tecnología y entre universidades muy selectivas y prestigiosas o aquellas que practican la libre admisión. Hemos creado toda una industria para hacer que la elección sea más eficiente: guías del estudiante del tamaño de la guía telefónica que califican a las universidades como si fueran restaurantes, dándoles estrellas por la calidad de enseñanza, la limpieza de los dormitorios, el clima, la comida, y la felicidad general de los estudiantes. Los consejeros estudiantiles y orientadores vocacionales privados (por una alta suma) se reúnen con los futuros estudiantes y sus padres para que las primeras opciones de ellos se adecuen a posibilidades realistas; les sugieren, por ejemplo, elegir una universidad famosa donde las probabilidades de entrar son escasas pero no nulas, o algunas instituciones donde el candidato tendría mayores posibilidades de entrar y, por último, una universidad de acceso menos difícil o universidad segura (*safety school*) en caso de que todo lo demás falle. Un candidato típico llena hasta diez solicitudes de ingreso.

La mayoría de los jóvenes norteamericanos cuenta con una serie de opciones. De las más de 3.000 instituciones de enseñanza superior del país, solo 175 de ellas son realmente selectivas,[1] y eso deja un montón de opciones "no selectivas". Para obtener la admisión en una universidad selectiva es necesario tener buenas calificaciones, cartas de recomendación y recursos. Las posibilidades de un candidato se amplían porque la calidad de las instituciones privadas está correlacionada con la disponibilidad de fondos para becas; por ejemplo, desde la década de 1950 la mayoría de las universidades pertenecientes a la *Ivy League* se adhirieron a una política "ciega a la necesidad" en el proceso de admisión y otorgamiento de becas: se evalúa a los candidatos sin tener en cuenta las posibilidades que tiene su familia de pagar y, si son seleccionados para ingresar sobre la base de logros académicos u otras calificaciones, la institución les conseguirá la ayuda financiera necesaria (subvenciones, préstamos, trabajos) que debería cubrir sus carencias.[2] Muchas de las mejores universidades otorgan incentivos al mérito académico (aunque no las que pertenecen a la *Ivy League*), y las becas para deportistas tradicionalmente han ampliado las posibilidades de ingreso de muchos estudiantes. Asimismo, en nuestro sistema de educación superior no hay una relación clara entre precio y calidad: algunas de las mejores y algunas de las peores universidades son de las más caras, y muchas de las buenas universidades son instituciones del Estado que cobran matrícula y cuotas relativamente bajas, en especial a los

1. Este término se usa para indicar la capacidad del instituto de seleccionar entre los candidatos. Muchas universidades en Estados Unidos tienen relativamente pocas opciones al seleccionar a los candidatos que van a ingresar, si quieren tener llenas las aulas disponibles. Lo que eso representa en cuanto a calidad es bastante obvio. En 1985, Stanford aceptó al 15% de los candidatos, eso es altamente selectivo. Ese mismo año, la Universidad de Arkansas aceptó al 99% de todos los candidatos, eso no es selectivo.
Edward B. Fiske, *Selective guide to Colleges* (Nueva York: New York Times Books, 1985), p. XIII.

2. Debo reconocer que esta es una descripción idealizada de un sistema que funciona peor en la práctica. Para que se le otorgue ayuda, un estudiante debe presentar la información financiera detallada, lo que incluye copia de los formularios de impuestos por los ingresos de los padres. La decisión de otorgar esta ayuda se basa en una fórmula que no es muy generosa. Las familias de clase media con dos hijos en la universidad al mismo tiempo y un ingreso anual de, digamos, 75.000 dólares estadounidenses no obtendrán mucha ayuda; a lo sumo les ofrecen un préstamo bajo términos relativamente favorables. Estas familias tendrán que considerar cuidadosamente los costos al elegir una universidad para sus hijos.

residentes.[3] No existe duda alguna sobre la habilidad de nuestros estudiantes universitarios para explorar alternativas posibles.

El Arca de Noé: ¿cómo conseguir un pasaje?

¿Cómo puedo entrar a una universidad muy selectiva? o ¿cómo consigo que mi hijo entre a una universidad muy selectiva?

Podemos decir que "muy selectiva" significa que hay demasiados candidatos altamente calificados. El personal de admisión se ven en el trabajo de inventar razones por las cuales se puede rechazar a un candidato y los futuros estudiantes tratan de presentarse de la manera más favorable para lograr un lugar.

Incluso si consideramos solo el grupo de universidades más selectivas (algo así como 50) el grado de dificultad que existe al tratar de conseguir la admisión es muy variado. Por ejemplo, dentro del grupo de universidades de la *Ivy League*, Harvard, Princeton y Yale tuvieron cada una 15.000 candidatos en 1985; entre el 17 y el 19% de ese grupo fue aceptado. Stanford, como se mencionó antes, recibió 17.000 solicitudes y fue aceptado el 15%.[4] CalTech y MIT, con una menor cantidad de aspirantes (1.270 y 6.000 respectivamente) aceptaron entre el 30 y el 34% de los estudiantes. No creo que sea más fácil entrar en las mejores instituciones tecnológicas. Hasta cierto punto, el menor número de solicitantes y la más alta proporción de aceptaciones refleja un filtro autoimpuesto: quienes no tienen un alto nivel de aptitudes científicas no se toman la molestia de solicitar admisión.

Las oportunidades parecen ser más favorables en las universidades públicas: Berkeley, Michigan y Wisconsin (Madison), cada una, registró entre 12.000 y 13.000 aspirantes en 1985. Berkeley y Michigan admitieron algo más de la mitad y Wisconsin acepto a más del 80%. Es más fácil para algunos estudiantes conseguir entrar a instituciones públicas, porque en ellas se da preferencia a los estudiantes que residen en el estado donde está la

65

---

3. Por ejemplo, la matrícula y honorarios por gestión en Sarah Lawrence College son mayores que las universidades de Harvard y Chicago; Jersey City State College tiene una matrícula y gastos de gestión más altos que la Universidad de Michigan. *Chronicle of Higher Education* (10 de agosto 1988).

4. Solo para citar las cifras de una universidad privada menos selectiva, la Universidad de New York recibió 10.000 candidatos y aceptó al 48% de ellos en 1985. La selectividad en las universidades de nuestro país es un fenómeno posguerra: antes de la Segunda Guerra Mundial, Harvard aceptó al 50% de todos los candidatos; pero, por supuesto, en ese entonces existía la selección —que en realidad era discriminación— en contra de algunos grupos: judíos, afroamericanos, egresados de escuelas públicas, etc.

universidad y eso reduce el nivel de competencia.[5] Cualesquiera que sean las posibilidades y sus variaciones, hay un montón de cartas de rechazo que todos los años prepara el Departamento de Admisiones de nuestras universidades más selectivas.

La selectividad en el proceso de admisión de las universidades es algo bastante común; sin embargo, hay dos características peculiares de las universidades de Estados Unidos: la primera es la relativa falta de selectividad practicada por el 95% de nuestras instituciones de educación superior; y la segunda es el tipo de selectividad que practican nuestros *colleges* y universidades más destacados. En muchas partes del mundo, la selección se hace o puede llegar a realizarse por computadora: se utiliza un examen de ingreso basado completamente en asignaturas académicas, para clasificar a los futuros estudiantes. El número de vacantes disponibles determina el número de admitidos, desde el primero hasta el último. Esa es básicamente la manera en que las universidades de Japón determinan quiénes van a ingresar. Es un proceso de selección económico y relativamente fácil de administrar.[6] Algunas personas dirían que este es el método de selección más justo para determinar el ingreso. Las universidades norteamericanas selectivas podrían clasificar a sus postulantes solo por los resultados del SAT [examen de aptitudes académicas], y dejar el resto del trabajo a un programa computarizado, lo que ahorraría un montón de dinero, tiempo y esfuerzo;[7] pero... ¿se perdería algo con ese sistema?

Los procesos de selección en las instituciones norteamericanas de elite son

---

5. Las universidades estatales frecuentemente eligen a los estudiantes de ciertas categorías amplias y predeterminadas: por ejemplo, los nueve campus de la Universidad de California supuestamente admiten al 12,5% de los mejores egresados de las secundarias estatales. El mejor tercio de estos tienen admisión garantizada a alguno de los 19 campus del sistema de universidades estatales en California. Los estudiantes que no alcanzan dicho estándar, ni se molestan en presentarse y, por lo tanto, el porcentaje de admitidos aumenta.

6. Los métodos de selección varían de país en país. Japón utiliza un sistema de examen de ingreso que lo administra la universidad; el ingreso a las universidades en Francia se basa en la obtención del *baccalaurèat* (bachillerato), aunque las *grandes ècoles* (literalmente en francés grandes escuelas o escuelas de elite), las instituciones más prestigiosas y avanzadas en el ámbito profesional y técnico que operan fuera del sistema universitario, requieren exámenes especiales; las universidades holandesas utilizan una suerte de lotería para limitar el ingreso a carreras que son demasiado populares, como medicina. En comparación con el sistema utilizado por las destacadas universidades privadas de Estados Unidos (excepto en Oxford y Cambridge), la selección en cualquier otro instituto es sobre la base de formularios y para nada personalizada.

7. El presupuesto anual para admisión, ayuda financiera y la oficina de empleos en Harvard es aproximadamente 2.500.000 dólares estadounidenses y emplea cerca de 25 profesionales.

muy diferentes,[8] y si bien los criterios objetivos (los resultados de los exámenes y las notas del estudiante) son primordiales, se tiende a combinarlos con criterios subjetivos, cualitativos, no cuantificables y personales. Describiría al proceso como un ejercicio de ingeniería social, que involucra las calificaciones de la secundaria, escritos, entrevistas, cartas de recomendación de los profesores y, por sobre todas las cosas, una visión general de cómo debería ser una clase ideal de primer año de universidad. Ese ideal se puede definir más fácilmente como el grado óptimo de diversidad —de ahí mi alusión al arca de Noé— en un contexto de excelencia académica y, por lo tanto, se incrementan al máximo las oportunidades de que los estudiantes aprendan unos de otros. Tanto el grado como el tipo de diversidad varían según el lugar y según el momento. Intentaré describir los grupos más importantes que actualmente se tienen en cuenta en las universidades privadas, aunque la mayoría de estos se pueden encontrar, sin modificación, en los *colleges* selectivos e independientes y en algunas universidades públicas.

Hay un grupo que cuenta con mayores facilidades (y con razón) para ingresar a las universidades por ser *estudiantes muy destacados desde el punto de vista académico*. No uso este término a la ligera: en universidades como Stanford, Princeton y Berkeley todos los estudiantes tienen cierto talento académico si no, no hubieran podido ingresar. Pero lo que quiero decir es algo diferente. Cada año se gradúa del nivel medio un pequeño grupo de estudiantes con impresionantes calificaciones académicas: algunos con calificaciones acumulativas de los exámenes de aptitud académica (SAT) que rondan los 1.600, calificaciones por logros de 800, y con cincos en los exámenes avanzados de aptitud. Otros demuestran un talento precoz para las ciencias, o quizás una acumulación de calificaciones que se acercan al perfecto 10 dentro de escuelas de reconocido nivel. Calculo que Harvard recibe entre 200 y 400 postulantes (de 13.000) con tales características, y ese es un grupo que puede sacar su propia entrada. Las instituciones más destacadas pelean por conseguir esos estudiantes estrella, aunque se comporten de manera extraña frente a los ex alumnos que realizan las entrevistas, o amenacen con ir a clase descalzos. Estos candidatos —tan capaces— no tienen dificultad alguna para ingresar, pero tengan en cuenta que el término

67

---

8. Mis comentarios se refieren en su mayor parte a las universidades, dado que estas presentan un territorio familiar para mí. Sin embargo, me han comentado que los procesos de admisión en las *colleges* independientes de elite de artes liberales son iguales.

"talento académico" se utiliza a su más elevado nivel.[9]

Existe otro grupo que se basa en *legados* e *hijos de profesores*. Ambos se tratan sobre la base de la premisa "si no intervienen otros factores". Las definiciones varían: en Harvard, los *legados* son aquellos hijos de los graduados de la Universidad de Harvard o Radcliffe. En la Universidad de Stanford se definen como los hijos de ex alumnos, lo que incluye graduados de grado universitario y de escuelas profesionales. Los *hijos de profesores* son aquellos candidatos cuyos padres son profesores en alguna de las facultades de la universidad. Entre el 16 y el 20% de los estudiantes que ingresan a primer año en Harvard pertenecen probablemente a alguna de las dos categorías recién mencionadas. Con la frase "si no intervienen otros factores" quiero decir que los *legados* e *hijos de profesores* obtendrán algún tipo de preferencia siempre y cuando sus otras cualificaciones sean tan sólidas como las de los otros estudiantes contra quienes compiten para ingresar; en otras palabras, si hay dos candidatos con iguales cualificaciones (algo poco real en la práctica) el *legado* o *hijo de profesor* va a obtener preferencia.

¿Pueden justificarse estas preferencias? Solo si sirven para cultivar la lealtad entre los grupos que resulta vital para el buen futuro de cualquier institución. Las universidades privadas dependen de los donativos de sus ex alumnos y de otras formas de apoyo para asegurar un nivel de prosperidad económica e intelectual constante y ascendente. Existe una cierta correlación entre la riqueza de una universidad o instituto y su calidad. Gran parte de esa riqueza son donaciones de los graduados y, por estas razones, es vital para una universidad privada afianzar su relación con ellos y sus familias. Esto ha logrado alentar, a lo largo de generaciones, la presencia de *legados* en el grupo de estudiantes. Un razonamiento similar se puede aplicar respecto de los hijos del claustro de profesores de una universidad. Quienes manejan una universidad saben que la calidad del plantel docente es el factor más importante para determinar el prestigio relativo de la institución. Un modo de atraer y retener los mejores

---

9. Le pregunté al decano de admisiones de una destacada universidad de la Ivy League si alguna vez se rechazaba a los candidatos con excepcional "talento académico"; y él mencionó dos puntos importantes: primero, que el término no se define de igual manera en cada institución. Un caso considerado marginal digamos, en Yale puede considerarse como muy talentoso en una universidad menos selectiva. En segundo lugar, los funcionarios de admisión deben estar alertas a la "fragilidad personal". Un gran talento académico debe combinarse con una personalidad lo suficientemente fuerte como para soportar 4 años de vida como estudiante universitario. Finalmente, incluso las universidades más generosas y "ciegas a las necesidades" tienden a comportarse de manera menos generosa con los extranjeros, aunque sean estudiantes con niveles académicos excepcionales.

docentes es brindarles un pequeño beneficio en circunstancias preferenciales: lugares en el cupo de vacantes de la universidad para sus hijos, (siempre que estén en igualdad de condiciones). Debo destacar que la gran mayoría de los estudiantes *legados* o *hijos de profesores* no necesitan ningún tipo de preferencia en el trato. Como grupo, son un conjunto muy fuerte de aspirantes.

La relación entre las universidades y algunas escuelas secundarias puede adquirir también un carácter especial pero este factor no tiene tanto peso como en el pasado. Existe un número de respetados colegios secundarios, tanto privados como públicos, que desde hace años mandan una gran masa de candidatos de primera clase hacia nuestras más prestigiosas universidades. Para Harvard, los nombres que resuenan son los de los colegios: Andover, Exeter y Boston Latin. Después de un tiempo, esta relación entre secundarias y universidad llega a tener un vínculo casi familiar entre sí. Aprendemos a confiar con seguridad en las personas que recomiendan y en el perfil de los estudiantes que egresan de ciertos colegios. A cambio, la escuela secundaria espera que haya un número estable de sus egresados que ingrese a la universidad. La mínima disminución del número de aspirantes e ingresantes provocaría roces y aflicción, pero de todas formas, no es algo que suceda a menudo. Sin embargo, los lazos entre los colegios y universidades se debilitaron desde la generación pasada, y la causa ha sido la siempre creciente búsqueda de diversidad de estudiantes. El suministro de un pequeño grupo de colegios ya no es suficiente para satisfacer las necesidades de diversidad de candidatos.

Otro propósito actual que afectará (negativa o positivamente) a algunos de los aspirantes es el objetivo de algunas universidades de que en sus aulas haya una *representación nacional y hasta cierto punto internacional*. La Universidad de Harvard e instituciones similares desean ser nacionales, en especial desde la Segunda Guerra Mundial, y la única manera posible de lograrlo es inscribiendo estudiantes de todo el país. Más reciente aún es el hecho de que muchas instituciones han querido también hacerse más internacionales, lo que significa la admisión de estudiantes de diferentes lugares del mundo. Se pueden justificar estos objetivos por sus fines educativos, puesto que tanto estudiantes como profesores se benefician de la diversidad geográfica y cultural. Así es la vida real, y ciertamente el medio natural de nuestra propia sociedad. Diferentes perspectivas regionales, nacionales o internacionales agregan un desafío e interés extra a la educación en todos sus niveles. Cuando se ponen en práctica estos principios hay claras consecuencias positivas para ciertos aspirantes. Para el ingreso a Harvard se postulan más estudiantes de

69

Massachusetts, Nueva York y California que de cualquier otro estado; si no intervienen otros factores, los candidatos de esos estados van a encontrar una fuerte competencia.[10] Una solicitud que viene de la Oklahoma rural o de un pequeño pueblo de Carolina del Sur puede representar una ventaja. Ser residente de la ciudad de Nueva York o de uno de sus barrios de clase media puede resultar un mayor obstáculo. Es más sencillo y más fácil destacarse entre un grupo menor de aspirantes: ser el mejor de Oklahoma o Vermont es más fácil de alcanzar que ser de los mejores en la ciudad de Nueva York, y eso les da suficiente visibilidad. La actitud hacia los aspirantes extranjeros es bastante más esquizofrénica. "Internacionalizar la universidad" es un eslogan muy popular en los mejores campus universitarios, pero llevar ese deseo a la realidad resulta extremadamente costoso. Realmente deseamos que haya más estudiantes universitarios provenientes de países extranjeros, pero solo unos pocos pueden pagar el alto costo de la educación norteamericana sin recibir una importante ayuda financiera.[11] En general, la educación superior en Estados Unidos sostiene una política "ciega a la necesidad" en lo que respecta a sus propios ciudadanos y les otorgan subsidios, préstamos y varias otras alternativas económicas; sin embargo, para los extranjeros, generalmente se aplica una restricción en el presupuesto, en especial para estudiantes de grado (los fondos destinados a este grupo se ven estrictamente limitados). Quizás sea posible que un postulante extranjero individual resalte más fácilmente en un grupo pequeño, pero los extranjeros en general corren en desventaja.

Hay otro grupo más al que se ha dirigido la atención durante los últimos 25 años, y es el de las *minorías étnicas poco representadas*: principalmente afroamericanos, hispanos, nativos norteamericanos, y en menor grado los

10. Pero rara vez dejan de intervenir otros factores. En promedio, los estudiantes de Massachusetts, Nueva York y California vienen de colegios secundarios públicos y privados de mayor nivel y por lo tanto obtienen mejores calificaciones en el examen de aptitud académica SAT. La cantidad de legados en esas ciudades es también mayor. Es importante recordar que tener alguna ventaja en un área probablemente encuentre un contrapeso en otro factor. Al fin y al cabo, las decisiones de la administración se basan en un promedio de todos los factores relevantes.

11. Aunque ciertamente hay unos cuantos extranjeros ricos ansiosos por enviar a sus hijos a la universidad en Estados Unidos, y hay universidades que se encargan de atender a sus necesidades. Para nosotras, las instituciones muy selectivas, los problemas son más complejos: deseamos atraer a los mejores estudiantes sin importar la situación financiera de sus padres. En la mayoría de los países, los sueldos de los trabajadores estatales, docentes y empleados no alcanzan para llegar a costear la educación en Norteamérica; a veces, los controles de cambio de divisas son un factor complicado. En pocas palabras, hay muy pocos estudiantes extranjeros que puedan obtener su título sin ayuda financiera significativa.

asiáticos norteamericanos. El afán por conseguir aspirantes de estos grupos minoritarios es el equivalente a la aplicación de la política de acción afirmativa en el empleo. Las mejores universidades y *colleges* desean ser nacionales no solo en sentido geográfico sino también en el étnico; desean, de ser posible, poder educar a cada uno de los sectores de nuestra variada población. Creemos que los estudiantes aprenden mucho de otros estudiantes, y que una mayor diversidad enriquece dichas oportunidades de aprendizaje; también creemos que la educación, en particular en instituciones selectivas, es un camino hacia el ascenso social y económico, y estamos ansiosos por hacer llegar estas ventajas a los sectores de nuestra población que han sido, y en muchos casos todavía lo son, víctimas de discriminación y exclusión.

Hoy en día, estos grupos necesitan de un reclutamiento activo y estímulo positivo. Se les debe convencer de que hay una actitud general de bienvenida, que las barreras financieras pueden superarse con ayuda económica, y que los beneficios potenciales personales y del grupo superan el inevitable sentimiento de soledad y extrañeza, al menos al principio. No digo que estos sentimientos no se encuentren en los otros grupos ya considerados, que son también pasajeros en la salida anual de nuestra Arca de Noé, todo lo contrario: hay un alto grado de superposiciones. Muchos aspirantes pertenecen a más de un grupo, aunque creo que solo unos pocos negarían que los afroamericanos, hispanos y nativos norteamericanos (y algunos asiáticos) necesiten del mayor refuerzo positivo.[12]

Los grupos que necesitan y pueden beneficiarse de los refuerzos positivos son más amplios y, a la vez, más reducidos que las minorías poco representadas; por ejemplo, Harvard se esfuerza especialmente para inscribir a los

71

12. Sigo separando a los asiáticos de otros grupos minoritarios. De hecho la descripción de "asiáticos" es demasiado amplia. Los norteamericanos que descienden de japoneses, chinos y coreanos son el grupo más sobrerrepresentado en la educación superior: menos del 2% de nuestra población y más del 10% de los estudiantes en nuestras universidades selectivas (14% en Harvard, 20% en MIT, 21% en CalTech, 25% en Berkeley en 1987-1988). No estoy sugiriendo que nuestro estándar sea la representación proporcional de los grupos (aunque no hay otra manera de entender los términos de baja y sobre representación), pero, estas cifras indican que algunos asiáticos tienen pocas dificultades en encontrar las mejores instituciones; por otro lado, los estudiantes vietnamitas, camboyanos, laosianos, filipinos, e hindúes puede que necesiten tanta ayuda como los afroamericanos, por ejemplo. Debería también hacer notar que ciertos grupos americanos —especialmente los japoneses y chino-americanos— están protestando por una especie de "inacción afirmativa" o "cuotas" o límites sobre su representación en la población de estudiantes de grado. Esta queja altamente controvertida, sería más admisible si nuestros procedimientos de admisión se basasen en solo unos cuantos indicadores: calificaciones, o puntuaciones en las pruebas estandarizadas. En mi opinión la queja pierde su validez, si nos atenemos al sistema amplio y complejo que se describe en este capítulo.

graduados de las secundarias públicas de Boston o Cambridge como parte de su responsabilidad para con la comunidad local, de hecho, estos colegios están llenos de afroamericanos e hispanos, lo que demuestra mi comentario anterior sobre la superposición de grupos. Las instituciones que sostienen una imagen excesivamente masculina (creo que esto se aplica a casi todas las universidades) necesitan alentar a las mujeres a que soliciten admisión. Sabemos por experiencia que los padres tienden a preocuparse por el exceso de competitividad en las universidades, los peligros de vivir en la zona urbana y el alto costo de la matrícula; estas son preocupaciones que se agravan al tratarse de las hijas.

Hasta ahora, he descrito la ingeniería social que existe en los ingresos a las universidades desde el punto de vista de algunos grupos especialmente favorecidos. Hay muchos aspirantes que pertenecen a uno o más de estos grupos y muchos no pertenecen a ninguno de ellos. No todos podemos tener talento académico y ser estudiantes afroamericanas de la zona rural de Oklahoma con madres graduadas de la Universidad de Radcliffe; pero, entonces, ¿cómo se seleccionan los aspirantes?

Para empezar, todos deben alcanzar un nivel académico satisfactorio, para llegar a lo que yo describiría como alto promedio de estándar académico. Las calificaciones acumulativas de los SAT rara vez están por debajo de los 1.100 puntos y, por lo general, son de 1.400 puntos o más; los registros de las calificaciones en el nivel de la secundaria generalmente promedian con 9 ó más; estar entre los mejores de su clase es requisito y la mayoría de los estudiantes están entre los mejores diez; las cartas de recomendación de docentes deben remarcar calidad y amor por el estudio. Ciertamente, nunca se admitiría a un estudiante si se creyera que no podría completar una exigente trayectoria de estudios, no importa qué otros atributos posea el candidato. Estas son condiciones necesarias, aunque no suficientes: es importante destacarse entre la multitud; demostrar que, además de cumplir con un alto estándar académico, uno también puede hacer "algo" muy bien. El grupo de estudiantes de un campus de Norteamérica es una comunidad de residentes que se mueve todo el tiempo. Los equipos de campo de la comunidad son aquellos estudiantes que practican alguna actividad atlética, en equipos internos de la universidad y los que la representan en encuentros interuniversitarios.[13] La comunidad

---

13. Quizás debería haber descrito a los estudiantes atletas como una clase especial de aspirante, similares al grupo de legados o minorías. En muchos institutos, infortunadamente, eso tendría sentido, Sin embargo, la▶

tiene teatros y orquestas que tocan todo tipo de música. Los estudiantes escriben y publican en los diarios universitarios y participan de numerosas actividades de acción social. La comunidad necesita de poetas, cantantes, jugadores de basquetbol y de líderes políticos. Los departamentos académicos también necesitan estudiantes que hagan la mayor concentración de sus estudios o se especialicen en todas las asignaturas que ofrecen. No todas las materias que se ofrecen consiguen tal concentración de estudiantes como para mantener a los profesores lo suficientemente ocupados y, al contrario de lo que expresan ciertos mitos poco amables, esto no satisface a los departamentos que ofrecen materias no tan populares. Incluso con el aumento de los últimos años, hay menos mujeres que hombres que eligen las ciencias duras. Hasta hace poco las ciencias físicas, en general, atraían un número relativamente menor de estudiantes de grado. Los departamentos que tienen las materias clásicas pueden, por lo general, manejar fácilmente una mayor cantidad de estudiantes. Decir que se tiene intención de especializarse en alguna de las materias que está buscando más estudiantes puede que, en un año particular, mejore las oportunidades de ingreso del aspirante, aunque es difícil averiguar cuáles son los departamentos que enfrentan escasez de interesados, ya que año tras año la situación cambia considerablemente.

Entonces, gradual y anualmente, la clase de los recién ingresados va tomando forma. Piense que el director de admisiones es como un escultor que transforma la arcilla en una hermosa obra de arte. Cualquier cualidad especial o muestra de excelencia le dará al aspirante mayores posibilidades de ser admitido. Hay algunas cualidades deseadas en un candidato que son atributos de vida, por ejemplo, el ser parte o no de alguna minoría o legado. No hay mucho que pueda hacer, como individuo, para pertenecer a un grupo favorecido; pero, la mayoría de las cualidades se basan en los logros obtenidos y se ven afectadas por el esfuerzo individual.

He descrito los procesos de admisión utilizados en nuestras más prestigiosas universidades privadas.[14] Existen ciertas variaciones en cada institución, pero

73

▶selectividad es inversamente correlativa al exceso y al éxito atlético, y por esto incluí a los atletas dentro de un grupo mucho más amplio.

14. La selectividad, como ya he mencionado, no es algo característico de las más prestigiosas universidades privadas solamente; al contrario, en el sistema norteamericano de educación superior, la selectividad se practica en muchas universidades públicas y en nuestros mejores institutos de educación superior. A mayor rango de posibilidades, más se parecerán sus procesos de admisión a los descritos aquí.

las características esenciales son las mismas: un sistema flexible y complejo que considera muchas variantes, y que (al menos implícitamente) expresa un punto de vista con respecto al orden social. ¿Es un sistema "justo"? ¿Acaso sería más justo si el sistema se basara exclusivamente en un examen de ingreso, en las calificaciones de la escuela secundaria o en los diplomas obtenidos? Nuestro sistema tiene muchas virtudes: los solicitantes que cuentan con algún atributo de favor son los que se benefician de las prioridades sociales e institucionales de las universidades, y su número no es lo suficientemente grande como para excluir a demasiados individuos capaces que no cuentan con esas ventajas. Calculo que, como máximo, un tercio de los que conforman el claustro estudiantil cada año en Harvard comienzan el proceso de admisión con alguna desventaja a su favor, aunque hay una proporción significativa de ese grupo que obtendrán el ingreso sin ventaja inicial; por ejemplo, podemos asumir que los individuos pertenecientes a algún legado son tan inteligentes como el promedio de los otros aspirantes, y hay más posibilidades de que ellos hayan asistido a un colegio secundario de calidad. También creo que considerar al individuo en su totalidad (no solo sus calificaciones) tiene sentido y está en armonía con el énfasis que las instituciones educativas norteamericanos ponen en la educación liberal. Los estudiantes de grado van a esas instituciones no para estudiar un área académica específica, sino para crecer y madurar social e intelectualmente. Nuestro sistema también perdona y trata de dar oportunidades a aquellos que empezaron tarde a resaltar académicamente y que prometen seguir en ese camino. Nos interesan más los logros del postulante en el momento de su graduación, que el punto de donde partieron a principio de su educación, porque reconocemos que no todos los estudiantes empezaron con las mismas ventajas. Es un sistema de gran complejidad que tiene en cuenta la movilidad social, la lealtad institucional y sus intereses particulares, la aptitud académica, y que considera también otras cualidades: desde ser un excelente deportista hasta tocar el violín. Creo que nuestro proceso de admisión es tan justo como otras alternativas y me baso en tres razones principales.

La primera es que la capacidad económica de los aspirantes tiene un rol insignificante a la hora de determinar quién ingresa. Es verdad, la admisión no es lo mismo que asistir a clases, y hay algunas familias de bajos ingresos o clase media que se encuentran con obstáculos económicos, pero por lo general la política de "ceguera a la necesidad" (como se define en las universidades de la Ivy League y algunas otras instituciones) ofrece un considerable apoyo financiero a todos los candidatos que reúnen los requisitos necesarios. De hecho, es uno de los pocos procesos sociales de nuestro país en donde las ventajas de los ricos se ven deliberadamente limitadas.[15]

La segunda es que "el sistema no es corrupto". Las presiones, la influencia personal, el soborno (comprar un puesto en Yale o Duke) son factores poco influyentes. En casi todas las etapas del proceso, las decisiones las toma el Departamento de Admisiones con un gran porcentaje de representación por parte del plantel docente y reflejan su mejor criterio casi sin influencia externa. Los egresados, las figuras públicas, los donantes y categorías similares intentan de tanto en tanto imponer su influencia para beneficio de sus hijos, familiares y amigos. Cada otoño, los amigos perdidos y los conocidos reaparecen, algunas veces trayendo un pequeño regalo, y expresan su fuerte deseo de que conozca a sus hijos. Traen a rastras extraños adolescentes que supuestamente desean conseguir algún consejo paternal o amistoso; aunque estos jóvenes preferirían estar en cualquier otro lado. El verdadero propósito de sus visitas es conseguir una carta de recomendación de mi parte para la oficina de admisión de Harvard. En contados casos las circunstancias me obligan a ceder, pero siempre les informo a los que vienen a suplicar, que una carta elogiosa por parte de un docente de la escuela secundaria puede ser mucho más influyente. Mi carta, por lo general basada en un conocimiento superficial del postulante, significa muy poco en el proceso de admisión; ciertamente no va a ser dañina y, al menos, va a obtener una carta de rechazo especialmente cortés y personalizada.[16] Los norteamericanos saben que estoy diciendo la verdad (eso espero). Algunos años atrás, la Universidad de Harvard rechazó a la nieta de uno de sus mayores donantes y líder de los ex alumnos. No pudo haber sido una decisión fácil, pero evidentemente el decano de admisiones no tuvo otra opción y llamó al abuelo de la aspirante para adelantarle las malas

75

---

15. No es mi intención pecar de ingenuo. Tener dinero siempre es una ventaja, y ser rico es mejor que ser pobre al reclamar nuestra parte en lo que esta sociedad ofrece. En el proceso de admisión, el poder pagar importa básicamente como un indicador de circunstancias pasadas: una mejor educación primaria y secundaria, una atmósfera de apoyo familiar, y un mayor respeto por los logros intelectuales. Pese a todo, las ventajas de ser rico siguen limitadas. Al comprar una casa, la persona que tiene más dinero es la que probablemente se quede con la propiedad; al contratar uno de los mejores abogados, tener riquezas es una gran ventaja. Pero, al intentar ingresar en una universidad o instituto de educación superior el poder del dinero resulta bastante atenuado.

16. Mi buen amigo el rector de Harvard envía una carta modelo dando respuesta a todos esos pedidos de manera disfrazada. Dice que los "estatutos de la Universidad" prohíben su interferencia en forma alguna con los procesos de admisión. Puedo comprender su renuencia a involucrarse. Es un juego donde "no hay ganadores".

noticias; para sorpresa de los involucrados, el caballero demostró sentir cierto alivio. Un resultado bastante conveniente, pensaba él, porque cuando en el futuro sus amigos le pidan ayuda para el ingreso a Harvard va a poder negarse fácilmente, después de todo, su palabra no tiene tanto peso ("¡ellos hasta rechazaron a mi propia nieta!").

A los extranjeros les es más difícil creer que un bien escaso pueda ser racionado sin la existencia de un mercado negro. Conozco unos cuantos padres extranjeros que equivocadamente creen que soy el único responsable de que sus hijos hayan ingresado a Harvard. Hay un episodio interesante que puede ser digno de contar, aunque algo disfrazado. Un adinerado caballero del oeste de Asia (COA) de gran trayectoria, quería que su hijo ingresara a la universidad. Como teníamos un conocido en común terminamos hablando algunas veces por teléfono sobre el tema en cuestión. Le aseguré a COA que todo dependía de las calificaciones de su hijo, el resto no importaba; pero COA no parecía estar muy convencido con mis palabras. Al final, su hijo ingresó a Harvard sin que yo levante un dedo (era un excelente estudiante). Entonces, COA llamó desde muy lejos para expresar su gratitud. Se podía escuchar a la señora de COA, emocionada, sollozando al teléfono. Intenté negar todos sus comentarios sobre mi influencia en el ingreso de su hijo. Unos meses más tarde, una joven mujer, con ligero acento extranjero, llamó desde un hotel de Boston, el Ritz Carlton Hotel, y se presentó como la secretaria personal de COA y me informó que tenía un mensaje confidencial para entregarme. Le dije que estaba muy ocupado, pero acordé con ella que saldría un minuto de mi oficina en el momento que ella llegara para saludarla y recibir el mensaje. Y esto es exactamente lo que sucedió: ya avanzada la tarde, me retiré un momento en medio de una cita, estreché una mano encantadora, metí un sobre en mi bolsillo y volví a la molesta entrevista que había interrumpido antes.

A eso de las 6:45 p.m., antes de ir a un cóctel, abrí el mensaje de COA. El sobre contenía un breve saludo y dos boletos abiertos de avión en primera clase (uno a mi nombre y el otra a nombre de mi esposa) ida y vuelta de Boston a la casa de campo de COA. Pues bien, los boletos abiertos de avión son como dinero en efectivo, pero por supuesto esto no era un soborno, quizás solo era una muestra inapropiada de gratitud no merecida.[17] Aún algo confundido,

---

17. Digo quizás, porque mi esposa estaba furiosa y se sintió degradada por lo que ella vio como un burdo intento de darnos dinero. De manera algo paradójica, ella dijo que si la donación hubiese sido una pieza de arte por el mismo valor (reconociendo que éramos gente de buen gusto) su reacción hubiese sido considerada como más amistosa.

fui a la fiesta y me crucé con el rector de la universidad. En el momento en que empecé a contarle el extraño encuentro de esa tarde, asombrado se dio un golpe en la frente y me explicó que la joven mujer también le había dejado un sobre que aún estaba cerrado en su oficina. Corrimos a su oficina y encontramos que el sobre también contenía dos boletos de avión.

Al día siguiente le escribí una carta bastante larga a COA; le expliqué —dando un poco de cátedra moral— las concepciones occidentales de "mérito", "logros individuales", y donaciones apropiadas. Los cuatro boletos de avión fueron remitidos con la carta, junto con lo que todavía considero que fue una digna prosa de decano: "[...] como padre de un estudiante de Harvard va a encontrar muchas otras formas de expresar su gratitud para con la universidad". No tuvo problemas en entender la indirecta: una de nuestras facultades hoy cuenta con un puesto especial que paga el sueldo de un profesor gracias al donativo de COA.

A pesar de esta historia, sigo convencido de que hay muchos extranjeros que no creen en nuestras proclamaciones respecto a la importancia del mérito académico; ellos aún creen que las ventajas y el favoritismo deben formar parte del ingreso a la universidad (esta conclusión es muy injusta con sus capaces hijos).

77

La tercera razón por la cual afirmo que este proceso de admisión es justo, se relaciona con la errónea concepción de la simple y engañosa justicia producida en los sistemas que se basan únicamente en exámenes objetivos. Los exámenes de ingreso en las universidades de Japón, o los exámenes de fin de año en Francia o, en tal caso, los resultados de los SAT en Estados Unidos, son exámenes de logros: miden hasta qué punto han absorbido la información los estudiantes y su desempeño en la escuela primaria o secundaria. Estas no son formas de medición neutrales; mucho depende la calidad de enseñanza previa a la universidad, la supervisión y estimulación en los hogares y el tiempo disponible para la búsqueda intelectual, factores todos que están muy unidos al nivel socioeconómico. Aunque pareciera que, por ejemplo, el sistema educativo en Japón trata a todos los egresados de colegios secundarios de manera imparcial, nosotros sabemos que ingresar a la universidad de Kioto o Tokio es más fácil para los aspirantes que pertenecen a la clase media y media alta. Esto se debe a que los estudiantes de tales familias asisten a mejores colegios (públicos y privados) y se benefician con una mejor preparación y entrenamiento desde temprana edad. Eso no es más justo que nuestro sistema que se basa, en parte, en preferencias más amplias. En ambos casos, la preferencia existe; pero en mi opinión la nuestra impulsa mayor movilidad social y económica.

CAPÍTULO CINCO

Toma de decisiones

Siguiendo el proverbio alemán *die Wahl ist die Qual* (elección es tormento) tengo la impresión desde hace ya mucho tiempo de que nosotros —padres, estudiantes, profesores y la sociedad en general— hacemos demasiado alboroto respecto a la elección de universidad. En abril los jóvenes sufren cuando reciben sobres delgados (rechazo) en vez de los abultados (aceptación) de las universidades que eran sus principales opciones. Los padres se unen al sufrimiento de sus hijos y se imaginan que van a seguir, 4 años después, sin lograr entrar en ninguna de las prestigiosas facultades de Derecho o Economía y que eso puede significar una trayectoria profesional menos interesante o lucrativa. Sin embargo, esos miedos son casi siempre erróneos. Una carrera depende de muchas otras cosas además de la universidad a la que se asiste, en particular en nuestro gran país con sus numerosas zonas y el arraigado orgullo regional. Aquellos que ocupen destacadas posiciones en cualquier campo laboral, profesional, comercial, o gubernamental serán los graduados de un número sorprendente de institutos superiores no especializados. Esto refleja las más de 3.000 universidades en Norteamérica y la recompensa que otorga nuestra sociedad al logro individual.[1] En Norteamérica, no hay universidad que tenga la esperanza de que sus graduados dominen los escalones más altos de cualquier campo laboral; solo las academias para el servicio militar pueden ser la excepción, e incluso así es importante recordar que algunos de nuestros más exitosos líderes militares —el General George C. Marshall es un ejemplo sobresaliente— nunca estudiaron en instituciones prestigiosas como West Point o Annapolis.

Ya he mencionado que los norteamericanos tienen muchas opciones a lo largo de su vida académica, que estas implican verdaderas diferencias, y que esas diferencias no son comprendidas plenamente por quienes reflexionan sobre qué institución deben escoger para realizar sus estudios superiores. Cada año, como decano de la Facultad de Artes y Ciencias, tengo la grata tarea de pronunciar un discurso de reclutamiento ante el grupo de jóvenes a quienes se ha concedido admisión anticipada[2] en la Universidad de Harvard. Esta vez era un grupo de más de seiscientos futuros estudiantes académicamente distinguidos y que la universidad está ansiosa de recibir. Comprendía muy bien mi tarea, ya que lo había hecho numerosas veces, y este año en particular pronuncié uno de los discursos de reclutamiento más patrióticos —algunos lo calificarían de chauvinista— de Harvard: este es *el* lugar, ninguno es mejor, ir a otra institución es un terrible error; en pocas palabras, una venta agresiva. A la mañana siguiente, cuando llegué a mi oficina a las 7:30 a.m. el teléfono sonó y, para mi sorpresa, el que llamaba era uno de los jóvenes que había escuchado mi discurso el día anterior. Dijo que estaba confundido y ansioso y que tenía la necesidad desesperada de que le diera una entrevista. Como la jornada laboral no empezaba hasta más o menos de una hora después, lo invité a venir.

El joven que llegó unos minutos después era bastante serio y apropiadamente egocéntrico al principio de nuestra entrevista. Se comportaba como si

---

1. Para apoyar este punto ofrezco como ejemplo a los profesores más experimentados del cuerpo docente del Departamento de Economía de Harvard. De los 30 profesores, todas reconocidas autoridades en su materia, cuatro se graduaron de Harvard, tres de UC-Berkeley y dos de Oberlin. Otras universidades representadas por un graduado cada una son: Michigan, Dartmouth, Rochester, Reed, Bowling Green, CCNY, Northwestern, Brown, la Universidad de Washington, Cornell, William and Mary, MIT, Connecticut Wesleyan, Johns Hopkins y Princeton; y entre las universidades extranjeras, están Amsterdam, Budapest, Ontario Agricultural y Barcelona.

2. Nota de la traducción: la admisión anticipada es un plan de admisiones en el cual los estudiantes someten su solicitud a la universidad antes de la fecha acostumbrada y reciben sus resultados por adelantado. Esto permite a las universidades tener una visión anticipada de la clase de estudiantes que recibirán antes de que él comience el proceso regular de admisiones. La Universidad de Harvard abandonó este plan desde septiembre del 2006, por considerar que este proceso constituía una ventaja más para los estudiantes con mayor poder económico.

la elección de una universidad fuera, a largo plazo, tan significativa como la elección de su futura esposa. Muchos jóvenes, incitados por sus padres, comparten esa visión. ¿Lo hará feliz Harvard? ¿Podrá encontrar el tipo correcto de camaradería intelectual? ¿Era él más serio que el resto de los estudiantes? (ésta era otra de las cosas que le preocupaban). Le pregunté si tenía algún otro problema y sí lo tenía: su padre, un ex alumno, lo estaba presionando para que fuera a Harvard, una situación típica. La visita a Cambridge y nuestra propaganda no habían eliminado todas sus dudas: estaba interesado en las universidades de Brown y Haverford. ¿Podía ayudarlo? Parte de lo que sigue más adelante son cosas que le dije al confundido joven; el resto, las que debí haberle dicho.

Las ventajas de un *college* universitario[3]

Tratemos de olvidarnos de tu padre, lo que él prefiere no es tan importante. Él quiere lo mejor para ti, pero tú como adulto, tienes que tomar tus propias decisiones. Los padres tienden, en general, a recordar a su antigua universidad con gran nostalgia, un sentimiento no muy saludable. Nadie expresó esto mejor —o con mayor ironía— que John Buchan,[4] en la ceremonia de entrega de diplomas de Harvard en 1938:

81

"[...] en una cosa podemos estar todos de acuerdo. Les estoy hablando a un grupo de graduados, de antiguos estudiantes y debemos, lamentablemente, confesarnos que los maravillosos días en Harvard han terminado. Los grandes días de todas las universidades del mundo han llegado a su fin. Un día hace

3. Nota de la traducción: en Estados Unidos se denomina *"college"* a la institución de educación superior dedicada primordialmente a la enseñanza de carreras de grado. Con el correr del tiempo estas instituciones evolucionaron y muchas incluyen en la actualidad la formación de posgrado. Cuando son instituciones independientes, no existe diferencias con una universidad y algunas son consideradas dentro del grupo de mejor calidad del país.
También se denomina *"college"* a la unidad académica de las grandes universidades dedicadas a la educación de grado y en muchos casos, fueron el núcleo alrededor del cual se construyó su historia institucional. Su currículo se organiza bajo el modelo de educación liberal. Según la universidad de que se trate, adoptan usualmente el nombre de School of Arts and Sciences, Faculty of Arts and Sciences o College of Arts ans Sciences.

4. Primer Baron Tweedsmuir (1875-1940). Diplomático y autor de muchas historias maravillosas de aventura, entre ellas *The Thirty-Nine Steps* y *Prester John*. Fue mi autor favorito a los 20 años. *Harvard Alumni Bulletin*, 40 (1° de julio de 1938), pp. 1.142-1.143.

40 años, nació en el mundo una época dorada. Su comienzo coincidió con la aparición en Cambridge de los miembros más antiguos que hoy están aquí. En aquella época, la vida era más interesante de lo que había sido jamás, los hombres eran más atrevidos y con mejor sentido del humor, la amistad era más rica y cálida, y el mundo entero era como una sabrosa ostra esperando ser abierta. Dejemos que un nuevo Gibbon explique cómo comenzó la caída. El tema es muy doloroso para aquellos que lo sufrieron. Es suficiente con decir que la claridad cayó del cielo y que el crepúsculo de los dioses descendió. Los pocos hombres buenos que quedan de aquella época ahora están como Falstaff, gordos y envejecidos; pero, de todas maneras, mantienen un dejo de decencia respecto de sí mismos y están determinados a testificar ante los incrédulos sobre la maravillosa época en que una vez vivieron. Estoy seguro que no hay nadie hoy aquí, aunque su optimismo sea implacable, que pueda negar que desde que dejamos de ser estudiantes universitarios la civilización ha entrado penosamente en decadencia.

82

A pesar de estos sentimientos de decadencia desde que se graduaron —decadencia que se contradice con los hechos— estos ex alumnos desean reforzar los lazos entre padres e hijos mediante la táctica de compartir experiencias en una misma universidad.

Por supuesto, hay aspectos positivos en el hecho de asistir a la misma universidad a la que fueron tus padres, a ser considerado del grupo de *legados*. Los sentimientos de tradición y continuidad son emociones nobles que nos impulsan a vivir a la altura de lo que se espera de nosotros; pero, por otro lado, demostrar independencia puede ser también una virtud: tú puedes comprender tus propias necesidades mejor que nadie. Quizás sea el momento de salir de la sombra de tu padre.

El hecho de que no estés seguro si ir a Harvard, Brown o Haverford indica un grado de confusión. Francamente, las diferencias entre Harvard y Brown no son muchas, pero las diferencias entre esas dos y Haverford son más significativas. Puedes obtener una excelente educación en cualquiera de esas universidades, pero antes de decidirte deberías considerar cuidadosamente cada tipo prominente de instituto de enseñanza superior y qué puede ofrecer cada uno. No hay manera de que pueda hablar de las ventajas y desventajas de cada tipo de universidad: hay demasiadas variedades, mi experiencia es limitada y no sería fácil superar mis propios prejuicios. Por ejemplo, no comparto la opinión popular de que "lo pequeño siempre es hermoso". A menudo, los estudiantes se quejan de la falta de personalidad de los cursos grandes. Mi pregunta para ellos es: ¿acaso hay algo peor que una clase mal enseñada en un curso pequeño? Sí, conozco el género facultad universitaria con profundidad —Harvard y Brown pertenecen a ese grupo— y voy a intentar explicar sus características principales y, como consecuencia, tal vez comprendas mejor las otras variedades o géneros universitarios.

Realmente no existe una definición rigurosa de facultad universitaria. En líneas generales, me refiero únicamente a esa parte de una universidad que ofrece instrucción al nivel de grado y otorga el título de *Bachelor*; por lo tanto, un College universitario es parte de una totalidad mayor, una Universidad, que incluye también educación de posgrado y formación profesional. Harvard, por ejemplo, ofrece formación profesional en Administración, Derecho, Medicina, Odontología, Salud Pública, Teología, Administración Pública, Arquitectura y Educación; y, además, la educación de posgrado en Artes y Ciencias entrena a los estudiantes en todas las asignaturas académicas tradicionales, desde Antropología hasta Zoología. Aproximadamente, solo un tercio de la comunidad estudiantil está formada por estudiantes de grado inscriptos (6.500 de 17.000). Los estudiantes de grado atraen más la atención sobre ellos mismos que todos los otros estudiantes juntos, y a sus líderes les gusta dar la impresión de que hablan por todo el mundo. Supongo que eso es comprensible: tienen más tiempo para el jolgorio, política, manifestaciones ruidosas y cosas por el estilo que atraen el interés de los medios y de los ex alumnos. Además, existe la extraña costumbre norteamericana de restarle importancia a los lazos formados durante la educación de posgrado: un *verdadero* hijo de Harvard en un antiguo estudiante de grado; tener un título de posgrado consigue a lo sumo ser considerado como un "primo", excepto cuando se trata de recaudar fondos, caso en el que todos somos parte de una familia feliz.

La proporción de un tercio de estudiantes de grado es típica de las universidades privadas, ya que las universidades públicas tienden a estar asociadas a un conjunto aún mayor de escuelas profesionales. También existen universidades pequeñas con menor cantidad de estudiantes en formación profesional y más estudiantes de grado, como Princeton y Dartmouth, entre otras. El punto principal es que la educación de grado, la profesional y la de posgrado coexisten en una misma universidad y, por lo general, los estudiantes de grado son minoría en un escenario amplio. Esto se aplica a Harvard, Brown y la Universidad de Alabama. No es así en Haverford, donde la principal misión

83

educativa del cuerpo docente es instruir a los estudiantes para el primer título de grado.[5]

Estas diferencias no son triviales. Las universidades tienden a ser lugares grandes, muy transitados y, por lo general, situados en zonas urbanas.[6] Las edades de los estudiantes universitarios varía ampliamente: desde estudiantes de 18 años que cursan el primer año hasta individuos maduros que vuelven a la universidad para obtener entrenamiento profesional después de muchos años de estar en el "mundo real". La variedad del plantel docente también es amplia: médicos clínicos, abogados y arquitectos se juntan con científicos, economistas y filósofos. Aunque no existe algo como un *college* (no universitario) estándar, el espacio ideal según los norteamericanos para un instituto de ese tipo es un sitio alejado del ritmo acelerado y los ruidos de la zona urbana. Es acertado imaginarse un cuidado jardín grande habitado por jóvenes entre los 18 y 22 años de edad, rodeados por el apropiado número de cálidos tutores; pero, por supuesto, esto es solo un estereotipo, ni más ni menos.

El ambiente tal vez tenga alguna influencia, pero las distinciones intelectuales son las más importantes: la mayoría de los programas de posgrado en una universidad no afecta a los estudiantes de grado en ninguna forma; la educación de formación profesional es independiente y dirigida hacia dentro y los estudiantes de grado rara vez perciben su presencia o ausencia en el área de derecho, negocios o medicina. Lo que sí importa por sobre todas las cosas es la necesidad u oportunidad de coexistir con una Facultad de Artes y Ciencias de posgrado, el centro de entrenamiento para la futura generación de académicos. Esto tiene consecuencias importantes para todos los involucrados.

Comparemos al docente o profesor en cada uno de los dos escenarios: en las facultades universitarias y en lo que llamaré "*college* independiente" (se compararán ambos tipos más adelante). El docente de un *college* independiente se elige dándole mayor importancia a sus habilidades pedagógicas. Estos institutos buscan oradores de primera calidad que puedan enseñar,

---

5. Como de costumbre, uno podría nombrar infinidad de excepciones y complicaciones. Algunos *colleges* ofrecen programas de estudios limitados y pueden fácilmente llamarse universidades de todas formas. Eso se aplica a mi propia antigua universidad, College of William and Mary en Virginia. Algunas otras cambiaron su nombre en estos últimos años para enfatizar la diferencia. Pennsylvania State College es ahora una universidad, y la zona en que está ubicada cambió su nombre de State College a University Park. También hay universidades que no tienen estudiantes de nivel grado, la Universidad Rockefeller es uno de esos casos.

6. Una razón: es difícil lleva a cabo el entrenamiento en medicina sin tener acceso a un gran flujo de pacientes, y eso es prácticamente imposible lejos de las ciudades.

inspirar y motivar a los estudiantes en nivel inicial dentro del estudio de materias básicas e intermedias.

Obviamente, los mejores *colleges* independientes de artes liberales buscan algo más que buenos oradores. En las últimas décadas, el talento investigador pasó a ser de mayor importancia a la hora de seleccionar el plantel docente en los que Burton R. Clark llamó "los 50 mejores *colleges* de artes liberales"; estos incluyen a Haverford, Oberlin, Smith, Earlham y Reed, entre otros. Ese cambio refleja las nuevas oportunidades del mercado en estos últimos años para profesores que antes no podían conseguir puestos de trabajo en las universidades, y también el reconocimiento de elementos positivos que se introducen en la comunidad por medio de la investigación. Por lo tanto, la distinción que sugiero aunque algo confusa, resulta válida. Según Clark en las universidades de investigación más prestigiosas el 33% del cuerpo docente pasa más de 20 horas a la semana trabajando en investigación, pero esta cifra cae al 5% en los mejores *colleges*. En las mismas universidades, el 49% del cuerpo docente "se inclina a la investigación" en vez de a la enseñanza; en los institutos el 44% "se inclina a la enseñanza", en vez de a la investigación.[7]

En los *colleges* el ambiente donde se lleva a cabo la enseñanza es, probablemente, más íntimo: cuerpo docente pequeño, cursos chicos y un grupo reducido de estudiantes. Como consecuencia, las preocupaciones respecto la personalidad resultan magnificadas: ¿le importo al docente?, ¿está disponible para los estudiantes?, ¿las clases son entretenidas?, ¿es un buen consejero? Estas metas conducen a resultados esperados: un plantel docente muy competente, con gran motivación para ayudar o apoyar a los estudiantes de grado. Desde el punto de vista del docente, es importante remarcar que hay relativamente pocas oportunidades para que la enseñanza suba de los niveles elemental e intermedio en los *colleges* independientes, ya que solo unos pocos estudiantes de grado están en condiciones de absorber conocimientos más avanzados. Como resultado, el cuerpo docente siente una menor necesidad de realizar investigaciones. Las presentaciones elementales e intermedias de las asignaturas académicas cambian lentamente, y la presión por estar actualizado y de comprender las fronteras de cada una de ellas es escasa. No hay estudiantes graduados que necesiten que se les enseñe las últimas y más modernas ideas. Además, el reconocimiento institucional no está tan ligado a la idea de ser un

85

---

7. Es curioso que las horas invertidas en administración sean muy similares en ambos tipos de institutos. Véase, Bruton R. Clark, *The Academic Life*, Tablas N° 8 (p. 78), 9 (p. 81) y 10 (p. 86).

especialista productivo. Por supuesto, hay algunos profesores que se dedican a llevar adelante investigaciones prestigiosas, y a cultivar el aprendizaje por su valor intrínseco;[8] pero, a pesar de esto, la enseñanza a estudiantes de grado es prioritaria.

El profesor universitario es una raza completamente diferente: enseñan a estudiantes novatos y también a los más avanzados —nuestros críticos asumen que hay una gran preferencia de los profesores por enseñar a estudiantes avanzados— y que también el estatus (posición entre sus pares), el ascenso, el sueldo, y otras distinciones supuestamente dependen más de la práctica de investigación que de cualquier otra cosa. ¿Cómo puede defenderse esa posición cuando una de las metas más importantes de la universidad es enseñar a los estudiantes de grado? ¿Por qué alguien puede ser tan masoquista como para optar por un *college* universitario cuando ya tiene disponible la comodidad y el cuidado de *colleges* independientes con carreras de 4 años, incluyendo "*colleges* de investigación", a un precio igual o menor?

Soñemos por un momento... Digamos que ya decidiste venir a Harvard y ahora eres un estudiante de nivel de grado paseando por la orilla del *Charles River* en una hermosa tarde de octubre. Tu mano izquierda la sostiene una de los premio Nobel en física de Harvard. Ella te está explicando sus teorías más recientes sobre el origen del universo. Tu brazo derecho está sobre los hombros de un amable profesor de lengua inglesa, ganador de tres Premios Pulitzer. Él no tiene ninguna teoría que contarte, pero te pregunta si preferirías tomar el té en Elmwood (la residencia del presidente Derek C. Bok y su esposa) o en Galbraiths (John Kenneth). Tu deseo es tomar el té en Galbraiths porque siempre quisiste conocer a Teddy Kennedy, a la Señora Thatcher y a Jerry Falwell. ¡Despiértate! Esto nunca será una imagen realista (ni siquiera a orillas de los ríos Charles, Cam, el Sena o la Bahía de San Francisco). Un *college* universitario nunca ha consistido de quinientos "Sr. Chipses" [alusión al

8. Un estudio reciente identificó a 48 de los llamados *colleges* de investigación, entre los que se incluyen Carleton, Franklin and Marshall, Mount Holyoke, Oberlin, Reed, Swarthmore y Williams. En estos *colleges* hay un porcentaje significativo del cuerpo docente que sí investiga y aparentemente la capacidad de investigar se tiene en cuenta al momento de la contratación y promoción. Estos institutos afirman ser especialmente exitosos en su tarea de entrenar futuros científicos. Una posible razón puede ser la ausencia de estudiantes de posgrado. Los investigadores en ciencia de dichos *colleges* deben apoyarse en los estudiantes de grado para que oficien de asistentes y compañeros de investigación, y eso puede inspirar la selección de futuras carreras científicas. Ver Gene I. Maeroff, "Science Studies Thrive at Small Colleges", en *The New York Times* (18 de junio de 1985). Ver también: "The Future os Science at Liberal Arts Colleges", conferencia en el Oberlin College (9 y 10 de junio de 1985).

amable profesor protagonista de la novela de James Hilton, *Goodbye Mr. Chips*] rodeados de miles de adorables estudiantes de grado que los idolatran.

Una descripción de Oxford de la década de 1950 hace hincapié en otra realidad:

> Ahora, como en los tiempos de Gibbon, la vida en la universidad transcurría paso a paso, sin involucrar de alguna manera a los estudiantes de grado, quienes proliferaban por las facultades durante los semestres como si fueran una formación de invasores bárbaros, sus molestos ruidos y placeres salvajes interrumpiendo por momentos el ritmo ordenado y tranquilo de la vida universitaria en los cortos períodos en que asistían. Los investigadores asociados de la universidad seguían con sus vidas de la mejor manera posible, cenando magníficamente en las residencias, continuando con sus investigaciones, desintegrando el átomo, analizando textos como el *Un Coup de dés* de Mallarmé, discutiendo en detalle los puntos más refinados de la historia eclesiástica, pero ellos representaban el rol permanente y perdurable de Oxford como institución de aprendizaje, y eran ellos quienes resaltaban en contraste con los estudiantes de grado, como los más antiguos y respetables Romanos han de haber resaltado durante la época de ocupación de los Visigodos.
>
> Realmente era posible para un estudiante de grado lograr una educación en Oxford pero no era tarea fácil, y tampoco era necesario, en aquél tiempo, esforzarse por hacerlo.[9]

Por supuesto esta descripción también es una caricatura. La verdadera realidad se encuentra en un punto medio entre ambas y cada versión tiene elementos verdaderos: hay personas famosas, pero no necesariamente cerca de los estudiantes de grado; un plantel docente más indiferente, preocupado con sus propios asuntos; ciertamente una atmósfera más impersonal. Se puede encontrar otro mundo en un *college* pequeño, independiente, pero solo a un costo que incluye un mayor grado de paternalismo, menos diversidad en el cuerpo docente y en el grupo de estudiantes, y una menor cobertura de los campos del saber. Desde el punto de vista de los estudiantes, el tamaño e importancia de la elección están muy relacionados, y esto se aplica a cursos, amistades, actividades extracurriculares, y básicamente a lo que ahora llamamos "estilo de vida". Es un criterio valioso, pero creo que las universidades

87

---

9. Michael Korda, *Charmed Lives* (Nueva York: Random House, 1979), p. 371.

son la opción más emocionante de todas para aquellos estudiantes que pueden manejar el desafío.

¿Por qué enseñanza e investigación?

El número exacto de facultades universitarias en Estados Unidos es una cuestión de cómo definimos el término: hay centenares, después de todo casi todos los estados tienen más de una universidad pública. Como se mencionó en el Capítulo 4, el término —como yo lo uso— tiende a ser más restrictivo. Tengo en mente más de 50 lugares: esas facultades que son parte de nuestras universidades que se orientan más a la investigación (algunos ejemplos incluyen: UC Berkeley, Cornell, Johns Hopkins, Michigan, Texas y, por supuesto, Harvard y Brown). Estas instituciones difieren en ubicación, estilo, plan de estudios, nivel de selectividad, y principales fuentes de fondos; pero todas comparten la fuerte y, a veces controvertida, creencia de que la investigación y la enseñanza son actividades complementarias. Ese nivel de instrucción universitaria es muy difícil sin el apoyo de nuevas ideas y la inspiración que surge de la investigación; también creen que el equilibrio intelectual ideal de los profesores depende de enseñar a estudiantes de ciclo de grado y de ciclo de posgrado.[10]

Debo aceptar que la idea de "equilibrio intelectual ideal" no es algo que se crea fervientemente como los otros puntos mencionados. A algunos profesores universitarios les gusta enfocarse en la enseñanza a estudiantes de posgrado, como si la práctica fuera más elevada o interesante; incluso pueden llegar a creer que enseñar a estudiantes de este nivel da un mayor prestigio. Algunos de ellos preferirían directamente no enseñar, y dedicar todo su tiempo a la investigación; pero, generalmente, el contrato social de la universidad (casi siempre implícito) se comprende bien: se espera que los profesores en las universidades pasen la mitad de su tiempo en actividades relacionadas con la enseñanza y la otra mitad en investigación. La enseñanza debería estar dividida en mitades entre instrucción en ciclo de grado e instrucción en ciclo de posgrado, pero estas fórmulas no pueden aplicarse de manera rigurosa o

---

10. Algunos de los mejores *colleges* también creen en el valor de la investigación del cuerpo docente, aunque la importancia relativa asociada a esta actividad será menor; no obstante, la oportunidad de combinar la enseñanza a estudiantes de grado y de posgrado se encuentra únicamente en las universidades.

simplista: en el laboratorio de ciencias, por ejemplo, la enseñanza y la investigación están tan entrelazadas que ya no se puede distinguir la una de la otra; y, sin embargo, lo que mencioné como "contrato social" actúa como guía útil de los objetivos a cumplir.

El mundo mira de forma diferente a estudiantes y profesores. Los estudiantes pueden llegar a interpretar el interés por la investigación como un signo de desinterés en la enseñanza a estudiantes de grado; debido a que los representantes de institutos donde no se le da gran importancia a la investigación incentivan a los estudiantes a creer que la enseñanza y la investigación son como un juego de "suma cero" en el que las ganancias y pérdidas de un jugador encuentran equilibrio con lo que ganan y pierden los otros jugadores.[11] En muchas de las guías para estudiantes de dichos *colleges* se expresan sentimientos similares e infortunadamente, a veces, el comportamiento de algunos profesores del plantel docente confirma estereotipos negativos: conferencias poco preparadas, no se cumplen el horario de atención al estudiante, se ignora a los estudiantes, y todo en el nombre de un bien mayor llamado "investigación". Pero, todo esto también puede pasar sin la excusa de la investigación. El comportamiento irresponsable de los profesores no es monopolio de las facultades universitarias, aunque puede que sea más común ahí que en otros lados. Aquí son mucho más fuertes las tentaciones como el pedir una licencia sin goce de sueldo, contratos de consultoría, invitaciones a conferencias y actividades similares.

La combinación de enseñanza e investigación es parte de la identidad del personal académico de una universidad. Se espera que un profesor universitario no se dedique únicamente a transmitir el conocimiento recibido a generaciones de estudiantes, sino que se asume que debe ser un generador de nuevos conocimientos, y muchas veces con estudiantes avanzados asistiéndole. Esta práctica transmite los conocimientos más novedosos a estudiantes de todos los niveles. La interacción entre estudiantes de grado con sus profesores del *college* y del estudiante de grado con el investigador universitario es intelectualmente diferente, ni mejor ni peor, simplemente diferente; de hecho será peor para algunos y mejor para otros. Recuerde que estamos hablando

89

11. Mucho de uno significa poco de lo otro, o a mejor investigación peor la calidad de enseñanza, y viceversa. Un ejemplo perfecto de un reciente informe de California: "la excelencia en la enseñanza de grado se sacrifica menudo a favor de la excelencia en la investigación. Ver "Los California Colleges Are Said to Neglet Quality of Teaching", en *The New York Times* (14 de agosto de 1987).

de casos ideales. Una manera de mostrar esa diferencia podría ser compararla con la distinción entre utilizar fuentes primarias y secundarias: ambos son indispensables, pero, cumplen diferentes funciones.

¿Por qué un estudiante de grado querría un profesor orientado a la investigación?

Rara vez se le da mucha importancia a esta pregunta. Quienes sienten que los estudiantes de *college* no se beneficiarían por tener profesores investigadores tienden a responder de manera axiomática que "no tiene ventajas", sin dar ninguna otra explicación. Esa actitud es la actitud del "suma cero",[12] pero por otro lado, personas como yo creemos que ese axioma es incorrecto y, muchas veces se trata el asunto como si fuera un misterio imposible de explicar racionalmente. Me gustaría hacer un intento para eliminar parte de ese misterio.

Para empezar, ¿a qué nos referimos con "investigación"? El *Webster's Collegiate DIctionary* (edición 1936, mi favorita) define el término de la siguiente manera: "indagación reflexiva; por lo general investigación o experimentación crítica y exhaustiva con el fin de revisar conclusiones ya aceptadas a la luz de hechos recientemente descubiertos". Hay algunos aspectos de esta excelente definición de sentido común que deben ser remarcados. Podemos inferir que "leer" e "investigar" no son lo mismo. Uno puede leer por mero placer, o para estar al día con algún tema, o para aprender una destreza nueva, o quizás simplemente para adquirir nueva información; pero ninguna de esas razones incluye la intención de revisar una conclusión ya aceptada, de opinar "a la luz de hechos recientemente descubiertos". Por supuesto, la lectura y la experimentación son actividades imprescindibles en la investigación, pero, esta es en realidad un tipo especial de lectura que incluye propósito, planeamiento y orientación a un objetivo específico. En segundo lugar, la investigación y la publicación, aunque no son idénticas, están altamente vinculadas

12. Ver David S. Webster, "Does Research Productivity Enhance Teaching?", en *Educational Record* (otoño de 1985). Hay literatura empírica que intenta demostrar su hipótesis de "no mejoramiento". Los resultados me parecen poco convincentes: antes que nada, el mejoramiento se mide sobre la base de la satisfacción general indicada en las encuestas que contestan los estudiantes (por lo general) de grado. Esa información puede resultar importante, pero es solo un único dato. En segundo lugar, la productividad de la investigación se considera casi siempre en términos cuantitativos y no cualitativos. Básicamente, no creo que la relación entre investigación y enseñanza se preste a un simple (o simplista) análisis empírico.

ya que para que la "revisión de una conclusión ya aceptada" sea significativa, se la debe anunciar, debatir, adoptar o rechazar y eso necesita de algún tipo de publicación.

¿Qué nos lleva a esta actividad? El término "investigación" se usa con frecuencia en la actualidad, y su sentido ha sido vulgarizado a tal punto que toda respuesta debe ser definida cuidadosamente.[13] La mayoría de las investigaciones se realizan con propósitos comerciales: para desarrollar nuevos productos o mejorar los viejos con el objetivo de aumentar las utilidades y las ganancias de los accionistas. En nuestro país, gran parte de las investigaciones son financiadas por el ejército para aumentar las capacidades ofensivas y defensivas. Quiero limitar mis especulaciones a la investigación académica, donde los motivos comerciales son débiles.

Esos motivos serán débiles pero, rara vez están ausentes por completo. En muchas áreas, los frutos de las investigaciones académicas, por medio de la transferencia de tecnología, puedan traer aparejados grandes beneficios comerciales. En los últimos años, algunos conocidos míos —entre ellos biólogos moleculares y economistas— se han vuelto multimillonarios. El truco está en comercializar algunos procedimientos inventados en laboratorios o investigados en bibliotecas, conseguir el respaldo de empresarios capitalistas y hacer públicos los resultados. Para ese entonces, el generador de la idea, es decir el profesor, ya habrá hecho un dineral. El éxito o no de la posterior comercialización resulta de poca importancia. La investigación puede acarrear reconocimiento y hasta fama, ya sea profesional o popular y, en nuestra sociedad, la fama de casi cualquier índole trae consigo una suma de dinero. Escribir un *best seller*, aparecer en televisión, dar conferencias públicas son todas cosas que pueden ayudar a llenar los bolsillos de académicos "mal pagados".

De todas maneras, cuando se piensa acerca de qué lleva a los docentes hacia la investigación, hay dos factores que considero de gran importancia. El primero es el amor por aprender. Puede sonar trillado, sentimentalista e interesado; pero, no obstante, es cierto. Las decisiones respecto a la carrera profesional se ven afectadas por las exigencias del "oficio": aquellas personas que eligen seguir una carrera militar deben tener cierta predisposición hacia los uniformes, los retos físicos que requieren esfuerzo y el patriotismo; los políticos tienen que sentir cierta atracción por la gente, el poder y la comunicación oral;

91

---

13. Ver Jacques Barzun, "Doing Research-Should the Sport Be regulated?", en *Columbia Magazine* (febrero de 1987).

y, así mismo, los académicos son estudiantes que nunca crecieron, personas que desean ser estudiantes toda la vida. ¿Acaso esta no es una forma de expresar amor por aprender?[14]

Eso solo es una cara de la moneda; del otro lado están las demandas impuestas por el avance profesional: la promoción laboral, el *tenure*, los sueldos y la estima, son todas cuestiones que en las universidades se asocian con la investigación y la publicación, en consecuencia el amor por aprender puede ser menos puro. Nosotros escribimos, estudiamos y publicamos no solamente por una cuestión altruista, para dar a conocer nuestras ideas en la comunidad internacional de académicos, sino también para avanzar o ser promovidos de "auxiliar docente" a "profesor adjunto", o bien con el fin de obtener un aumento salarial del 7% cuando el promedio suele ser de 6%. No hay dudas de que estas presiones pueden acarrear consecuencias negativas, por lo general, asociadas al dicho "publicar o perecer". En el peor de los casos, el resultado puede ser un "torrente de libros y escritos inflados que va aumentando a un ritmo constante la improbabilidad una síntesis".[15] Creo que uno debería ser demasiado pesimista como para asumir que los motivos y los intereses asociados al avance personal llevan, inevitablemente, una investigación de menor nivel; eso puede ocurrir, pero no hay razón alguna para suponer que ese es el resultado típico.

En realidad, estoy tratando de analizar una cuestión completamente diferente. El hecho de que la investigación beneficie o no a la persona que la realiza, tanto económica como espiritualmente no es lo principal, como tampoco lo es el hecho de si nuestras universidades alientan demasiado o no la mala investigación *combinada con* la publicación, diseminando la enfermedad intelectual del "especialismo".[16] ¿Por qué un estudiante de grado elegiría,

---

14. Es verdad, todos conocemos personas que desearían quedarse en el campus de las universidades por siempre (aunque por las razones equivocadas). Describiría a ese grupo como los Joe & Josephine de la universidad que tienen miedo a madurar. Su satisfacción no proviene del trabajo intelectual sino de las actividades sociales asociadas a la parte no académica del estilo de vida de los estudiantes. Con el correr del tiempo, se sienten cada vez menos felices, son rechazados por la juventud y sus colegas no los respetan.

15. Barzun, *Op. cit.*, p. 21.

16. La publicación excesiva puede quizá curarse con un esquema que fue propuesto muchos años atrás por un genio desconocido. Todos los puestos iniciales académicos se darán a cargo de profesor titular. Cada libro que sea publicado después del nombramiento inicial, significará una baja automática de categoría. Obviamente, las personas solo publicarían cuando tengan la certeza de que darán a conocer algo de real importancia. Notemos el beneficio extra de este esquema: los estudiantes de grado siempre se quejan del poco o nulo contacto que ►

voluntaria y razonablemente, una institución donde la mayoría de los profesores se consideran a sí mismos como intelectuales-educadores?, esa es la pregunta principal; Y la respuesta no es tan complicada.

La investigación es una expresión de la fe en la posibilidad de progreso. El deseo que impulsa a un estudioso a investigar un tema específico debe incluir la creencia de que se pueden descubrir cosas nuevas, que lo nuevo puede ser mejor y que es posible alcanzar un entendimiento más profundo. La investigación (en especial la académica) es una forma de optimismo acerca de la condición humana. Respecto a la pregunta anterior sobre la elección de un estudiante, ahora puedo sugerir una posible respuesta a la primera parte de la pregunta: las personas que tienen fe en el progreso y que, por lo tanto, poseen cierta disposición al optimismo intelectual —estos son los intelectuales-educadores— probablemente son profesores más interesantes y mejores; hay menos posibilidades de que expongan un tema de manera cínica y reaccionaria.

Algo que está muy conectado con lo anterior es la relación entre investigación y el peligro siempre presente del agotamiento profesional. En la siguiente sección, dedicada a los profesores, he descrito algunas de las peculiaridades de la vocación académica, y una de estas es que, como docentes, la expectativa es que vamos a realizar básicamente las mismas tareas durante 40 años o más. Una vez que se consigue un puesto como profesional —muchos de nosotros nos convertimos en profesores adjuntos con un poco más de 20 años— casi no hay cambios en nuestras obligaciones laborales hasta que nos retiramos a los 70 (o más viejos si la insensatez actual perdura): principalmente, hay que enseñar la materia en que se es experto, y esta probablemente no cambie mucho a lo largo de nuestra vida profesional. Los teóricos seguirán siendo teóricos, lo mismo ocurre con los experimentadores, y los profesores universitarios que enseñan a Shakespeare no van a cambiar a literatura moderna norteamericana en sus años de vejez. Cómo mantener el interés en las obligaciones profesionales, es un problema importante. Es difícil imaginarse cómo un profesor puede dar clases, por ejemplo Introducción a la Economía, por más de un cuarto de siglo sin quedarse dormido simplemente al escuchar

93

▶ tienen con los conocidos y experimentados profesores titulares especialmente aquellos que se hicieron famosos por sus publicaciones; en este escenario, quienes publiquen mucho van a volver al puesto de profesores adjuntos, puesto que, según dicen los críticos, está reservado únicamente para enseñar a los estudiantes de grado.

nombrar la materia; pero, por supuesto, el aburrimiento que acarrea la repetición durante largos años no es exclusivo del ambiente académico: los médicos que tienen que revisar una y otra vez una nariz que sangra, los abogados al tener que escribir otro rutinario testamento y todos los vendedores que vendieron algo alguna vez tienen los mismos problemas.

Seguramente, cada profesión tiene su propio método para afrontar el desgaste. En la educación superior, algunos encuentran estímulo en las nuevas generaciones de estudiantes. Esta sería la solución al estilo de Mr. Chips, que se inspiraba en las frescas y jóvenes caras de los nuevos estudiantes de cada otoño y hallaba inspiración en su rol de padre de miles de hijos. Otros evitan el desgaste leyendo y se transforman en ratones de biblioteca que acumulan aprendizaje sin realmente aportar mucho a cambio; pero, con mucho, el método más saludable y eficiente para luchar contra el agotamiento profesional es la investigación. A diferencia del pasivo y de alguna manera codicioso ratón de biblioteca, el investigador invierte en sí mismo mientras interactúa internacionalmente con críticos y colegas a escala mundial. Estas actividades no combinan muy bien con algunos casos de ineptitud o con casos de agotamiento en la profesión, porque estos profesionales no podrían participar de la estimulación generada por el dar y recibir. Ahora pasemos a la segunda parte de mi respuesta: un plantel docente orientado a la investigación tiene menos posibilidades de ser cuartel general. Las mentes activas, animadas y actualizadas que disfrutan el debatir y la controversia hacen mejores docentes.[17]

La última parte de mi respuesta se refiere a la dificultad para evaluar la calidad de los docentes y su enseñanza. ¿Cómo podemos conseguir opiniones válidas? Preguntándoles a los estudiantes, seguro es la opción más obvia; no obstante, este método tiene algunas fallas: los estudiantes pueden decirnos si les gusta o no el docente, si el material de clase les resulta interesante o no, si las clases son o no claras, estimulantes y hasta entretenidas pero, en cierto punto, todas estas respuestas miden la popularidad y quizás estén poco relacionadas con la esencia de la enseñanza: lograr que alguien entienda un tema o materia. Las opiniones de los estudiantes pueden ser defectuosas por su falta

---

17. En mis muchos años en Harvard, tanto como estudiante de posgrado y como profesor, me he cruzado con una buena porción de lo malo, más que nada enseñanza no calificada; pero nunca me encontré con un tipo de profesor conocido de la época del colegio secundario: el antiguo profesor que daba clases leyendo de sus notas ya amarillas por el pasar del tiempo. En ocasiones, alguna de esas amarillentas hojas de papel caía al suelo y se desintegraba en fino polvo.

de experiencia y perspectiva a largo plazo, y por el principio de búsqueda del placer; pero no hay por qué exagerar. En Harvard, las evaluaciones de los estudiantes muestran una correlación significativamente positiva entre la calidad del curso y el volumen de trabajo, y el principio de búsqueda del placer no es necesariamente equivalente a pereza.

Todos los que tenemos ya muchos años de edad podemos recordar a algunos docentes de la secundaria o del *college* a quienes odiábamos profundamente cuando éramos estudiantes secundaria o de grado; y ahora, más maduros, descubrimos la excelencia con que nos enseñaban. Como prueba, puedo nombrar a mi propio, y probablemente el de casi todo el mundo, profesor de latín de la secundaria. La mayoría de nosotros también recordará seguramente a algún fulano de tal muy querido —infortunadamente parte de tantos campus en Norteamérica— que al recordarlo cuando ya somos más maduros se revela su verdadera esencia ante nuestros ojos: un patético charlatán. No es mi intención sugerir con esto que las evaluaciones realizadas por los estudiantes son de poco valor; investigaciones sobre el tema han demostrado lo contrario. Lo que quiero decir es que son parámetros que deben utilizarse con gran cautela y es necesario conseguir otras evidencias.[18]

¿Y qué tal la evaluación de enseñanza entre colegas? Este método también está repleto de complicaciones. Una técnica común es presenciar las clases, en especial las de los docentes más jóvenes a quienes se les está considerando para una promoción; pero esa técnica probablemente lleve al docente a un ordenado desempeño que guarda poca, cuando no ninguna, relación con lo que en realidad sucede en sus clases diariamente (presenciar una clase sin previo aviso se considera, en muchos lugares, una falta de respeto). En teoría, uno podría arreglar para que grupos de docentes experimentados presencien las clases muchas veces —incluso diariamente—, pero eso resulta poco práctico.

No quiero que se me malinterprete; hay mucho que se puede hacer para mejorar la enseñanza.[19] Se puede y se debería dar a los docentes jóvenes una

95

---

18. "Se han realizado importantes estudios durante la última década sobre fuentes potenciales de parcialidad y sobre la relatividad y validez de los estudiantes como evaluadores. A esta altura esas cuestiones ya se han estudiado extensamente y la conclusión aceptada en general es que, aunque las decisiones respecto a promociones y otorgamiento del *tenure* no deberían tomarse basadas únicamente en las evaluaciones de los estudiantes, los estudiantes, como grupo, son testigos responsables y fidedignos de la calidad de enseñanza en los cursos". K. Patricia Cross, "Feedback in the Classroom: Making Assessment Matter", en *The AAHE Assessment Forum, Third National Conference on Assessment in Higher Education* (8 al 11 de junio de 1988, Chicago), p. 6

19. Ver *Ibídem*, p. 17 y ss.

red de apoyo que incluya mentores, críticas constructivas, seminarios, estudio de casos, y más. De todas formas, no vamos a transformar a la enseñanza de los *colleges* y universidades en una ciencia; por lo tanto tendremos que convivir con muchos desacuerdos respecto al mérito individual. En otras palabras, no es muy alto el grado de consenso profesional respecto a lo que constituye "una excelente enseñanza".[20]

Hay mucho más consenso respecto de la capacidad de investigación y los logros en esta área. En ciencias y en menor medida, en otras áreas de erudición, hay un importante grado de consenso respecto al mérito relativo de cada investigador y es posible dar razones convincentes para respaldar opiniones. La evaluación entre pares es el método elegido. En algunas ocasiones puede resultar conservador, a veces algo político y sujeto a conflictos de interés, pero en nueve de cada diez casos aporta resultados claros, consistentes y objetivos, al menos cuando se los compara con los resultados de las evaluaciones de enseñanza.[21]

Puede parecer que me he desviado del propósito de este capítulo: explicar por qué uno podría —no por qué *debería*— preferir un cuerpo docente orientado a la investigación siendo un estudiante de grado. Ahora vuelvo a ese punto con un tercer y último argumento: creo que la elección del cuerpo docente que se basa en la calidad y cantidad de investigación que se haya realizado, conduce a menos errores, que si la elección se hace sobre la base de la habilidad de enseñar, cosa que es más difícil de medir. Ambos talentos deberían tenerse en cuenta, pero, la capacidad de investigación es un mejor indicador a largo plazo. Poner el énfasis en el estándar más objetivo, hasta mensurable, de la investigación debería dar como resultado una mayor calidad promedio en función de metas reconocibles: mentes entusiastas, innovadoras y curiosas junto con el poder de sostener esas cualidades.

---

20. "Muchos estudiantes de profesorado o símil dirían, y con razón, que después de que todo se ha dicho, no sabemos esa formula final para una enseñanza efectiva, no podemos explicar por qué algunos instructores tienen éxito mientras que otros sufren tantas dificultades". C. Roland Christensen in Margaret M. Gulette, ed., *The Art and Craft of Teaching* (Cambridge: Harvard-Danforth Center for Training and Learning, 1982), p. XIV. Este legendario profesor de la Escuela de Negocios de Harvard también parafraseó las palabras de Amy Lowell así: "Enseñar es como tirar ideas en el buzón del subconsciente humano. Se sabe la fecha en que se enviaron pero nunca sabe cuándo van a recibir las cartas o de qué manera". Ninguno de estos pasajes propone instrumentos de medición.

21. El *tenure* se otorga después de una exhaustiva evaluación por parte de los colegas. La discusión en el Capítulo 11 es bastante relevante aquí.

Los docentes profesionales, a diferencia de los profesores-investigadores, obtienen con frecuencia un mayor nivel de efectividad en sus presentaciones. En ese sentido quedan mejor parados si los comparamos con sus colegas los investigadores. Incluso, muchos logran gran dominio del método socrático, una orientación habilidosa y creativa de los debates en clase, generalmente leen los escritos de sus estudiantes con atención y muchos son famosos por sus extensos y elaborados comentarios. Todas esas cualidades son muy positivas para los estudiantes. La mayor parte del tiempo los docentes tienen que concentrarse en ideas ajenas y su tarea principal es transmitir esas ideas en clase; y, obviamente, no hay profesor-investigador que pueda enseñar sin usar los puntos de vista y teorías de reconocidas autoridades. Todos los que enseñamos actuamos como transmisores del conocimiento que fue desarrollado por otros en el pasado; pero seguirá siendo una cuestión de proporción, énfasis y capacidad. Sin tiempo o interés para dedicarse a la investigación, el típico docente en un instituto puede, como mucho, aspirar a hacer algún comentario crítico del trabajo ajeno; cosa que no será sencilla porque, en la mayoría de los *colleges*, no hay suficientes colegas que estén trabajando en la investigación del mismo tema o uno similar como para poder comprar ideas. Hay ausencia de "masa crítica".

97

En las universidades orientadas a la investigación, los investigadores generalmente piensan en ellos mismos primero como miembros de una disciplina particular —economía, literatura inglesa, física, etc.— y, solo en segundo lugar como docentes. Sus estudiantes caen en dos categorías: principiantes en la disciplina (estudiantes de posgrado que están aprendiendo) y los estudiantes de grado. Los primeros necesitan instrucción avanzada y los otros necesitan instrucción básica sobre la materia en un nivel elemental o intermedio.[22] Además de enseñar, el profesor-investigador hace otras cosas: escribe artículos o libros, hace consultas, testifica, asiste a reuniones de profesionales y recauda fondos para la investigación, entre otras actividades; alguna de éstas no son necesarias y unas pocas son excesos que se permiten. El profesor universitario promedio está muy ocupado y, sin duda, es menos accesible que sus colegas de pequeños *colleges*.

¿Es mejor estudiar con alguien que viaja mucho, una persona para la cual

22. La realidad puede ser menos clara. Una ventaja de las universidades es que los estudiantes de grado particularmente talentosos a veces encuentran posible estudiar en el nivel de posgrado una vez que acumularon entre 60 y 90 créditos por las asignaturas aprobadas; solo su sofisticación intelectual marca los límites.

tú (futuro estudiante de grado) representas tan solo una pequeña porción de su vida profesional, en vez de estudiar con un docente que posee admirables virtudes de pastor y que te considera un apreciado miembro de su rebaño? Depende. En el mejor de los casos, las facultades universitarias se encuentran entre los lugares más emocionantes del planeta: sus profesores han escrito los libros que la gente comenta, han tomado parte en controversias públicas y han tenido puestos públicos vitales. (Uno de mis profesores ha oficiado como embajador; uno de mis colegas de Departamento también tuvo un puesto de embajador, tres fueron parte del Comité de Consejeros Económicos, otro fue ministro, y muchos fueron asesores de gobiernos extranjeros). Por supuesto, este tipo de notoriedad puede ser catalogada fácilmente como insignificantes toques de glamour, pero no estoy de acuerdo, porque creo que el entusiasmo intelectual se incrementa con el contacto con gente que ha escrito libros, que ha realizado importantes experimentos y que ha trabajado en políticas gubernamentales. Probablemente, como profesores, brinden una imagen menos equilibrada; hasta puede que caigan en la tentación de tratar de convencerte de convertirse en seguidor de sus ideas o descubrimientos (¡pueden pretender las dos cosas!). Unos cuantos pueden ceder a la tentación de mencionar figuras importantes para impresionar, pero, aún así, las recompensas por lo general pesan más que los riesgos. Si hay una gran controversia que inquieta al público, lo más probable es que alguien de la universidad tome partido; las diferentes posturas en una controversia casi con toda seguridad estarán representadas de manera abierta y vigorosa.[23] Cuando aparece un descubrimiento importante, es muy posible que haya alguien dispuesto a interpretar su significado y, probablemente, alguno de los descubridores esté en el campus universitario. Las universidades, en especial las más destacadas en investigación, son cuna de cada punto de vista político, estilo de vida, y casi todas las especialidades académicas esotéricas. (En Harvard, por ejemplo, ofrecemos cursos de más de 60 idiomas.)

Decimos que los polos opuestos se atraen, pero cuando nos referimos a los estudiantes y profesores se atrae lo similar. En nuestras universidades más

23. En Harvard, "Los estudiantes pueden entrar al aula donde el profesor Gould da clase de Historia de la Vida y la Tierra, y escuchar su enfoque ambientalista de la evolución. Después, en la próxima hora ellos pueden escuchar la refutación por parte de su enemigo el profesor Wilson, quien en su clase sobre biología evolucionista apoya las bases genéticas de los modelos sociales y del comportamiento humano" [Fiske, *Selective Guide to Colleges*, p. 237]. Esta experiencia no se puede vivir en ninguna de los *colleges* independientes.

prestigiosas el claustro de estudiantes está conformado por estadounidenses y extranjeros, también son polémicos y muy talentosos, reflejando el cuerpo docente en su diversidad de intereses y puntos de vista políticos y sociales.[24]

Los logros de algunos de los "estudiantes estrella" pueden tener un efecto represivo en sus pares. ¿Te gusta escribir teatro en tu tiempo libre? Bueno, alguien que reside unas puertas más allá consiguió que su comedia en un acto fuera representada en *Off Broadway*, uno de los principales centros de la industria teatral de los Estados Unidos. ¿Tu gran ambición es publicar un cuento corto? La joven que está en tu clase de escritura creativa resulta que es la autora de una primera novela que fue bien recibida entre el público. El mismo tipo de presión existe para los logros atléticos —en especial fuera de la Ivy League—[25] y también para los logros académicos: un integrante de tu grupo de laboratorio quizás haya ganado el premio de ciencias de la *Westinghouse*. No estoy sugiriendo que estos son eventos comunes, pero ese tipo de estudiantes existe: Brooke Shields fue a Princeton, Yo Yo Ma fue estudiante de grado en Harvard, y una estudiante de grado de Yale fue la que diseñó el *Vietnam War Memorial*, una de las expresiones artísticas más poderosas de las últimas décadas. Para algunos estudiantes, la presencia de esas estrellas les resulta una barrera para su libre participación y tienden a esconderse adentro de su cascarón. Si este tipo de ansiedad es un problema, quizás lo mejor sea evitar las universidades más competitivas. Y te digo más: Si la participación es algo que valoras mucho, incluso por encima de otras cosas —sin sentir especial admiración por el talento adquirido o natural— entonces deberías elegir una

99

---

24. Algunos años atrás estaba leyendo *The New York Times* mientras desayunaba. Una nota de portada hablaba de un incidente en Washington. El presidente Reagan había invitado a investigadores nacionales con méritos a un evento en la Casa Blanca. En la mitad de las celebraciones, una joven se levantó y le dio al Presidente una corta y muy crítica charla respecto a sus políticas en América Central. Miré a mi esposa y le dije con gran confianza: "Ella va a venir a Harvard". Y no estaba equivocado.

25. Las universidades de la Ivy League no ofrecen becas por atletismo e intentan, con bastante éxito, cultivar la práctica amateur de deportes inclusive en los equipos que compiten entre universidades. Eso no es reciente: algunos años atrás, en China, me encontré con un profesor de economía en la universidad de Pekín que había hecho un doctorado en Harvard en 1925. Este viejo caballero me contó sobre sus pasiones por el fútbol americano y recordaba que durante sus últimos años en Cambridge, Harvard había perdido cada uno de los partidos jugados. El *Boston Globe* publicó una noticia con el título "Harvard Destrozada" que en sí comentaba de manera negativa la destreza atlética de Harvard, y agregaba que lo único que le quedaba a la universidad era su "distinción académica". Pude decir a nuestros ex estudiantes que (gracias a Dios) la mejora en el ámbito atlético fue moderada durante los últimos 60 años; nuestra distinción académica, en cambio, parecía estar más o menos intacta.

institución que tenga una actitud familiar (en el equipo familiar de *softball*, todos los miembros tienen *derecho* a jugar). En las facultades universitarias siempre está presente la competitividad: un puesto en el diario institucional, un papel en la obra teatral, o un lugar en el equipo de competencia interna de la universidad, todos forman parte de una ruda confrontación, con ganadores y perdedores. No todos disfrutan de esas luchas y tal vez no sean apropiadas para el momento particular de desarrollo en que te encuentras, quizás no aprendas bien en esas circunstancias; pero otras personas se sienten estimuladas para alcanzar inesperados niveles de logro.

En Harvard, a menudo he escuchado que los estudiantes aprenden más los unos de los otros que de los profesores. Esto podría tomarse como un comentario preocupante. ¿Debería interpretarse como un comentario despreciativo hacia los profesores que, supuestamente, brincan detrás de su atril y tienen escaso contacto directo con los estudiantes? Creo que no, de hecho, lo veo como un halago a un gran grupo diverso, selecto y talentoso de estudiantes, que —como grupo— dan a sus miembros la oportunidad única de crecer en lo personal.

100

Un último comentario. Una característica distintiva de la vida universitaria es la presencia de los estudiantes de posgrado, hombres y mujeres, unos años mayores que los estudiantes de grado, que trabajan para conseguir títulos profesionales avanzados. La mayoría va a ignorarte dado que creen que están por encima de las aniñadas preocupaciones de los estudiantes de grado, pero vas a encontrar estudiantes avanzados que son aprendices de profesores y verás que esa práctica es una fuente habitual de críticas.

En los *colleges* que se sostienen solos —que no son parte de las universidades— no hay, o hay muy pocos estudiantes de posgrado y la enseñanza la llevan a cabo profesores "regulares". Para intentar ensalzar este tipo de institución, vas a escuchar un dicho popular: "se pueden encontrar grandes figuras y famosos profesores en (por ejemplo) Rice, Minnesota, y la Universidad de Washington, pero esas personas nunca van a ser tus docentes". El contacto más cotidiano que vas a tener es con graduados auxiliares: jóvenes inmaduros e inexpertos, a veces extranjeros que apenas hablan inglés. ¿Acaso alguna persona inteligente elegiría docentes como esos? Cuando escucho esas acusaciones, me gusta recordar que cuando era asistente de investigación en Harvard mis colegas eran Henry Kissinger, Zbigniew Brzezinski y James Schlesinger; aunque todavía eran estudiantes de posgrado en la década del 50, y dos de ellos tenían acentos muy marcados, estoy seguro de que su desempeño como docentes era al menos adecuado y no estaba por debajo del nivel que tiene un buen docente de un *college*. De hecho puedo ver ventajas en tener graduados como auxiliares docentes (sin contar la oportunidad de comprender un inglés con mucho acento o mejorar la comunicación en chino).

Estos individuos relativamente inexpertos no están a cargo de los cursos; por lo general, son líderes de grupos de debate o tutorías. Como estudiantes avanzados, deben estar muy familiarizados con su materia y es muy probable que sepan más sobre las últimas técnicas y actuales controversias que sus equivalentes en los *colleges*; no cargan con el peso de la diferencia generacional y la mayoría —como miembros de un programa para graduados altamente selectivo— son extremadamente inteligentes. Es verdad, la falta de experiencia puede causar dificultades ocasionales y la ausencia de la diferencia generacional puede causar problemas sociales en la clase, en especial entre los miembros del sexo opuesto. Quizás desees tener más oportunidades de sostener charlas cara a cara y debates con una "gran figura"... quizás. Mi punto es que no se debería ver a los graduados que son auxiliares docentes como una desventaja de las universidades, porque ellos pueden brindar algunas de las experiencias de clase más estimulantes.[26]

Alguna de estas cosas se las dije a mi joven amigo que vino a verme a mi oficina a las 7:30 de la mañana. Hay otras cosas que no tuve oportunidad de decirle, pero de haber tenido tiempo se las hubiera dicho. Sus opciones eran Brown, Harvard y Haverford, y él no sabía cómo elegir. Al final, acordamos que la decisión no era fácil ya que las diferencias entre las tres eran sutiles y todas representaban altos niveles de excelencia, no había una mala opción y todas eran instituciones altamente selectivas; las diferencias (aunque reales) eran un tema de grado. Después me enteré que se había decidido por no venir a Harvard. Espero que nuestra conversación le haya permitido tomar una decisión informada y correcta.

101

---

26. El sistema está lejos de ser perfecto y muchas de las críticas de los estudiantes de nivel inicial se justifican. Los *Fellows* o estudiantes graduados que enseñan y los auxiliares docentes son elegidos de manera muy casual y muchas veces no tienen ninguna experiencia como profesores. Se los contrata incluso cuando se sabe de sus deficiencias (a expensas de los estudiantes de grado) porque se necesita abrir nuevos cursos ya que hay más inscripciones de las esperadas y también como una forma de darle a los estudiantes de posgrado ayuda financiera. Todo esto está mal y es necesario corregirlo. Los compañeros que enseñan deben ser entrenados, supervisados y solo se deberían contratar cuando muestren una aptitud suficiente para estar en esa materia. Ver Gary D. Rowe, "Why Not the Best?", en *Harvard Crimson* (23 y 24 de noviembre 1987).

CAPÍTULO SEIS

Propósitos de una educación liberal

Para los estudiantes norteamericanos existen diferentes razones para ir al *college*. Una razón típica es para obtener un primer diploma profesional, quizás en Ingeniería, Enfermería, Contaduría o alguna otra profesión; en otros casos, sin embargo, no se busca que el primer diploma o título proporcione instrucción vocacional. Esto ocurre especialmente en las facultades que dependen de universidades orientadas a la investigación o en los llamados *colleges* de investigación.[1] Los estudiantes que se inscriben en esas instituciones aspiran a convertirse en miembros de las profesiones consideradas tradicionalmente avanzadas o de estudios liberales, como Derecho, Medicina o algún profesorado universitario. Pasan años haciendo cursos de especialización y gran parte de ese grupo de estudiantes, eventualmente, terminan estudiando posgrados. El propósito de asistir al *college*, entonces se convierte en una educación en las llamadas artes liberales: "un plan de estudios que apunta a impartir conocimientos generales y a desarrollar las capacidades intelectuales

---

1. En conjunto, estas instituciones inscriben aproximadamente al 15% de los estudiantes de ciclo de grado en Norteamérica. Ver Burton R. Clark, *The Academic Life*, p. 18.

generales a diferencia de un plan de estudio profesional, vocacional o técnicos".[2] De hecho, la atracción y el valor de las artes liberales no se limita únicamente a aquellos estudiantes que buscan hacer estudios de posgrado; este tipo de plan de estudios es un objetivo razonable en sí mismo.

"Artes liberales", "educación liberal" y, a veces, "educación general" es una forma de describir los 4 años de educación en algunos *colleges*. Por lo general, esos 4 años se dividen en tres partes: 1 año, frecuentemente denominado de "distribución", que se enfoca en ampliar conocimientos generales, educación general (en sentido restringido) o un plan de estudios de asignaturas comunes. El siguiente año generalmente consiste en materias optativas: esto permite a los estudiantes perseguir sus propios intereses académicos. Finalmente, los otros 2 años —a veces menos— se destinan a una concentración de materias de un campo específico (lengua inglesa, sociología, matemáticas, etc.). La totalidad de estos años de estudio es la llamada "educación en artes liberadas" y otorga un título de *Bachelor of Arts* (BA) o *Bachelor of Science* (BS).

No puede haber una definición científica de educación liberal o general porque la educación no es una ciencia. No hay teorías aceptadas de manera amplia y es poco probable que haya pruebas experimentales o lógicas de las muchas versiones actuales e históricas. No hay una verdad única, pero permítanme citar dos versiones que —a mí entender— son particularmente interesantes. La primera:

> La educación general significa el completo desarrollo de un individuo, más allá de su capacitación laboral. Incluye la humanización de sus propósitos de vida, el refinamiento de sus reacciones emocionales y la maduración de su entendimiento respecto a la naturaleza de las cosas según los mejores conocimientos de nuestra época.

Este gran comunicado escrito en 1946 se lo debemos a Howard Lee Nostrand, quien fue profesor de lenguas romances en la universidad de Washington.[3] Si hubiese escrito más recientemente, "él" hubiese estado acompañado

---

2. *Encycliepedia Britannica*, 15ª ed. (vol. VI), p. 195.

3. José Ortega y Gasset, *Mission of the University* (Londres: Kegan Paul, Trench, Trubner, 1946), p. 1. Este delgado tomo fue traducido por Nostrand quien también brindó una introducción de donde se sacó la cita. También escribió: "Si pudiéramos resolver el problema de la educación general, seguro podríamos tachar una Tercera Guerra Mundial del calendario". Un atractivo pensamiento, pero no estoy tan seguro.

por "ella" al escribir sus palabras, pero eso es un tema menor. En cambio, la atención debe enfocarse en las frases claves: "más allá de su capacitación laboral...", lo que significa que no es educación profesional y que intenta desanimar la educación pre-profesional;[4] "la humanización de los propósitos de vida", lo que implica un énfasis en cultura y en la vida más allá de ganarse el pan de cada día; y "según los mejores conocimientos de nuestra época", lo que sugiere la posibilidad de un cambio periódico.

Un punto de vista algo diferente viene de John Buchan, cuyos pensamientos cité en el capítulo anterior:

> Vivimos en un mundo afligido y caótico cuyo futuro no puede predecirlo ningún hombre, un mundo donde los cimientos parecen agrietarse y donde ese compromiso que hemos bautizado "civilización" cristiana se encuentra en grave peligro. ¿Cuál debe ser la actitud de aquellos, como nosotros, en este tiempo crítico, aquellos que tienen detrás de sí una educación liberal? Porque si esa educación no nos sirve de guía en esta crisis, no puede ser en absoluto algo tan importante.[5]

105

(¡Este es un comentario de lo más deprimente en vista del afligido y caótico mundo en el que aún vivimos, 50 años después de que esas palabras fueran pronunciadas!)

Buchan consideraba que la educación liberal debería proporcionar a quienes la recibieran tres cualidades: humildad, humanidad y humor. Humildad, porque "si somos hombres educados, con el tesoro de los pensamientos del mundo respaldándonos, no tenderemos a sobrevaluarnos o pretender demasiado por el trabajo de nuestras manos". Para él, la humildad obviamente presupone conocimiento. Humanidad, porque "necesitamos un respeto más profundo por la naturaleza humana. No puede existir tal respeto en aquellos que borrarían la personalidad y harían de los seres detalles sin rostro en el monstruoso mecanismo del Estado". Esto fue escrito en 1938; sin duda,

---

4. Esta frase se podría interpretar como el apoyo a la separación de las artes liberales de la educación profesional y pre-profesional; pero prefiero interpretarla como una sugerencia de que todo el desarrollo de un individuo no debería limitarse al entrenamiento profesional, estrechamente definido. En circunstancias ideales, todos los tipos de educación tendrían que tener materias generales y especiales. El énfasis actual en el desarrollo de programas sobre ética profesional, es un ejemplo de las artes liberales (filosofía moral) que se enseña en un contexto profesional.

5. *Harvard Alumni Bulletin* (1° de julio de 1938, vol. 40), p. 1.143.

estaba pensando en Hitler y Stalin. Por último, humor: "en un tiempo como el presente, donde los lazos de la religión han sido tristemente relajados, existe una tendencia entre los líderes populares a elevarse ellos mismos a la categoría de una especie de Dios falso y de pensar que su frívolo credo es una revelación divina. La respuesta a toda esa locura es la risa".[6] No sé qué tenía en mente Buchan, pero en la década de los 80 esas palabras nos golpearon incómodamente muy cerca de casa.

Lo que sigue, es un punto obvio pero esencial: estamos viviendo el final del siglo XX. Las consecuencias de esta trillada observación necesitan un poco de explicación. En nuestra época, el conocimiento crece como nunca antes y a pasos agigantados y frecuentemente de manera exponencial. A causa de que los nuevos conocimientos son, por lo general —o al menos así se cree—, superiores a los antiguos hechos, métodos o teorías, la vida útil de la sabiduría convencional en algunas disciplinas se ha reducido bastante. La ciencia es el ejemplo más claro de esto: La publicación de boletines científicos comenzó en 1665. En el 1800, había aproximadamente 100 publicaciones; para 1850 había 1.000 y casi 10.000 para 1900. Actualmente, ya hay cerca de 100.000 publicaciones, y su número se ha duplicado cada 15 años desde el siglo XVII. El índice de crecimiento de los científicos es similar, así que "entre el 80 y 90% de los científicos que han existido, viven en la actualidad".[7] Otro ejemplo puede ser el de los economistas, donde el consenso clásico reinó por más de un siglo y su sucesor, el enfoque Keynesiano, se enfermó de muerte a los 50 años.

No es mi intención sugerir que existan simples relaciones cuantitativas, y mucho menos leyes del progreso intelectual. Las disciplinas y subdisciplinas difieren; no todo crece a un mismo ritmo: mientras que la erudición en humanidades sin duda se está expandiendo más rápidamente que en tiempos anteriores, es mucho más difícil ser preciso respecto al cambio de perspectivas aceptadas en general. Mi punto es mucho más simple: nuestra época se caracteriza por un crecimiento inusual y veloz del conocimiento, y en consecuencia la proporción de hechos y teorías desactualizados es también inusualmente grande. Los clásicos de valor permanente se limitan casi exclusivamente a lo que hoy llamamos "humanidades": la *Biblia*, Shakespeare, Platón, Confucio y

---

6. *Ibídem*, pp. 1.143 y 1.144.

7. Derek de Solla Price, *Science Since Babylon* (New Haven: Yale University Press, 1975). Ver "Capítulo 8: *Diseases of Science* de donde se sacaron esas cifras.

Tolstoi son tan actuales como cuando se escribieron. Las cuestiones básicas de la elección moral humana —por ejemplo, justicia, lealtad y responsabilidad, entre otras— se han mantenido iguales, y la calidad del pensamiento actual respecto a estas cuestiones no puede demostrar su superioridad fácilmente. Esto no se puede decir ni siquiera del genio matemático y científico Isaac Newton, cuyos descubrimientos y métodos han sido mejorados en muchas ocasiones y hasta a veces reemplazados por 250 años de progreso científico. Los logros en las ciencias sociales caen en medio de estos dos extremos; por ejemplo, la gran visión del siglo XVIII de *laissez-faire* de Adam Smith y la teoría de principios de siglo XIX de David Ricardo sobre la ventaja comparativa no han perdido su significado; aunque el análisis de ambas concepciones se ha extendido más allá de esas primeras afirmaciones, y los economistas investigan y enseñan estas teorías con referencia muy ceremoniales a las grandes figuras del pasado.

Un rápido crecimiento del aprendizaje significa que "la naturaleza de las cosas según los mejores conocimientos de nuestra época" no es algo estático. También significa que los requisitos del plan de estudio deben encontrar un equilibrio entre los clásicos perdurables (que se vuelven a interpretar en cada generación) y la presentación de las más actuales y mejores teorías y prácticas. La elección del énfasis deseado va a reflejar la necesidad de una asignatura en particular, y una combinación de ambos enfoques puede ser lo más apropiado; pero no deben quedar dudas sobre la obligación de enseñar a los estudiantes a manejar un ambiente que produce cada vez más información y un continuo flujo de nuevas teorías y explicaciones. En muchas materias, eso puede ser mucho más útil que el poner el énfasis en una base de datos específica o una teoría actual popular.

Por estas razones, Oxford en el siglo XIV, la Universidad de Chicago en la década del 30, y la Universidad de Harvard justo después de la Segunda Guerra Mundial son modelos de utilidad limitada.[8] Rara vez esto es cuestionado, excepto cuando se refiere a la educación especializada, es decir, competencia en una reconocida y bien definida disciplina; porque nosotros tenemos mayor

107

8. En los tiempos medievales, las siete artes liberales (*trivium* y *quadrivium*) consistían en: geometría, astronomía, aritmética, música, gramática, lógica y retórica. En su conjunto, sigue siendo una buena lista, aunque muy anticuada. Las ciencias sociales no existían aún y la literatura era ampliamente ignorada. En tiempos más recientes, el *Harvard Red Book* de la década del 40 no contemplaba el estudio de ideas no occidentales. Esto mismo es cierto respecto del famoso plan de estudios de las instituciones de St. John en Anápolis, Maryland y Santa Fe en Nuevo México. Su lista de 130 clásicos se limita a la civilización occidental exclusivamente.

conocimiento del progreso intelectual en las categorías familiares. Muchos sabemos que la Física de hoy en día no es la misma de hace 50 años, o que las matemáticas son, actualmente, una herramienta común y necesaria dentro de las ciencias sociales. El cambio igualmente es esencial para mantener los objetivos de la educación liberal o general y, tal como en la educación especializada, el ritmo del cambio va a depender de las modificaciones del consenso intelectual. Hoy en día, me parece razonable esperar a que se produzcan cambios significativos en los planes de estudio cada 25 años o más.

Otro aspecto actual es el alargamiento del tiempo destinado a la educación: hay una mayor porción de la población que pasa la vida aprendiendo, y ya no es suficiente prepararse solo para las etapas iniciales de la carrera; ahora estamos frente a la oportunidad —o el problema— de adaptarnos a una vida más larga, con más tiempo libre en nuestras manos. El llegar a una edad mediana puede acarrear cambios de carrera, y el aumento en la esperanza de vida puede significar, en edades avanzadas, tanto tener que trabajar, como largos períodos de jubilación.[9] El acelerado ritmo del avance tecnológico y los cambios en la estructura industrial —por ejemplo, el paso de la manufactura a los servicios— va a impulsar a muchos de nosotros a aprender nuevas habilidades y a absorber nuevas ideas a lo largo de la vida. Todos vamos a tener que adaptarnos y la flexibilidad es particularmente importante para las mujeres, porque la probabilidad es que ellas van a desear, o verse obligadas, a combinar la carrera y la familia. Muchas veces eso significa que van a reincorporarse a la fuerza laboral después de un largo intervalo. Imaginemos que su ausencia dura una década. Muchos métodos que se utilizaban en el trabajo habrán sido modificados y muchas teorías habrán sido descartadas; se habrán hecho nuevos descubrimientos. Una persona educada deberá tener una mente preparada para dicha situación.

En cada ceremonia de graduación, el rector de la Universidad de Harvard da la bienvenida a los nuevos graduados "a la hermandad de hombres y mujeres educados". Miles de rectores de instituciones de educación superior, a lo largo de todo el país, pronuncian discursos semejantes cada junio. ¿A qué se refieren? ¿A qué deberían referirse? Un título de *bachelor* puede significar un poco más que un número específico de asignaturas aprobadas en el ciclo de grado. Es una simple observación el hecho de que no todos los graduados sean

---

9. Es un lugar común, aunque no tiene sustento en datos estadísticos, que "estos días" la "persona promedio" tiene tres carreras y siete trabajos.

personas educadas, y que tampoco todas las personas educadas son graduadas universitarias. Claramente, en ese ritual de bienvenida, queremos resaltar
que los estudiantes han alcanzado un cierto nivel de desarrollo intelectual.
No esperamos que sean eruditos en artes, ciencia o profesiones; de hecho,
habríamos fracasado si el título de *bachelor* significara el punto más alto del
crecimiento intelectual. Dar la bienvenida a los estudiantes graduados a la
comunidad de hombres y mujeres educados solo tiene sentido si esto expresa
nuestra creencia de que sus habilidades y poderes mentales han alcanzado un
estándar razonable.

Algunos años atrás intenté formular un estándar respecto a la educación
liberal en nuestros tiempos.[10]

1. Una persona educada debe ser capaz de pensar y escribir de manera
clara y eficaz. Con esto quiero decir que los estudiantes, una vez que obtienen
la licenciatura, deben ser capaces de comunicarse con precisión, claridad, y
fuerza. En otras palabras: los estudiantes deben estar entrenados para pensar
críticamente.

2. Una persona educada debe tener *apreciación crítica* de las formas en que
se adquiere el conocimiento y entendimiento del universo, de la sociedad y de
nosotros mismos. Por lo tanto, debe tener un *conocimiento informado* de los
métodos matemáticos y experimentales de las ciencias físicas y biológicas, de
las principales técnicas analíticas, históricas y cuantitativas que se necesitan
para investigar el funcionamiento y desarrollo de la sociedad moderna, de los
mayores logros académicos, literarios y artísticos, y de las más importantes
concepciones religiosas y morales de la humanidad.

Esta ambiciosa definición puede que parezca poco práctica. La mayoría
de los miembros de las facultades de las universidades tendrían que confesar
la dificultad que tienen para alcanzar tal estándar; pero esa es una actitud
con poca visión de futuro. Primero, el expresar un ideal es de por sí valioso;
segundo, la formulación general que utilicé se puede trasladar a otras áreas,
por ejemplo física, historia o literatura inglesa. No estoy sugiriendo que cada
persona educada sea experta en cada una de estas áreas, pero el objetivo no
es crear expertos; el objetivo es un conocimiento informado y eso se puede
lograr adecuadamente (en cualquier tiempo histórico) mediante un grupo de

109

---

10. Las próximas páginas se apoyan en uno de mis informes anuales de la Facultad de Artes y Ciencias. Ver
Harvard University, Faculty of Arts and Sciences, *Dean's Report, 1975-1976: "Undergraduate Education: Defining
the Issues"* [Informe del decano].

requisitos que tengan una concepción suficientemente amplia.

El salto entre un conocimiento informado y una apreciación crítica es algo más importante y difícil. Para adquirir esa habilidad, debemos movernos más allá del contenido hacia la aplicabilidad general de lo que se enseña y la manera en que se enseña. El crecimiento del conocimiento es muy veloz, y deberíamos alentar a nuestros estudiantes a pasar la vida aprendiendo. Los límites del tiempo son apremiantes y solo pueden elegirse algunas asignaturas. Podemos esperar que alguien que no es científico curse materias de ciencias, pero no podemos esperar que todos esos estudiantes vayan a estudiar física, biología, química, geología y matemáticas, por lo tanto, la utilidad general las materias requeridas debe ser muy grande. En un mundo ideal, las asignaturas deberían combinar contenido significativo con un énfasis en la metodología general de cada una de ellas específicamente; por ejemplo, desde el punto de vista de la educación liberal puede que sea correcto estudiar economía, pero considerar ese campo en el contexto general de las ciencias sociales es algo de mucho más valor.

110   **3.** Un norteamericano educado en el último cuarto de siglo no puede ser un pueblerino en el sentido de ignorar otras culturas y otras épocas. Ya no es posible llevar adelante nuestras vidas sin tener como referencia al mundo más amplio o las fuerzas históricas que le dieron forma al presente y que modificarán el futuro. Quizás solo algunas pocas personas educadas tendrán una perspectiva suficientemente amplia; pero —a mi entender— es muy claro que la distinción crucial entre una persona educada y una no educada es la extensión del contexto en que cada uno vivencia su vida.

4. Se espera que una persona educada tenga algún conocimiento y cierta práctica en pensar en problemas morales y éticos. Aunque esos temas hayan cambiado muy poco a lo largo de los siglos, adquieren una nueva necesidad urgente para cada generación, cuando cada individuo se enfrenta al dilema de elegir. Bien podría ser la habilidad más importante de las personas educadas la capacidad de formar una opinión informada y analítica que les permita tomar decisiones morales.

5. Por último, una persona educada debería haber logrado profundidad en algún campo del conocimiento. Con esto tengo en mente algo que se encuentre entre el nivel profesional de competencia y el conocimiento informado. Según la terminología académica norteamericana, se llama a ese nivel *major* o "concentración de asignaturas". La teoría es muy clara: el aprendizaje acumulado es una manera efectiva para desarrollar el poder de razonamiento y de análisis porque es necesario considerar fenómenos, técnicas y construcciones analíticas cada vez más complejas. Se espera que en cada *major*, los estudiantes obtengan un suficiente control de la información, teoría y métodos como para definir los tópicos en un problema específico, recopilar la evidencia y desarrollar los argumentos que probablemente surjan en cada postura respecto a un tema, y llegar a conclusiones basadas en una evaluación convincente de la evidencia (por lo tanto, existe una superposición parcial con el primer objetivo).

El enfoque de "estándar razonable" de la educación de grado presenta algunos problemas. En ocasiones nos encontramos con un estudiante que encaja en la categoría de un genio parcial (el mago de las matemáticas, por ejemplo). De manera similar, como bien dijo Bertrand Russell, una persona con el talento musical de Mozart sacará poco provecho de su asistencia a un conservatorio de música; pero esos casos son, por definición, muy poco comunes, y no deben ser centrales en esta consideración amplia de "educación". Nuestra tarea nunca puede ser equivalente a "la hechura a la medida", aunque siempre deberíamos mantener suficiente flexibilidad como para atender los casos muy especiales.

111

Podría haber objeciones políticas también. La formulación de un conjunto de estándares necesita de consenso —por lo general, consenso por parte del claustro docente— el cual a su vez, puede ser visto como una imposición de conformidad o, más erróneamente aún, como una forma de socializar a los estudiantes en nombre de un propósito oculto: digamos, las "clases dominantes" de este país, o una religión en particular, por ejemplo el cristianismo. Nunca he podido aceptar ese punto de vista. Los estándares que he sugerido no representan ni se refieren a ninguna tendencia política o doctrinal, de hecho, favorecen la ampliación de la sensibilidad y la sustitución de la opinión convencional por un pensar crítico.

Un profesor de Eton, William Johnson Cory, lo explicó muy bien hace más de 100 años. Al dirigirse a un grupo de jóvenes en 1861 les dijo:

> Ustedes no están tan comprometidos con la adquisición de conocimiento como con el esfuerzo mental bajo el análisis crítico. Realmente, hay una cierta cantidad de conocimientos que ustedes pueden adquirir y retener teniendo capacidades promedio; no es necesario que se arrepientan de las horas que pasaron estudiando cosas que ya olvidaron, porque la sombra del conocimiento perdido, como mínimo, los va a proteger de muchas ilusiones.

Pero, ustedes asisten a una gran institución, no tanto por el conocimiento como por el arte y los hábitos: por el hábito de prestar atención, por el arte de expresarse, por el arte de asumir en un santiamén una nueva postura intelectual, por el arte de penetrar rápidamente en la mente de otra persona, por el hábito de someterse a la censura y la refutación, por el arte de expresar acuerdo o desacuerdo con términos de graduados, por el hábito de considerar minuciosos puntos de certeza, por el habito de solucionar lo que se puede en un tiempo específico, por gusto, por discernimiento, por coraje y sensatez mental.

Y por sobre todas las cosas, ustedes asisten a una gran institución para adquirir el conocimiento de ustedes mismos.[11]

Para mí, estas afirmaciones describen algunos de los principios centrales de la educación de grado en la actualidad. Los estudiantes van a olvidarse de muchas cosas que le enseñaron y los nuevos descubrimientos harán que gran parte de los conocimientos que adquieran hoy se consideren obsoletos en algunos años. Creo que todos podemos estar de acuerdo en que la comprensión de los valores y usos del intelecto es algo esencial para que una persona sea educada; pero la pregunta es ¿cómo se pueden inculcar esos "hábitos y artes" de manera más eficiente y perdurable? Ciertamente, no con un plan de estudios parcial o especializado, ni siguiendo un único plan de estudios específico.

William Cory habló de los objetivos de la educación previa a la superior y algunos pueden decir que los estándares y objetivos que yo he descrito se adaptan mejor a los colegios secundarios, tal vez queriendo decir que la educación superior en Norteamérica debería parecerse más al modelo europeo, donde las universidades brindan un entrenamiento más especializado. Sin embargo, existen buenas razones para que los estudiantes norteamericanos en esos 4 años de aprendizaje adquieran una educación liberal. En nuestra sociedad, las instituciones de educación superior representan la mejor de las oportunidades para que los jóvenes ciudadanos puedan enriquecer sus vidas. Cualquier generalización sobre el sistema educativo en Norteamérica es peligrosa. Las variaciones son muchas, pero lo que está claro es que la mayoría de los norteamericanos egresan de colegios secundarios que no son selectivos y que no tienen los recursos —pedagógicos, financieros y sociales— que implica el concepto de artes liberales.

11. *Eton Reform* (Londres: Longman, Green, Longman y Roberts, 1861), pp. 6-7.

A modo de contraste —y para dar algo de perspectiva— los sistemas europeo y japonés son menos democráticos y quizá más importante, son menos indulgentes; una porción menor de la población asiste a *colleges* y a universidades. Transitar tanto formal como informalmente por el buen camino empieza a temprana edad y, en Japón, entrar al preescolar apropiado (después de entrevistas y exámenes) realmente va a aumentar las opciones de ser admitido en las universidades de Tokio más selectas. Asistir a un preescolar selecto abre las puertas a una escuela primaria de primera clase que, a su vez, ayuda al estudiante a obtener admisión en alguno de los buenos colegios secundarios, que va a brindarle la preparación más efectiva para el examen de ingreso a la universidad. En Francia, obtener el ingreso al *lycée* apropiado es algo muy determinante para hacer una carrera; y en Gran Bretaña, una filosofía elitista combinada con la estrechez financiera de largo plazo, ha logrado restringir efectivamente el ingreso a muchos sectores de la sociedad. Se puede describir a estos sistemas como empinadas pirámides: pocos pueden trepar de la base hasta la cima y quienes lo logran, por lo general, se ven beneficiados por las ventajas asociadas al nacimiento, a la clase y al dinero.[12] Aunque no todas esas influencias están ausente en Estados Unidos,[13] las diferencias son más significativas que las similitudes: transitar por la buena senda no es tan rígido, y el desempeño académico en los primeros años de educación no determina irrevocablemente el futuro. Dar segundas y terceras oportunidades son costumbres maravillosas del sistema educativo norteamericano.

113

Las pirámides educativas más empinadas influyen inevitablemente en la naturaleza y el estándar de educación de los estudiantes de grado. Donde estas existen, los que ingresan a las universidades son elegidos de un grupo más pequeño de aspirantes que comparten características más similares.

12. Es difícil de conseguir estadísticas comparables. Un índice útil es el porcentaje de la población de más de 25 años que continuaron su educación después de la escuela secundaria. En 1984, el número en Estados unidos de Norteamérica era 32,2%; en Japón era 14,3%; en Gran Bretaña era 11% (en 1983). Ver *Britannica Book of the Year*, 1986, pp. 946-951. Estos son números estándar. La diferencia entre Japón y Norteamérica está disminuyendo con el tiempo.

13. "Estados Unidos gustaba de creer que había sido fundada en la tradición de escuelas comunes, donde la hija del presidente del banco local en Harvard se codeaba con el hijo del desafortunado borracho llamado Ronald Reagan. Cuando se crearon las zonas residenciales a causa del crecimiento del número de personas que poseía auto, este ideal democrático rápidamente resultó un disparate en los barrios interiores de la ciudad y luego en casi todos lados. Hoy en día consigues que tu hijo ingrese a le mejor escuela del sector público en Norteamérica si compras una pequeña casa de 250.000 dólares cerca de la zona". Norman Macrae, "The Most Important Choice So Few Can Make", en *The Economist* (30 de septiembre de 1986).

Aquellas personas que se encargan de la admisión en Tokio, Oxford o París saben mejor que cualquiera de nosotros las asignaturas que los futuros estudiantes han cursado, los libros que han leído y los niveles que han alcanzado. Un grupo menos numeroso de aspirantes es el producto de un número limitado de escuelas secundarias, muchas de los cuales intentan brindar a sus graduados una educación liberal y algunas, sin duda, logran hacerlo.

Una sociedad democrática como la nuestra que tiene el objetivo de que todos sus ciudadanos se gradúen de secundaria no puede evitar, en algún punto, la presencia de un denominador común de menor calidad. El sistema de educación norteamericano es descentralizado en todos sus niveles. El control en el ámbito local es un objetivo principal y los estándares nacionales son tan poco comunes que prácticamente no existen. La calidad de todo tipo de escuelas depende de una gran cantidad de factores: la base impositiva de una comunidad o estado, la composición étnica y por edad de una ciudad, las donaciones privadas, la historia de la relación entre escuelas públicas y privadas, y muchos otros factores.

Es por eso que, *como promedio*, tenemos la esperanza de que nuestras escuelas primarias y secundarias enseñen a sus estudiantes las herramientas básicas: leer, escribir y matemáticas, enriquecidas lo más posible con algo de ciencias, historia, literaturas e idiomas extranjeros. Obviamente hay excepciones: existen magníficas instituciones secundarias públicas y privadas donde el aprendizaje liberal puede alcanzar altos niveles; pero, esas siguen siendo excepciones a la regla.

Nuestras universidades deben buscar logros, habilidades, promesas y talento teniendo en cuenta la diversidad geográfica, étnica y económica dentro de nuestra sociedad (ya se describió el proceso en el Capítulo 4). Somos tolerantes en el ingreso porque reconocemos que no todos los candidatos comienzan la carrera con las mismas ventajas; y nuestra preocupación se centra en cómo termina esa carrera.

En comparación con gran parte de los demás países, podemos dar muy poco por sentado, con excepción de varios indicadores de promesa, y por lo tanto la necesidad de una educación liberal y un entrenamiento básico del intelecto en las instituciones superiores es algo que, para nosotros, va a continuar con la misma fuerza.

Los beneficios de una educación liberal pueden mejorarse también por la madurez, la perspectiva y la experiencia; su valor es sutil, se obtiene por repetición y, a veces, hasta se puede malgastar en aquellos estudiantes que son demasiado jóvenes.[14] Para la mayoría de nosotros, las instituciones superiores son el momento ideal para adquirir esas habilidades y conocimientos básicos (al menos para aquellos estudiantes que tienen la fortuna de asistir a instituciones que brindan ese tipo de planes de estudio).

Realmente, no sería recomendable posponer la educación liberal para el nivel de formación profesional ya que la cantidad de norteamericanos que asisten al ciclo de posgrado es mucho menor que el número de estudiantes que se gradúa del ciclo de grado. En 1983, solo el 8,9% de los graduados continuaron educación de posgrado. Posponer la educación liberal tendría como resultado que demasiados individuos se quedarían sin esa enriquecedora educación y, por otra parte, la educación de posgrado no tiene ni el tiempo ni la inclinación para lo que se considera (quizás equivocadamente) como una desviación de su objetivo principal: producir profesionales altamente entrenados en pocos años.[15] La cantidad de información que los estudiantes de posgrado deben digerir es muy grande.

Más importante es el hecho de que, ya sea que se adquiera en el ciclo de grado o después, la educación liberal es un requisito indispensable para la educación profesional en los más altos niveles. Tenemos derecho a esperar de los profesionales una capacidad técnica superior: un doctor debería tener un conocimiento superior de la ciencia y las enfermedades, un abogado necesita de un entendimiento profundo de casos y procedimientos legales, un investigador debe poseer un íntimo conocimiento de lo último en una materia en particular; todos estos atributos, aunque necesarios, no son del todo suficientes.

115

El ideal de una profesión no debería ser el mero flujo de tecnócratas competentes; el objetivo más apropiado es la capacidad profesional combinada con "humildad, humanidad y humor": quiero que mi médico o abogado tenga cierta comprensión de lo que es el dolor, el amor, la risa, la muerte, la religión, la justicia y las limitaciones de la ciencia.[16] Esto puede ser mucho

14. No puedo pensar en un mejor ejemplo que mi propio primer encuentro con *Anna Karenina* de León Tolstoi. La primera vez que leí la novela fue a los 13 años y saque la conclusión de que Alexey Karenin, el esposo de Anna, era el personaje más comprensivo del libro. Con una inadecuada experiencia de vida, me fue imposible comprender las intenciones de Tolstoi.

15. Como se comentó antes, esta actitud está pasando por un cambio deseable en este momento.

16. En 1930, José Ortega y Gasset dijo en una conferencia: "Las facultades de medicina aspiran a enseñar fisiología y química en su totalidad al enésimo grado, pero quizás no hay en ninguna facultad de medicina del ▶

más importante que simplemente conocer el medicamento más moderno o la decisión más actual de un tribunal de apelación. La información más actual se puede adquirir sin mayores dificultades; la comprensión humana no puede reducirse a preguntarle a una computadora algunas cosas.

116

CAPÍTULO SIETE

Un modelo de Core

En algunas instituciones, el término educación liberal es una manera de describir la educación de grado. El término se usa también en un sentido menos amplio cuando se refiere a los requisitos que se exigen fuera de la orientación principal seleccionada para la carrera o *major*, y está pensado para asegurar amplitud y equilibrio, es decir, el desarrollo integral de un individuo. Los cursos que el estudiante debe tomar obligatoriamente son de gran importancia, especialmente cuando esa obligatoriedad interfiere con la libertad individual. Algunas universidades no exigen demasiado (por ejemplo, la Universidad de Brown), mientras que otras no ofrecen prácticamente ninguna alternativa (Universidad St. John's). La mayoría de las universidades se encuentran en el punto medio entre estos dos extremos. Dondequiera que se encuentre situada una institución en este continuo los requisitos tienen que amoldarse a una visión educativa coherente. La universidad debería poder explicar a los estudiantes por qué se les exige estudiar ciertos temas; por qué es necesario imponer límites; o por qué creen que la falta de límites brindará una mejor educación para los estudiantes.

Si se tiene en cuenta el carácter diverso de la educación superior estadounidense, es difícil debatir el estado de la educación liberal en general. En lugar de debatir, intento explicar brevemente el Core (núcleo central) del plan de estudio de Harvard (Vintage, 1988), para luego esbozar su filosofía, lógica y contenido como uno de los ejemplos de la educación liberal de nuestro tiempo. No pretendo afirmar que exista un plan de estudio perfecto para los universitarios estadounidenses y, si pudiéramos coincidir en un estándar de perfección, no existiría razón suficiente para creer que un conjunto de requisitos es suficiente para proporcionar a los estudiantes las "artes y los hábitos" deseables. Existen diferentes caminos que conducen a una comunidad o fraternidad de hombres y mujeres educados, y lo ideal sería que pudiéramos seguir más de uno. Las posibilidades van a depender del tipo de institución, sus recursos, su personal docente, el cuerpo estudiantil y quizás también otros factores.

El "núcleo" o "Core" del plan de estudios de Harvard representa un cuarto de la educación de grado, el equivalente a 1 año de estudios con asignaturas que no son electivas y que se exigen a todos los estudiantes. No es el trabajo de un estudiante de primer año (o de cualquier otro año), pero, equivale a 1 año académico que deberá completarse antes de la graduación. Este núcleo se complementa por un aprendizaje en profundidad,[1] constituido por un *major* o concentración de asignaturas —equivalente a 2 años de estudio— y enriquecido por 1 año de materias electivas en el cual los estudiantes tienen una libertad de elección casi total. Este plan intenta hacer de la "comunidad de hombres y mujeres educados" un concepto de mayor significación.

Los estudiantes de grado que cursan en Harvard deben cumplir con tres requisitos que no forman, en sentido estricto, parte del programa del Core. Deben realizar un curso cuyo objetivo es desarrollar en los estudiantes la capacidad de escribir en una prosa efectiva (una persona educada debe ser capaz de escribir de manera clara y efectiva); asimismo, deben poseer fluidez en un idioma extranjero (aspecto que sirve para demostrar que uno sabe y conoce de otras culturas); y demostrar competencias en razonamiento cuantitativo definido como "introducción a la computación", datos numéricos y algunas técnicas básicas de estadística (otro aspecto relacionado con el conocimiento sobre técnicas matemáticas y cuantitativas utilizadas en las ciencias naturales y sociales).

El programa del Core propiamente dicho, consiste en seis grupos de

---

1. Muchas de las frases entre comillas o paréntesis que aparecen en este capítulo hacen referencia a la definición de la persona educada ofrecida en el Capítulo 6.

asignaturas diseñados especialmente de acuerdo a pautas explícitas formuladas sobre una base interdisciplinaria (no departamental). La descripción oficial que hace Harvard de su Core es:

> La filosofía del plan de estudios del Core yace en la convicción de que cada graduado de Harvard debería recibir una educación amplia. [...] Se asume que cada estudiante necesita una guía para alcanzar este objetivo y que la universidad tiene la obligación de conducirlos hacia el conocimiento, habilidades intelectuales y hábitos de pensamiento que son características distintivas de los hombres y mujeres educados.
>
> [El plan de estudios del Core] no define la amplitud intelectual como el dominio de un conjunto de Grandes Libros, o el conocimiento de cierta cantidad de información, o una visión de conjunto del conocimiento actual en ciertos campos. Por el contrario, el programa busca introducir a los estudiantes en los más importantes *enfoques del conocimiento* en áreas que la universidad considera indispensables en la educación de cualquier universitario. Apunta a demostrar qué tipos de conocimiento y qué formas de indagar existen en esas áreas, cómo se adquieren los diferentes medios de análisis, cómo se utilizan y cuál es su valor. Los cursos dentro de cada área o subdivisión del programa son análogos, en el sentido de que, si bien el tema de la asignatura puede variar, el énfasis en una manera particular de pensar es el mismo.[2]

119

1. Literatura y artes

Los cursos en esta parte del plan de estudios del Core se refieren a: leer, ver y escuchar con un ojo y un oído educados. En esta oración, la frase crucial es "un ojo y un oído educados". El leer, ver y escuchar para la mayoría de nosotros puede parecer algo natural y simple, ningún entrenamiento especial parecería necesario y, sin embargo, diferentes tipos de analfabetismo visual, oral u otros abundan, si concebimos al "alfabetismo" como una medida completa de apreciación, la capacidad de realizar un juicio crítico y la comprensión de la calidad. El programa de Literatura y Artes presenta cursos de humanidades que ilustran "cómo los seres humanos dan expresión artística a su experiencia

---

2. Universidad de Harvard, Facultad de Artes y Ciencias, *Courses of Instruction, 1986-1987*, p. 1.

del mundo".[3] Esto significa estudiar las posibilidades y límites de las formas particulares de arte —novelas, poemas, sinfonías— y ganar una apreciación de la interacción entre el talento individual, la tradición artística y un momento histórico específico. Para poder alcanzar estos objetivos, se les pide a los estudiantes que trabajen con cada uno de estos temas: un género importante de la literatura, por ejemplo, el estudio sobre "las Grandes Novelas de los siglos XIX y XX", incluyendo escritores como Jane Austen, Dickens, Balzac y James Joyce; un género importante de expresión visual o musical, como "Rembrandt y sus contemporáneos" o "El desarrollo del Cuarteto de Cuerdas"; y, por último, un curso donde se examinen las relaciones entre las distintas ramas del arte de los diferentes períodos y los contextos sociales e intelectuales de la creatividad como en el caso de "Las imágenes del hombre en el Renacimiento". De esta manera, los estudiantes podrán adquirir una comprensión más amplia de los logros artísticos y literarios del pasado, y de las principales concepciones religiosas y filosóficas sobre el hombre.

120

2. Ciencia

Resulta tan obvio que nadie puede ser considerado un individuo sólidamente educado en el mundo de hoy si no tiene algún conocimiento de la ciencia, sus métodos y principios, que no requiere mayor explicación; que la ciencia es el "método principal" para abordar el conocimiento es evidente por sí mismo. El nuestro es un período de avances científicos inusitadamente rápidos: nuevos descubrimientos, mayor agudeza con respecto a las leyes físicas y biológicas fundamentales, y nuevas tecnologías que constantemente cambian nuestras vidas. Los recientes avances de la ciencia nos han dado tanto armas atómicas como ingeniería genética. Las armas atómicas algún día pueden terminar con la vida humana, la ingeniería genética podrá en un futuro cercano prolongar el período normal de la vida humana y esto acarreará consecuencias sociales muy complejas. Por supuesto que una persona que ha recibido educación desea, al menos, apreciar un poco las fuerzas que desempeñan un papel tan importante en nuestro futuro. Considero que este conocimiento es un atributo necesario de una ciudadanía educada en democracia donde nuestros votos pueden determinar si los avances científicos han

---

3. *Ibídem*, p. 16.

de transformarse en progreso social o en desastres.

Hay quienes consideran que un nivel significativo de "alfabetismo científico" está más allá de las capacidades de un programa de educación general. La ciencia es muy compleja, profunda, acumulativa, especializada y matemática. Hoy en día, incluso muy pocos científicos son "científicamente" alfabetos, en un sentido amplio. Además, algunos críticos opinan que el vínculo entre el conocimiento científico y una ciudadanía responsable es poco claro y poco convincente. Después de todo, los científicos profesionales están muchas veces en desacuerdo sobre cuestiones de políticas públicas, y cada uno ofrece razones que puedan ser igualmente convincentes para el ciudadano común.

El profesor Morris Shamos, un distinguido proponente de esas dudas, ofrece un justificativo diferente para la inclusión de la ciencia en un plan de estudios de artes liberales: "Los estudiantes tienen todas las de ganar [...] si estudian ciencia principalmente por los valores estéticos e intelectuales que ésta ofrece".[4] Thomas Huxley, biólogo del siglo XIX, y su contemporáneo, el matemático Jules-Henri Poincaré expusieron este punto de vista. Shamos sostiene que esta es una idea a la que finalmente le ha llegado su hora.

Estoy de acuerdo en que el alfabetismo científico significativo puede ser un objetivo inalcanzable; "la apreciación crítica" es un poco más fácil de lograr. De lo que estoy menos convencido es de la inutilidad de la educación general científica cuando se trata de cuestiones relacionadas a las políticas públicas, pero no hay una prueba efectiva de su afirmación o de la mía. En lo que sí estoy absolutamente de acuerdo es en el argumento de estimular el estudio de la ciencia exclusivamente por sus valores estéticos e intelectuales: no existe otro motivo mejor o más básico que éste.

La ciencia ha tenido poca representación en la mayoría de los planes que alegan educar a los estudiantes en las artes liberales. Las razones son evidentes. Incluso la comprensión no profesional o universitaria de la ciencia requiere de "algún conocimiento de los métodos matemáticos y experimentales de las ciencias físicas y biológicas". Numerosos estudiantes universitarios se resisten a este estudio por diferentes razones: falta de aptitud matemática, ya sea real o percibida; instrucción pobre en colegios secundarios que los enajenan respecto a temas científicos; pocas asignaturas de ciencia en la mayoría de las instituciones diseñadas para personas incapaces de concentrarse (ese es un problema educativo grave).

121

4. Morris Shamos, "The Lesson Every Child Need Not Learn", en *The Sciences* (julio-agosto de 1988), p. 20.

Siempre recordaré la reacción de uno de mis colegas cuando se estaba considerando el marco de nuestro programa. Era un historiador del arte mundialmente famoso y comenzó nuestra conversación preguntándome si yo consideraba que su larga carrera había sido valiosa en cuanto a producción académica, así como también si era un crédito para su alma máter (era uno de nuestros graduados más distinguidos). Di la respuesta obvia que podía esperarse para las dos preguntas: sí. Luego explicó que algunos de nuestros nuevos requisitos —particularmente los relacionados con el razonamiento científico y cuantitativo— le hubieran resultado imposibles de lograr para graduarse de Harvard. No podía dominar estas cuestiones ni siquiera a niveles básicos. ¿Acaso yo creía que él no era digno de recibir un título?, ¿sus logros profesionales no probaban lo contrario? Me rogó que utilizara mi influencia para prevenir la inclusión de estos nuevos requisitos para que este tipo de persona no fuera retroactivamente repudiada. Sabía que este profesor estaba hablando en serio e intenté convencerlo de que él estaba subestimando sus capacidades de lidiar con estos temas, en el caso de que fueran enseñados correctamente. Sin embargo, él no estaba del todo convencido.

122

Por supuesto que no existe igualdad entre los estudiantes de ciencia y los que no lo son. Los universitarios que se especializan en ciencia consideran que las carreras humanísticas y de ciencias sociales son fáciles. Los enfoques literarios e históricos, si bien no son especialmente agradables para un bioquímico en ciernes, rara vez son desalentadores o alarmantes. Para estos estudiantes, adquirir una educación liberal es un desafío menor (al menos superficialmente). No es así para los estudiantes que no siguen la carrera de ciencias, especialmente para aquellos que se encuentran aquejados por fobias científicas o matemáticas. Estos miedos aumentan enormemente cuando se les enseña a estudiantes de logros o talentos diferentes en una misma clase. El asunto no es enseñar "ciencia condescendiente para poetas"; es el reconocimiento de necesidades pedagógicas especiales de ciertos grupos.

Los miembros del claustro de profesores están familiarizados con los sentimientos de los estudiantes y les ofrecen sus propias maneras de resistir. Ningún docente desea estudiantes obligados a presenciar su clase, que están convencidos de que no les interesará o que no les irá bien.[5] La ciencia, además,

---

5. Generalmente, los profesores de ciencia manifiestan un conjunto de actitudes contradictorias. En primer lugar, se quejan de que su materia es un poco pobre (en Harvard, por ejemplo, exigimos 1 año de ciencia, y 1 año y medio de literatura y artes). En segundo lugar, muestran poco entusiasmo al momento de enseñar a los ▶

está marcada claramente por una progresión de niveles de dificultad (mucho más que la historia, podríamos decir) y, por lo tanto, el miedo de ser superficial es mucho más alto. ¿Acaso el mayor peligro no es producir estudiantes que crean que han aprendido ciencia verdadera, cuando en realidad solo han logrado aprender algunos conceptos básicos? Ninguno de estos obstáculos pierde mérito, pero la ciencia es muy importante para dejarla fuera de cualquier plan de estudio de artes liberales. Los estudiantes y la universidad deben superar las dificultades por medio de la creación de expectativas realistas de ambos lados.[6]

La ciencia que se dicta en este programa se pensó para aquellos estudiantes que no elijan ser científicos, y el objetivo común del curso es "transmitir una comprensión general de la ciencia como forma de mirar al ser humano y al mundo".

Las observaciones sobre el mundo físico y biológico condujeron a los científicos a formular principios que proveen explicaciones universales de diferentes fenómenos.

Estos incluyen las leyes que gobiernan la dinámica clásica; la termodinámica; la radiación y la estructura microscópica de la materia, y los principios básicos relacionados con la química, la biología molecular y celular; y la evolución biológica y el comportamiento. Las asignaturas científicas del plan de estudios del Core tratan estos conceptos científicos básicos y los descubrimientos con cierta profundidad. Consideran no solo lo que los científicos creen que es verdad, sino también cómo desarrollaron y validaron sus leyes y principios.[7]

123

▶ estudiantes de grado dentro de un contexto de educación liberal.

6. Para una crítica severa, si bien no totalmente realista, del tipo de ciencia que se enseña en el programa del Core, ver F.H. Westheimer, "Are Our Universities Rotten at the 'Core'?", en *Science* (5 de junio, 1987). El autor piensa que nuestros requerimientos científicos son demasiado rudimentarios, reconoce que sus colegas no están interesados en enseñar a "la plebe" (es decir, a los estudiantes que no escogen la ciencia como su *major*) y deplora las señales que el nivel de no concentración en ciencias envía a nuestras escuelas secundarias. Su solución: admitir un número mayor de estudiantes ansiosos de estudiar ciencia. Sin embargo, esa no es la solución; tendría muy poco que ver con la educación liberal. Por supuesto, que los requerimientos científicos en CalTech o MIT pueden lograr un nivel más alto. No existe "la plebe" en esas instituciones (razón por la cual estos lugares son conocidos como institutos y no como universidades). Las universidades siempre se enfrentarán al reto especial de educar una población intelectualmente más heterogénea. Eso es diferente y el progreso tiende a ser gradual.

7. Universidad de Harvard, Facultad de Artes y Ciencias, *Courses of Instruction, 1986-1987*, p. 31.

Se requiere el estudio de dos áreas separadas de la ciencia. Un grupo de materias "trata principalmente el análisis predictivo y deductivo de los fenómenos naturales por medio del tratamiento cuantitativo de sus elementos simples" (en gran medida física, química, y algunas ramas de la biología); un ejemplo típico sería "Espacio, Tiempo y Movimiento". La otra área analiza los sistemas científicos de mayor complejidad, cuya explicación es más descriptiva, histórica y evolutiva del mundo natural (por ejemplo, geología y biología orgánica); "Historia de la Tierra y la Vida" es un ejemplo excelente.

3. Estudio de la historia

La historia es, quizás, uno de los métodos más utilizados para analizar la "adquisición del conocimiento y la comprensión del universo, de la sociedad y de nosotros mismos". Los historiadores no son los únicos en utilizar enfoques históricos, también los utilizan los científicos cuando estudian la evolución, los humanistas al momento de analizar el lenguaje o una forma particular de arte y los científicos sociales por ejemplo, cuando analizan la historia económica o las teorías políticas. Podemos distinguir dos tipos de énfasis metodológicos, aunque corramos el riesgo de hacer una simplificación excesiva. En el trabajo de algunos historiadores, los dos enfoques se combinan y utilizan simultáneamente, pero en principio pueden distinguirse. El primero es la historia como estudio de las tendencias o los cambios a largo plazo. Este enfoque tiende a hacer hincapié en una visión macroscópica, las fuerzas impersonales y, frecuentemente, la lógica de la evolución socioeconómica o "de la necesidad histórica"; sin embargo, existe un lado muy diferente del análisis histórico (casi contrario) que se centra en una visión microscópica, en los seres humanos, en el azar, en la complejidad de los acontecimientos en lugar de la simplificación necesaria de las tendencias.

El estudio de Historia en el Core familiariza a los estudiantes con ambos enfoques. Un grupo de cursos comienza con un gran aspecto o cuestión del mundo moderno y explica su desarrollo histórico y su origen.[8] Por ejemplo,

124

8. Sería posible estudiar las tendencias sin la necesidad de tocar un tema sobresaliente del mundo moderno como punto de partida; por ejemplo, uno podría examinar el declive y caída de Roma. Sin embargo, al comenzar con una cuestión más actual tiene como ventaja adicional ayudar a los estudiantes a comprender mejor los problemas a los que pueden llegar a enfrentarse como ciudadanos.

"El desarrollo y el subdesarrollo: los orígenes históricos de la desigualdad de las naciones", comienza con el mundo como lo conocemos en la actualidad: quizás 15 ó 20 países que han experimentado una revolución industrial y son ricos, y más de cien naciones calificadas como subdesarrolladas. El curso continúa con la demostración de que la comprensión del presente requiere identificar las tendencias por medio de una regresión en el tiempo a la Edad Media y a los comienzos expansivos de Europa, una lección valiosa especialmente para los universitarios estadounidenses, cuya memoria histórica tiende a ser de corto alcance. El otro grupo de materias se concentra mucho más en un momento del tiempo: un momento decisivo separado de las cuestiones de la política moderna. Ahora el objetivo es demostrar las complejidades, complicaciones e incertidumbres de la explicación histórica, prestando particular atención a las aspiraciones y a las decisiones individuales que generalmente se pierden al momento de examinar los cambios a largo plazo. Una ilustración podría ser "La Revolución Rusa": ¿era realmente inevitable?, ¿por qué ocurrió en 1917?, ¿el resultado habría sido diferente sin la presencia de Lenin? Este es el tipo de preguntas que este curso intenta responder. Ambos deberían ofrecer a los estudiantes un conocimiento histórico importante y una mayor comprensión de los métodos históricos.

125

4. Análisis social

Una de las mejores maneras de comprender a las sociedades en las que vivimos se encuentra en los métodos relativamente nuevos de las ciencias sociales. Comenzando con la economía de fines del siglo XVIII, e incluyendo otras ciencias sociales como las ciencias políticas, la sociología y la psicología, entre otras, estos enfoques intelectuales tienen como objetivo elevar nuestra comprensión del comportamiento humano contemporáneo.[9] Cualquier generalización estará sujeta a excepciones, pero es cierto que al momento de explicar el comportamiento de las personas y de las instituciones, las ciencias sociales han avanzado básicamente gracias al desarrollo de teorías formales que son comprobadas —en la medida de lo posible— por datos empíricos. El grupo de asignaturas del programa del Core conocido como Análisis Social

---

9. Principal, pero no exclusivamente. Los historiadores han empleado los métodos de las ciencias sociales para explicar eventos desde tiempos tan remotos como la antigüedad clásica

comparte esta característica e intenta poner a los estudiantes al tanto de "algunas de las principales formas de análisis, y de las técnicas históricas y cuantitativas necesarias para investigar los mecanismos y el desarrollo de la sociedad moderna". Un tipo ideal es "Principios de Economía": las teorías son bastante formales, el consenso profesional es fuerte y las pruebas empíricas se desarrollan profundamente. Pero también pueden lograrse percepciones claras al aprender sobre las "Concepciones de la naturaleza humana" enraizadas en la psicología. Las teorías y suposiciones filosóficas de Marx, Freud, B.F. Skinner y E.O. Wilson y sus estudios en términos de datos reales —la ideología contra la teoría científica— también permitirán a los estudiantes comprender cómo los científicos sociales intentan explicar el comportamiento humano.

5. Culturas extranjeras

Durante los años posteriores a la Segunda Guerra Mundial, Estados Unidos se convirtió en una de las superpotencias: una entre otras naciones importantes. La ex Unión Soviética fue y es nuestro principal rival en el sentido de la ideología y del poder militar, y Japón es nuestro principal competidor económico. Si se considera a Europa Occidental como grupo de naciones, puede pensarse quizás como una potencia económica y política. China e India son potencias en materia de población y han ejercido gran influencia en asuntos internacionales. Cuando se trata del petróleo, los países árabes han ejercido mucha presión y nuestro futuro, financiero y político, se encuentra relacionado con Latinoamérica y África.

Hasta la Segunda Guerra Mundial, para los estadounidenses era posible ignorar grandes partes del mundo: siendo una nación continental protegida por dos océanos, nos hemos sentido bastante alejados de las vicisitudes internacionales. Cuando hemos dirigido la mirada más allá de nuestras fronteras, con excepción del tire y afloje por el comercio y el imperio, nos concentrábamos generalmente en Europa Occidental (principalmente en Gran Bretaña) y en nuestras raíces en la civilización occidental. Durante un corto período luego de la Segunda Guerra Mundial, nos llenamos de orgullo, nos considerábamos un modelo para el resto del mundo: aprendan de nosotros si son capaces, tenemos poco que aprender de los demás.

Hoy en día, las condiciones se han modificado enormemente: los océanos ofrecen poca protección y las vicisitudes internacionales poseen un efecto inmediato en nuestra vida diaria. A pesar de seguir siendo potencia, nos estamos convirtiendo en una parte más pequeña del mundo. Nuestra participación en el producto nacional bruto del mundo, en el comercio y en la población está disminuyendo; no por estar atravesando una etapa de estancamiento sino por un crecimiento más apresurado en otros lugares. Incluso nuestras raíces occidentales internacionales se han transformado con las nuevas olas de inmigración, que han cambiado la base étnica de la población estadounidense. Parece obvio que ya no es posible llevar adelante nuestras vidas sin referencias del mundo. "Un estadounidense que ha recibido educación a finales de siglo, no puede ser provinciano, en el sentido de no tener conocimientos sobre otras culturas."

Los lectores con sentido común se sorprenderán al saber que el crítico de la educación Alan Bloom ha caracterizado este tipo de estudio como "demagógico". En sus propias palabras:

> El propósito es forzar a los estudiantes a reconocer que existen otras maneras de pensar y que las maneras occidentales no son las mejores. [Sin embargo] "[...] si los estudiantes fueran a aprender realmente algo de las mentes de cualquiera de estas culturas no occidentales [...] se darían cuenta de que cada una de ellas es etnocéntrica. Todos creen que su manera es la mejor y que el resto es inferior a ella. [...] Solo en las naciones occidentales, es decir, aquellas influenciadas por la filosofía griega, hay buena disposición para dudar sobre la identificación de lo bueno con lo propio.[10]

127

No estoy capacitado para juzgar las sutilezas filosóficas que subyacen bajo estas extrañas expresiones; me dejan confundido. Por supuesto, el etnocentrismo no es un monopolio no occidental. Al comparar a Japón y a Estados Unidos, ¿resulta tan obvio qué país estará más alto en el índice de "mi manera es la mejor"? Además, si el pensamiento no occidental es más etnocéntrico (cosa que no creo), no existe ninguna razón para predicar tal falacia al momento de estudiar la materia.

El Sr. Bloom puede quedar sorprendido por la siguiente perspectiva japonesa: "Los conceptos occidentales adoptados por la educación en las artes liberales contribuyeron enormemente a la historia intelectual; pese a esto, su universalidad está comprometida por el etnocentrismo. Es simplemente natural, por

---

10. Ver Alan Bloom, *The Closing of the American Mind* (Nueva York: Simon and Schuster, 1987), p. 36.

ejemplo, que los ideales occidentales deberían conducirnos a asumir la primacía cultural de Europa sobre Asia, y tal suposición claramente carece de validez universal. En este sentido, la educación europea de artes liberales posee limitaciones inherentes".[11] ¡Pido por favor que se declare una tregua en estas guerras etnocéntricas!

La parte del programa del Core que trata sobre las culturas extranjeras aborda el tema exigiendo a los estudiantes que elijan una asignatura que "busca identificar los patrones distintivos de pensamiento y acción que explican la configuración de creencias, valores y actitudes"[12] de un área específica del mundo. Desde el punto de vista del estudiante, el énfasis es selectivo. El estudio de una cultura extranjera en términos generales no tiene demasiado sentido y los cursos ofrecen una variedad de posibilidades que hacen hincapié en diferentes regiones del mundo. Muchas asignaturas son una introducción a las civilizaciones más importantes: India, Asia Oriental, Rusia, el Islam, África, etc. Algunos son menos extensos, como "La unificación de Japón (1560-1650)" o "La cultura austríaca (1890-1938)", (es requisito la lectura en alemán). Todas las materias tienen el objetivo de expandir el alcance de experiencia cultural de los estudiantes y ofrecer nuevas perspectivas sobre los propios supuestos y tradiciones culturales.

6. Razonamiento moral

Como norteamericanos, no compartimos una concepción religiosa o filosófica común sobre el hombre. Algunas veces, nuestros políticos se refieren a los Estados Unidos como una nación cristiana, y esa expresión es claramente errónea. Quizás podemos llegar a tener más ciudadanos cristianos que judíos, budistas o ateos; pero no existe una religión estatal y, además, la constitución lo prohibe. De hecho, se está haciendo cada vez más difícil pensar en nosotros exclusivamente como representantes de la civilización occidental; muchos de nosotros tenemos fuertes raíces no occidentales. La heterogeneidad de nuestra sociedad en el siglo XX es, según lo creen muchos, la fuente de nuestra creatividad y fuerza. Hubo una época en que la nación estadounidense aspiró a ser un "crisol de culturas diversas"; en la actualidad, reconocemos la importancia

11. Yasusuke Murakami, "The Debt Comes Due for Mass Higher Education", en *Japan Echo* (otoño de 1988), p. 72.

12. *Courses of Instruction, 1986-1987*, p. 2.

de mantener la diversidad por medio de ciertas reglas comunes de conducta social y política, aunque no siempre se obtienen resultados exitosos.

La instrucción en el razonamiento moral en el plan de estudios del Core no enseña una moral o filosofía específica, lo cual no sería apropiado; nuestro objetivo es "debatir cuestiones significativas y recurrentes de elección y valores que surgen en la experiencia humana"[13]. Esto incluye las cuestiones morales compartidas por muchas concepciones religiosas y filosóficas de la humanidad, y que no pueden resolverse simplemente apelando a la emoción. "Las asignaturas están preparadas para mostrar que es posible reflejar de manera razonable (profunda y analíticamente) cuestiones tales como la justicia, el deber, la ciudadanía, la lealtad, el coraje y la responsabilidad personal."[14] Esta instrucción explora la naturaleza de la vida virtuosa para los individuos, grupos y naciones, y entre las mismas naciones. A continuación aparecen dos ejemplos típicos: la "justicia" examina de manera crítica las teorías clásicas y contemporáneas (Aristóteles, Locke, Kant, Mills y el filósofo moral John Rawls), y debate acerca de las aplicaciones prácticas actuales; "Jesús y la vida moral" hace hincapié en la violencia y la no violencia, la riqueza y la pobreza, y en la relación entre la moral privada y la moral pública.

129

Estos seis grupos de asignaturas del Core tienen ciertos aspectos en común que merecen un reconocimiento explícito.

- Todos los cursos del Core están diseñados según las directrices de una base interdepartamental asumiendo que serán tomados por quienes no determinen concentrar sus cursos electivos hacia una orientación principal o *major*. Es por eso que, quienes sigan un *major* estarán exentos de la categoría particular del "núcleo" que más se acerca a tal orientación (debido a que tales contenidos serán vistos con mayor profundidad en dicho *major*). Por ejemplo, un estudiante que elige como su *major* a la física no tiene la obligación de cursar las materias sobre ciencia del plan de estudios del Core.

- Dentro de cada categoría, los cursos buscan introducir a los estudiantes en los principales enfoques del conocimiento. La capacidad de elegir no se pierde ya que los diferentes enfoques se presentan de distintas formas, es decir, en asignaturas con diferentes contenidos; si bien en cada caso el contenido se elige por su importancia y el objetivo es conseguir un mismo valor

13. *Ibídem*, p. 29.

14. *Idem*.

educativo para todas las asignaturas que estén en la misma categoría.

- Además del énfasis en los enfoques más importantes en contraste con otros ejemplos más tradicionales, el Core de Harvard incorpora otras innovaciones: en primer lugar se incluyen las artes visuales y la música, que generalmente se omiten en la educación general; en segundo lugar, el reconocimiento explícito de las culturas extranjeras y el razonamiento moral es una variación de las prácticas habituales; y por último, el razonamiento cuantitativo enfatizando la informática y el análisis de datos, es una innovación, al menos en Harvard

Una definición simple y comúnmente aceptada del plan de estudios del Core es: "una plan de estudios que combina, según ciertos parámetros básicos, temas convencionalmente separados que proporcionan una base común para todos los estudiantes".[15] ¿Harvard ofrece esta base común? La respuesta es afirmativa, a pesar de que nuestra manera de hacerlo difiere de otras nociones del programa del Core y del aprendizaje común. El contenido de la educación liberal se dividió en seis perspectivas a través de las cuales obtendremos "conocimiento y comprensión del universo, de la sociedad y de nosotros mismos". Se define al "aprendizaje común" como la familiaridad con estas perspectivas principales —estudios históricos, culturas extranjeras, etc.— más que con un contenido específico como, por ejemplo, "La historia de la civilización occidental" o "Química". No todos los estudiantes cursan las mismas materias, pero todos aprenden las maneras de pensar o los métodos de análisis asociados con estos modos de investigación comprensivos y significantes. Como se ha preguntado con frecuencia, ¿puede una persona recibirse en Harvard sin haber leído a Shakespeare? Sí, pero no puede obtener un título sin leer los clásicos literarios de manera crítica y analítica con la guía de un especialista. ¿Puede alguien graduarse sin estudiar economía? Sí, pero no sin haber realizado un curso relacionado con los fundamentos del análisis social, del cual la economía es solo un ejemplo.

Según mi opinión, hay un buen número de ventajas asociadas con esta concepción del plan de estudios del Core. En primer lugar, el énfasis en los principales enfoques del conocimiento debería preparar a una persona joven a vivir de manera más efectiva en un ambiente que está produciendo constantemente nueva información y nuevas teorías. El remanente es simplemente

130

15. *Webster's Ninth New Collegiate Dictionary* (1984).

mayor que el producido por el trabajo basado principalmente en una cantidad específica de información. En segundo lugar, esta concepción también se
armoniza particularmente bien con el aprendizaje a largo plazo y las carreras
múltiples. Cada curso del Core es un ejemplo de una categoría mucho más
extensa y de utilidad mucho más amplia. Pensemos en una situación típica actual: una persona que se ha recibido hace 15 años y que piensa seguir
una carrera en un campo donde se utilicen las ciencias sociales. No importa
cuál sea la carrera que tiene en mente —trabajo social, negocios, enseñanza,
etc.— el plan de estudios del Core le ha proporcionado ya una imagen de
cómo los analistas sociales, en general, estudian nuestro mundo. Este plan de
estudios permite hacer elecciones más informadas y valiosas. En tercer lugar,
la misma gama de seis categorías del Core equivalen a una función educativa
muy importante. Se ayuda a crear un ambiente de afinidad intelectual entre
estudiantes extremadamente diversos. Aquellos que disfrutan de los estudios
humanísticos tendrán la oportunidad de apreciar las bellezas del razonamiento y de las pruebas científicas, y viceversa.

En algunas ocasiones he conocido estudiantes que modificaron el *major*
que ya habían elegido luego de tomar los cursos del Core: en un principio
se sintieron forzados, algunas veces de mala gana, a confrontar posibilidades
que se transformaron posteriormente en intereses serios. Por último, creo que
existe una virtud en la selección, al ofrecer un número considerable de asignaturas en cada subdivisión. Como se los ha creado para ser educativamente
equivalentes, parece razonable alentar a los estudiantes a elegir el curso que
más les agrade, con lo cual se benefician tanto el profesor como el alumno.

Muchos de los problemas más importantes no los hemos tratado aquí.
¿Cuál es la relación entre "esfuerzos mentales bajo el análisis crítico" o "artes
y hábitos" y detalles curriculares? ¿Qué es lo que realmente podemos esperar
que se logre en dos semestres de educación científica general, y un único
semestre de razonamiento moral y estudios sobre culturas extranjeras en relación con nuestros objetivos bastante elevados?

Concluyamos, por lo tanto, recordando que el plan de estudios del Core es
solo un aspecto limitado de la educación liberal. La calidad de la instrucción
y los métodos pedagógicos —conferencias, seminarios, instrucción personalizada— tienen, por lo menos, la misma importancia. Además, pienso que el
profesor universitario, como modelo a seguir, es un aspecto crucial de la educación liberal. Un profesor de estándares elevados y personalidad generosa
puede enseñarle a sus estudiantes mucho más acerca del comportamiento

131

ético que lo que pueden aprender en años de estudio.

Mi mejor amigo en el posgrado tuvo considerables dificultades en una materia y solicitó tiempo con el profesor, un economista húngaro de reputación internacional. Hablaron durante algunas horas y mi amigo de repente se dio cuenta que eran las seis de la tarde. Se disculpó por haber hablado tanto y robarle su valioso tiempo y dijo que, sin lugar a dudas, su profesor tenía otros compromisos más importantes. El profesor respondió: "En absoluto; después de todo, ¿no estamos en la misma profesión?". Estas palabras dichas por un famoso erudito a un estudiante de primer año de posgrado, fueron legendarias entre mis contemporáneos. Nos enseñaron mucho más sobre ética y moral que lo que aprendimos en horas y horas de clases, y estoy seguro que también beneficiarán a nuestros futuros estudiantes.

Recordemos también que los estudiantes ponen mucho de ellos mismos para enseñarse unos a otros. Por consiguiente, un cuerpo estudiantil en el que los logros intelectuales son considerados valiosos, envía mensajes diferentes que uno donde el prestigio solo se logra por medio de los logros atléticos. Las descripciones del curso, las guías, y los requisitos, entre otras cosas, revelan solo una parte del trabajo interno del proceso educativo; y son necesarios, pero están muy lejos de ser suficientes para lograr altos estándares en la educación liberal.

Muchos de estos aspectos humanos de la educación requieren un análisis y una mejora sistemáticos. Podemos aprender cómo enseñar de manera más efectiva, podemos clarificar objetivos en el aula; y deberíamos, como administradores y docentes, vivir nuestras vidas como un ejemplo para nuestros estudiantes. Sin duda también es crucial para la educación superior tratar de ser más productivo eliminando las maneras más antiguas e ineficientes, como lo exigen, con frecuencia, muchos de nuestros críticos. Sin embargo, sigo creyendo que la "educación" en su sentido más profundo siempre conservará un elemento misterioso, siempre habrá componentes críticos que resistan la cuantificación y la descripción científica, y las medidas de productividad. El plan de estudio es un esqueleto; la carne, sangre y corazón tienen que provenir de las interacciones impredecibles entre profesores y estudiantes.

CAPÍTULO OCHO

Estudiantes de doctorado: bienvenidos a la antigua y universal sociedad de los académicos

Es costumbre de Harvard entregar diplomas individuales después de una ceremonia central de graduación, una reunión al aire libre que atrae a alrededor de 25.000 espectadores y durante la cual se incluyen discursos de estudiantes, canciones y pompas y una oportunidad para mirar a unos cuantos glamoroso laureados. Los estudiantes reciben diplomas y otros premios en sus Casas, los graduados de escuelas profesionales se dirigen a sus recintos universitarios para una ceremonia similar, y quienes reciben su doctorado se dirigen hacia el gran auditorio. En este vestíbulo, el decano de la Facultad de Artes y Ciencias tiene el privilegio de presentar a cada nuevo doctor su "piel de cordero".[1] Realicé este trabajo placentero durante 11 años; y siempre era uno de los momentos más importantes de cualquier año académico.

---

1. Nota de la traducción: con el término "piel de cordero" se refiere al pergamino de piel de cordero de la cual estaban fabricados antiguamente los diplomas.

El auditorio estaba conformado por padres de edad avanzada (no es probable que un doctor tenga padres jóvenes), cónyuges y varios niños. Los profesores —muchos de los cuales se convirtieron en amigos de los estudiantes mientras participaban en el largo camino hacia el doctorado— también se hacían presentes. Cada estudiante recién graduado subía al escenario y era presentado por el director del departamento al decano de la escuela de posgrado. El decano me presentaba al estudiante, quien posteriormente recibía —en orden— un diploma, un saludo, aplausos y, mucho más tarde, una copa de champán tibio. Muchas imágenes se mantienen vívidas en mi mente: tutores de tesis abrazando a sus estudiantes; el orgullo evidente en los rostros de los padres, esposos o esposas e hijos; el número creciente de mujeres; las modas extrañas: viejas zapatillas de deporte debajo de togas carmesí de seda. También recuerdo el coraje de esos graduados que todavía no habían encontrado puestos académicos: algunos permanecían apartados, otros demostraban un poco más de audacia.

Durante mi período en el cargo (1973-1984), el mercado laboral para los Ph.D.s se deterioró con monótona consistencia. Cada año parecía traer más noticias alarmantes: las señales de "no hay vacantes" se multiplicaban y su número excedía los anuncios de "no hay *tenure*". En esta atmósfera pesimista, yo debía pronunciar palabras esperanzadoras, justo antes de elevar una copa de plástico llena de champán barato. No recuerdo con claridad qué decía durante aquellos años, a pesar de que sí recuerdo haber estado nervioso, mientras intentaba evitar obviedades y condescendencias. Desde la perspectiva de los graduados que se enfrentaban a un mercado laboral hostil, ¿podía evitar presentarme desesperadamente satisfecho de mí mismo y engreído?

A esas alturas, uno solo podía expresar un sentimiento de iniciativa común, orgullo por los logros pasados y esperanza en el futuro. Quizás debería haber hecho mención al famoso caso del *dokuzake* (*sake* envenenado). Las universidades japonesas antes de la guerra funcionaban bajo las restricciones de un riguroso sistema de relevo en el que la promoción dependía de la jubilación o muerte de quien ocupara una silla de profesor o administrador. Esta historia es sobre un impaciente profesor adjunto de la Universidad de Tokio en la década de los 30; pero, contar esta historia parecía innecesariamente arriesgado antes de ofrecer un brindis.

Con frecuencia creía que cualquier cosa razonable que pudiera decir llegaría muy tarde. El momento indicado para ofrecer un consejo es al comienzo, y no al final de un proceso. Lo que sigue son algunas nociones en las que los futuros estudiantes, o los recién graduados podrán encontrar ayuda.

El escenario

En casi todas las universidades, los estudiantes de grado son una clara minoría. La mayoría de la población universitaria está formada por estudiantes de posgrado, inscritos en una de las muchas escuelas profesionales o en una escuela de artes o ciencias para graduados. Los estudiantes de grado son los *verdaderos* hombres y mujeres de Harvard. En el sistema norteamericano, la afiliación de los estudiantes de grado es lo que hace sombra a todo lo demás: esto solo puede ganarle el título de *"Old Blue"* o *"Trojan"*. Antes me referí a los estudiantes graduados como primos —probablemente debería haber dicho primos segundos— y quizás hasta extraños en nuestro propio medio. En los grandes ritos de fútbol académico, encontrarán a los primos sentados en la zona de llegada. Son los últimos a los que se asignan los espacios de dormitorio. Muchos llevan vidas mugrientas en algunos suburbios baratos, lejos del recinto universitario central; llevan su existencia a duras penas con dinero de becas y, con suerte, una pareja que trabaje.

Ser un ex alumno significa, en primer lugar, haberse graduado del *college*. Claro está que hacemos excepciones: cuando las universidades mendigan dinero —como se describió anteriormente— todos son igualmente bienvenidos. De manera similar, cuando se alcanza la fama habiendo pasado un verano en la escuela de Harvard (o en cualquier otro lado) es suficiente para ser designado regularmente como un miembro cercano a la familia. En el otoño de 1988 no demoramos en nombrar a Michael Dukakis como hombre de Harvard, a pesar de que su graduación de la escuela de Derecho no confiere normalmente este estatus. Pero ¿quién (exceptuando a Swarthmore College) podía culparnos?

No sería correcto, sin embargo, exagerar la igualdad en la población de los estudiantes de posgrado. Es extremadamente diversa, más diversa que la de los estudiantes de grado, y es casi imposible encontrar un denominador común. La diversidad tiene muchas causas: los estudiantes de posgrado llegan socializados de varias maneras desde sus universidades; la educación de posgrado es especializada y solo atrae a cierta clase de individuos comprometidos con una profesión particular y que poseen ciertos talentos específicos; y cada

135

escuela de posgrado tiene su propia cultura, sus propios valores y prioridades; pero, sobre todo, creo que el grado de diversidad es la función de distintas expectativas de carrera.

Tomemos a las Tres Grandes: derecho ("ustedes están preparados para ayudar en la formación y aplicación de aquellas sabias limitaciones que nos hacen libres");[2] administración de empresas ("ustedes están bien preparados para dirigir personas y administrar organizaciones al servicio de la sociedad"); y medicina ("como médicos están listos para comprometerse en una vocación honorable y misericordiosa"). Las tres facultades ofrecen un entrenamiento que prepara a los estudiantes para carreras exitosas, prestigiosas y extremadamente bien remuneradas. Es verdad que dentro de derecho y medicina (y en menor grado en administración de empresas) se habla de trabajo *pro bono* (para el bien) y servicio de los menos afortunados. Algunos estudiantes comienzan estas nobles actividades cuando todavía se encuentran en la universidad y otros las continuarán durante toda su carrera; pero, las personalidades de los estudiantes están más definidas por la confianza manifiesta en su propio futuro: saben que la sociedad necesita de sus servicios y eso confiere un precio muy alto a las habilidades que adquieren y la mayoría ve su futuro en trajes de tres piezas e ingresos de seis cifras. Toda esta visión reconfortante crea una sensación inmensa de satisfacción propia.

También encontramos los Parientes Pobres que comparten tanto la noble meta de servir a la sociedad como la pequeña recompensa por hacerlo: educación ("ustedes están bien preparados para guiar y servir las necesidades de aprendizaje de la sociedad contemporánea"), y teología ("ustedes están bien preparados para fomentar la salud y la vitalidad en las comunidades de fe, y ayudar a dar forma a los valores compartidos de la sociedad en el sentido más amplio"). Los estudiantes de posgrado de estas antiguas vocaciones suelen ser de más edad, con frecuencia con esposa e hijos. Con comprensible pena, no pueden evitar darse cuenta que nuestra sociedad tiene un interés mayor en las "sabias limitaciones" en manos de abogados corporativos que en "comunidades de fe" o en "las necesidades de aprendizaje de la sociedad contemporánea". Eso es verdad, de hecho es innegable, si tomamos el dinero como indicador de compromiso social. ¿Existe un indicador más válido acaso? Los futuros docentes y clérigos saben que tienen negada la recompensa de ser un

136

---

2. Los paréntesis contienen la frase que describe la profesión durante las ceremonias de graduación en Harvard. Son pronunciadas por el rector cuando entrega los diplomas.

yuppie y, en general, no les importa. Estos estudiantes tienen distintas prioridades, pero desafortunadamente esto no quita que se sientan abandonados por sus universidades y sus sociedades.[3]

Entre las Tres Grandes y los Parientes Pobres encontramos un grupo de facultades muy heterogéneo: diseño ("[yo] atestiguo efectivamente su competencia para dar forma al espacio en el cual vivimos"); Odontología ("ustedes están calificados para practicar e investigar en una exigente rama de la medicina");[4] salud pública ("ustedes están listos para ayudar a aumentar el bienestar de las personas en cualquier lugar al prevenir enfermedades y promocionar la salud"); y administración pública ("ustedes 'están bien preparados para ofrecer liderazgo en la búsqueda de una política pública progresista y una efectiva administración pública'"). ¿Cuál es el denominador común? Una expectativa de ingreso más baja que en derecho, administración y medicina, pero una mejor posibilidad económica que en educación y teología. También (a excepción de odontología) un cierto énfasis en la relación y el empleo en el sector público.

Mi idea es sencilla: cada una de estas facultades tiene su propia tradición, personalidad e imagen pública. En toda ceremonia de graduación de Harvard los graduados de la Facultad de Administración, a quienes se les acaba de entregar un título de maestría, se ponen de pie y con gran alegría y desafío agitan billetes de dólares; y, a cambio, son abucheados casi por todos los demás estudiantes. Esto se ha convertido en un ritual significativo.

137

No me siento competente para profundizar en las escuelas de profesionales. Viven aparte de la Facultad de Artes y Ciencias, y del centro de la vida universitaria, y sé que esta es una concepción egocéntrica. Les daré dos ejemplos para respaldar mi punto de vista, ambos pertenecen al ritual básico del acto de alimentarse: a principio de la década del 50, los estudiantes de derecho y los estudiantes de posgrado de la Facultad de Artes y Ciencias compartían la misma cafetería, lejos de las instalaciones más elegantes para los estudiantes de grado; sucedían muchas cosas en el mundo: la Guerra de Corea aún no había terminado, el senador McCarthy estaba (lamentablemente) en actividad, y la Guerra Fría estaba en su punto más alto. Todas las

---

3. Tanto en la Facultad de Teología como en la de Educación, los salarios están por debajo de los promedios universitarios, el dinero para becas es escaso y las instalaciones generalmente son mucho menos lujosas que las de, por ejemplo, la Facultad de Administración.

4. En lo que se refiere a odontología, pareciera que la imaginación y la poesía vuelven a fallar.

tardes intentaba, en el comedor, entablar conversaciones con los estudiantes de derecho sobre estos eventos importantes, generalmente sin éxito. Estaban ocupados en otras cosas: "Supongamos que A golpea a D en la cabeza, y luego alega que fue un acto de defensa propia...". Pero caballeros,[5] ¿qué decir sobre Klaus Fuchs? Las cosas se volvieron tan complicadas en el consejo estudiantil, que procuré —en nombre de un comedor civilizado— que se dividiera el comedor separando a los estudiantes de posgrado de Derecho de los de Artes y Ciencias. Hoy me siento feliz de que mi intento hubiera fracasado. La edad me ha convertido en alguien más tolerante y debería haber tomado más en serio la *mission civilisatrice* (misión civilizadora) de los estudiantes de posgrado de la Facultad de Artes y Ciencias.

Otra imagen del deseo de separación visto desde otra perspectiva: la Facultad de Administración de Harvard gestiona un fabuloso *Faculty Club* con buena comida y un excelente servicio. En lo que se refiere a calidad, el club se las arregla para ser casi tan bueno como un restaurante de una estrella ("aceptable"), y ese no es un logro menor si tenemos en cuenta los estándares de la mayoría de las instalaciones universitarias. También es el único establecimiento de comidas de la universidad que excluye a profesores de otras facultades (a menos que sean invitados ocasionales). Se citan muchas excusas: el club se llenaría de personas, cambiaría el carácter del mismo, se subvencionaría a las personas equivocadas, etc. Finalmente, es la expresión de un deseo de no mezclarse con un tipo de personas diferente, o peor aún, "incorrectas".

Todo esto es prólogo, porque el tema principal aquí es la Escuela de Posgrado de Artes y Ciencias, y en especial los estudiantes que aspiran al diploma de doctorado. En todas las graduaciones durante los últimos 15 años aproximadamente, cuando el rector dice: "con gran esperanza en su futuro, [yo] les doy la bienvenida a la antigua y universal sociedad de los académicos", una risa nerviosa recorre la gran audiencia mientras estos jóvenes se ponen de pie, deslumbrantes en sus túnicas (alquiladas). Casi de inmediato la multitud estalla en un aplauso vigoroso, como para disculparse por la reacción nerviosa que tuvieron antes y los miembros de la facultad vitorean con particular energía. Obviamente existe algo especial en los graduados de la Facultad de Artes y Ciencias que nos hace desear vitorear y al mismo tiempo demostrar preocupación, ¿cuál es el motivo?

Para comenzar, el entrenamiento de los doctores es condición necesaria

---

5. Me apresuro a aclarar que apenas si había alguna estudiante de derecho en 1952.

para el estatus de universidad, es lo que hace que una universidad sea una universidad. Una gran universidad puede existir sin una Facultad de Derecho, de Medicina o de Administración, pero sin una Facultad de Artes y Ciencias se consideraría un *college*. Princeton no tiene ninguna de estas facultades y muy pocas personas cuestionan su prestigio. Una universidad puede existir sin estudiantes de grado, y el ejemplo perfecto es la Universidad Rockefeller, pero brindar carreras de posgrado es una condición necesaria y fundamental: no hay un substituto porque es la única actividad dedicada a la supervivencia de la universidad a través del entrenamiento de futuras generaciones de académicos.

Los académicos activos se sienten atraídos únicamente por una Facultad de Artes y Ciencias de alta calidad. Los miembros de la facultad consideran que la enseñanza y el entrenamiento de nuevas generaciones de graduados es su trabajo más importante; consideran que el trabajar con estudiantes de posgrado mantiene y desarrolla sus propias habilidades profesionales de forma más efectiva que cualquier otra actividad. Esta debe ser la razón principal por la cual existe una gran atracción hacia los trabajos académicos. Los científicos de laboratorio me han comentado que lo que los mantiene en la universidad es la oportunidad de trabajar con estudiantes de posgrado. Para ellos, otras opciones están centradas en investigaciones en laboratorios comerciales, pero allí los investigadores principales estarían asistidos por técnicos, y esto está considerado como una interacción mucho menos creativa.

139

Este punto se puede generalizar. Los estudiantes de posgrado son los jóvenes discípulos de la facultad, que aseguran la continuidad del aprendizaje. También son los hijos y herederos del personal docente. En Alemania, al profesor que dirige la disertación de un doctorado se lo llama *Doktorvater* (doctor-padre) y esta denominación describe el ideal. Es este ideal el que establece las Arte y Ciencias, aparte de las facultades de carreras profesionales. En Administración, Derecho y Medicina el objetivo principal es entrenar a los futuros profesionales con práctica fuera de la universidad. El negocio de los graduados de Administración es la administración, una gran mayoría de médicos practica medicina en lugar de enseñarla y la mayoría de los abogados trabajan para bufetes de abogados; en cambio, los estudiantes de doctorados están entrenados para la erudición, la enseñanza en carreras dentro de institutos y universidades, a pesar de que algunos pocos pasan sus vidas trabajando para el gobierno y la industria. Se asume que los candidatos a doctorado pasarán sus vidas dentro de los confines de las universidades, dedicándose a la "continuidad de la educación". Esto crea una interacción mucho más fuerte entre el estudiante y el mentor. A veces es posible permanecer como el discípulo leal del *Doktorvater* por un tiempo muy prolongado: se puede esperar, hasta que el mentor muera.[6] Pero, tanto la enseñanza como la investigación requieren una revisión continua y normalmente esto lleva a un ataque a las ideas aceptadas, que frecuentemente son propuestas y apreciadas por el propio "doctor-padre". Un deseo de que muera "el padre" es un fenómeno académico bien conocido. Además, la relación entre el profesor y el alumno en la Facultad de Artes y Ciencias es mucho más íntima que en otros tipos de educación. Se puede predecir un resultado confuso: estudiantes felices que se regodean en la calidez de las relaciones familiares y un número igual de estudiantes profundamente infelices que se sienten rechazados por padres académicos sustitutos, y muchos otros casos entre estos.

Actualmente, ya lo he señalado, la relación especial entre los futuros estudiantes y sus profesores se encuentra rodeada por una gran cantidad de ambivalencias. "Gran esperanza en su futuro" ya no es una predicción segura sino que ha sido reducida a un deseo ferviente y ansioso. Los motivos son sencillos de entender: desde la década del 70, el mercado para los jóvenes académicos se ha limitado y, como sociedad, hemos producido doctores de más, al menos durante las últimas dos décadas; como resultado, el mercado académico ha vivido una creciente dificultad para equilibrar la oferta y la demanda. Entre 1976 y 1985, solo en Ingeniería (incluyendo ciencias informáticas) no se cubría la demanda de doctores; en otras áreas (ciencias físicas, biología, ciencias sociales y psicología, artes y humanidades, y educación) había más doctores recién graduados buscando trabajo de los que podía absorber el mercado laboral. La tasa de desempleo variaba de sujeto a sujeto, desde una descenso del 11% en las ciencias físicas hasta un incremento del 67% en artes y humanidades.[7] Quienes hemos tenido la suerte suficiente de enseñar en instituciones de alto nivel, deseamos que cuando existan demandas en el mercado, las grandes instituciones con una reputación académica de alta calidad puedan hacer más por sus graduados. Un nuevo doctor, egresado de una de las mejores 10 ó 20

---

6. ¿Necesitamos otro término?: *Doktormutter* o quizás *Doktoreltern* [madre-doctor / padres-doctores].

7. American Council on Education, *Fact book on Higher Education, 1986-1987* (Nueva York: The MacMillan Company, 1987), p..39. Las cifras de desempleo desde 1976 hasta 1985 son pronósticos, pero varios investigadores obtuvieron resultados similares. Ver también *The University of Chicago Record* (3 de mayo de 1982), pp. 77-81.

universidades, debería tener mejores posibilidades para obtener un trabajo en el que haya escasas vacantes que alguien que solo se haya graduado de un nuevo plan de estudios (que no se ha puesto a prueba); pero ese resultado no está asegurado.

Por supuesto que ha habido una considerable expansión de los programas de doctorado a partir de las Segunda Guerra Mundial. En 1940, se entregaron 3.290 doctorados en Estados Unidos, para 1980 este número aumentó hasta llegar a 32.615 y solo entre 1960 y 1970 la cantidad de doctorados se triplicó. Este fue el resultado de varios programas nuevos; la expansión de los programas existentes no podría haber manejado un crecimiento así. En 1950-1951 existían 800 instituciones en Estados Unidos que ofrecían el título de *bachelor* como el nivel más alto, 360 ofrecían el máster y 155 el doctorado. Para 1983 estos números eran 827, 705 y 466, respectivamente. No está claro hasta qué punto los nuevos establecimientos competían con los de mayor trayectoria. Supongo que el mercado ha sido segmentado lo suficientemente como para que las universidades más importantes no se vieran relativamente afectadas por esta nueva producción de doctores; pero esto solo es una suposición. Es posible que existan prejuicios en las universidades menos orientadas hacia la investigación hacia los nuevos doctores que estudiaron en universidades de investigación. Quizás son vistos como sobre capacitados y con actitudes indeseables (¿esnobismo?) a veces justamente (aunque más a menudo injustamente) atribuidas a sus mentores.[8]

141

Aquellos estudiantes que se gradúan con las mejores notas de su clase en cualquier facultad —a quienes se les considera "brillantes"— también tendrán menos dificultades. Además, cuando casi todas las universidades están implementando programas de acción afirmativa, pertenecer un grupo poco representado es una ventaja. Si no intervienen otros factores, las mujeres y miembros de minorías selectas tienen pequeñas ventajas para asegurarse un primer empleo. A pesar de estas condiciones, el punto central se mantiene: desde principios de la década del 70, y al menos hasta la mitad de los 80, los puestos para los jóvenes académicos en todas las instituciones y prácticamente en todos los campos han disminuido.

Existen dos —posiblemente tres— motivos que han hecho que cada vez fuera más difícil equilibrar la oferta y la demanda en el mercado académico.

8. Para estadísticas pertinentes, ver Burton R. Clark, *The Academic Life*, p. 35, Tabla N° 3. Ver también *Fact Book*, p. 106.

Para comenzar con la tendencia más básica, en la segunda mitad de este siglo la educación superior se ha convertido en algo menos que una industria en crecimiento.[9] Durante la primera mitad del siglo XX, la educación superior de Estados Unidos experimentó un rápido crecimiento exponencial, sin ser afectada en su mayor parte por las circunstancias económicas. La cantidad de estudiantes inscritos en las facultades se duplicó cada 15 años; lo mismo ocurrió con la cantidad de profesores de educación superior. Debido a una expectativa de entrenamiento de profesores en aumento, la educación de posgrado creció aún más rápido, duplicando, cada 11 años, la cantidad de doctores que salían de la universidad. Más de dos tercios de estos doctores ocupaban puestos académicas. El período de crecimiento fue tan prolongado y sin complicaciones, que las instituciones educativas llegaron a pensar que esto era lo normal.

Un cambio más notable ocurrió 10 ó 20 años después de la Segunda Guerra Mundial. Hasta ese momento el aumento del claustro de estudiantes y de profesores era producto, casi por completo, del aumento en los niveles del logro académico. Las inscripciones en las universidades aumentaron a un ritmo diez veces más rápido que el porcentual de crecimiento de la población en edad universitaria: una proporción más alta de estudiantes completaba el nivel secundario y más egresados de la escuela secundaria ingresaban a la universidad, y más egresados universitarios ingresaban a carreras de posgrado.

Hoy en día, estos patrones han cambiado sustancialmente. En nuestra sociedad más madura, la proporción de personas que terminan la secundaria, la proporción de egresados de secundaria que ingresan a la universidad y la proporción de graduados que continúan en ella como estudiantes de posgrado en la Facultad de Artes y Ciencias se ha estabilizado bastante durante casi un cuarto de siglo.

Con tendencias más bajas de inscripción, el crecimiento de la educación superior ha llegado a depender más del cambio del promedio de edad universitaria de la población. El tamaño de este grupo, influenciado por el anterior *baby boom* o generación nacida después de la Segunda Guerra Mundial, tuvo su punto máximo cerca de 1980 y su decadencia se calcula hacia 1995.[10] Este

9. Ver Harvard University, Faculty of Arts and Sciences, *Dean's Report, 1977-1978*. En 1899-1900, las instituciones norteamericanas de educación superior entregaron cerca de 29.000 diplomas; en 1949-1950 la cifra fue de 500.000; a principio de los 80, llegó a 1.3 millones. Ver National Center for Educational Statistics, *Digest of Education Statistics, 1983-1984*, p. 132, Tabla N° 114.

10. Algunos pronósticos no muestran aumentos apreciables después de mediados de los 90 (ver *Fact Book*, ▶

es un segundo motivo por el cual muchos investigadores predijeron una crisis de inscripciones en las universidades en la década de los 80. Como veremos, esta es una de las predicciones negativas que no se cumplieron.

Una tercera influencia adversa, con una importancia cuantitativa mucho menor, ha sido la tendencia de una vida laboral más prolongada: una edad normal para jubilarse académicamente solía ser a los 65 años, y hoy es a los 70 años. Si se implementan las intenciones actuales[11] del Gobierno Federal, no habrá una edad obligatoria de jubilación a partir de 1994, y es altamente probable que los profesores mayores en las universidades de investigación busquen permanecer activos dentro de su universidad la mayor cantidad de tiempo posible.

Me doy cuenta de que esta proposición no es aceptada universalmente. Alguna evidencia sugiere que los planes de jubilación relacionados con las tareas del profesor no han sido afectados por las nuevas leyes.[12] Mi experiencia me lleva a pensar que surgirán problemas, especialmente en lo que he llamado "dos tercios de lo mejor". Las mejores condiciones laborales —menor carga horaria de enseñanza y ambientes más placenteros— combinadas con el rápido incremento de los beneficios de jubilación, producto de cada año de trabajo adicional, afectarán con seguridad los planes de mis colegas.

143

Cualquier aumento en la edad actual de jubilación aumentará la edad promedio de los miembros de la facultad y disminuirá a su vez las oportunidades para los nuevos doctores. En 1975, la edad promedio de los miembros de la facultad era de 42 años aproximadamente, y alrededor del 6% de ellos tenían más de 60 años. Se estima que para 1995 (si tomamos los 70 años como la edad para jubilarse) que la edad promedio será de 57 años, con un 33% con más de 60 años. Sin importar cuál sea nuestra opinión sobre la edad indicada para la jubilación (si es que existe una) los jóvenes universitarios que recién comienzan sus carreras deben estar preocupados de alguna manera por las repercusiones de estos cambios. Obviamente, el daño intelectual será mayor

---

p. 4); sin embargo, las investigaciones más recientes y detalladas predicen un marcado aumento en las inscripciones a la universidad que comenzarían en 1997 y durarían, al menos, hasta el 2010. Ver William G. Bowen y Julie Ann Sosa, *Prospects for Faculty in the Arts and Sciences* (Princeton: Princeton University Press, 1989), p. 42.

11. Nota de la traducción: téngase en cuenta que la primera edición (en su idioma original) data de 1990.

12. "Expected End of Mandatory Retirement in 1990's Unlikely to Cause Glut of Professors, Study Finds", en *The Chronicle of Higher Education* (16 de diciembre de 1987). Estos resultados se refieren principalmente al cambio de la jubilación obligatoria de 65 años a 70 en 1982.

en campos donde el conocimiento avanza desproporcionadamente debido a los académicos jóvenes, esto es, en las ciencias naturales. Al mismo tiempo, se les debería informar a estos jóvenes académicos, que el índice de jubilación tiene menos influencia en el mercado académico que las tendencias en las inscripciones.[13]

El mercado académico no solo se ve afectado por tendencias a largo plazo: durante la vida laboral de cualquier académico, las influencias a corto plazo serán de mayor importancia. Las generaciones actuales de estudiantes de posgrado se ven afectadas de forma más directa por la expansión de los 60 y la contracción de los 70. El efecto neto de estas fuerzas determinará la perspectiva de sus carreras.

Una variedad de fuerzas sociales nos llevó a la explosión de los 60. En ese tiempo se duplicaron las inscripciones en todas las instituciones de educación superior, impulsadas por la explosión de natalidad de la posguerra, por beneficios a veteranos, por la reacción al Sputnik y por los grandes planes sociales del presidente Johnson. Se triplicaron las inscripciones a los posgrados, sin duda como consecuencia del optimismo prevaleciente sobre las oportunidades laborales, combinado con nuevos y generosos subsidios federales de respaldo.[14]

La consiguiente conmoción de los 70 ha sido bien descrita por el presidente Sovern de la Universidad de Columbia:

144

> Los problemas que enfrentamos tienen su raíz en un fenómeno rara vez discutido de los 60: la agitación posterior a Sputnik, cuando nuestras universidades concedieron el *tenure* a miles de jóvenes profesores. Como resultado, una extraordinaria cosecha de doctores encontró un mercado inhóspito en los 70: los puestos de trabajo ya estaban ocupados y se mantendrían así hasta los últimos días del siglo. Contemplando sus destinos, la mayoría de nuestros jóvenes más prometedores se dirigieron a las facultades profesionales buscando nuevas carreras. Muchos, si no la mayoría, de una generación de académicos de primera calidad se perdieron para siempre en nuestros institutos y universidades.[15]

13. Ver Bowen y Sosa, *Prospects for Faculty*, pp. 126, 159-161.

14. Ver Michael J. Sovern, "Higher Education-The Real Crisis", en *The New York Times Magazine* (22 de enero de 1989). Ver también *Fact Book*, p. 98.

15. *The New York Times Magazine* (22 de enero de 1989).

La sobreproducción de doctores —o de cualquier otra cosa— generalmente pone en movimiento fuerzas correctoras que llevarán a un balance entre la oferta y la demanda. Durante casi 20 años hemos vivido con los efectos de estas presiones, el nivel de dolor es alto y las posibilidades de daño a largo plazo son considerables. Hasta finales de los 60, el gobierno nacional contribuyó con la expansión de programas de doctorado financiando asociaciones y programas de investigación. Para 1970 el apogeo del apoyo nacional para los estudios de doctorado había terminado definitivamente. El número de becas otorgadas por el gobierno cayó en más de un 80% entre 1968 y 1974. Al mismo tiempo, las fundaciones privadas retiraron paulatinamente muchos planes de becas para investigación. En Harvard, la proporción de estudiantes de posgrado con becas externas para investigación cayó de un 42% en 1967-1968 a un 25% en 1977-1978. Como era de esperarse, el número de estudiantes bajó precipitadamente en humanidades y ciencias sociales, y la admisión bajó aún más.[16]

La falta de becas no es el único problema; también debemos tener en cuenta los bajos salarios iniciales, bajos en relación con los graduados de Derecho, Administración y Medicina. "Cuando egresé de la Facultad de Derecho en 1954", dijo Derek Bok en nuestra ceremonia de graduación de 1988, "el salario inicial para las firmas de *Wall Street* era de 4.200 dólares, mientras que los profesores recién graduados ganaban 3.600 dólares. En la actualidad, el salario de *Wall Street* se encuentra entre los 70.000 y los 75.000 dólares, y los profesores reciben entre 17.000 y 18.000 dólares: un sueldo más bajo en dólares reales que el de hace 15 años". Y actualmente los sueldos para los profesores adjuntos van desde 22.000 a 26.000 dólares, aproximadamente un tercio de la remuneración para principiantes en *Wall Street*).[17]

145

16. Ver *Dean's Report, 1977-1978*. También Susan L. Coyle y Yupin Bae, *Summary Report 1986: Doctorate Recipients from United States Universities* (Washington, D.C.: National Academy Press, 1987), pp. 2-14. Desde 1970 hasta 1986, el número de doctorados otorgados por las universidades norteamericanas no aumentó. Una proporción creciente de los diplomas (alrededor de 17% en este momento) fueron dirigidos a extranjeros. Las becas para investigación del gobierno se mantuvieron firmes para las Ciencias Biológicas, y son débiles en otros campos.

17. *Fact Book*, p. 122; las cifras son para los años 1984-1985. Claro está que algunos académicos pueden complementar sus ingresos "afuera". ¿Cómo tomamos en consideración los famosos tres meses de vacaciones de verano? y otros temas relacionados son tratados en la siguiente sección, bajo el título de "Profesores". Por ahora, permítanme decir que las oportunidades fuera de la universidad están disponibles solo para un grupo relativamente reducido de profesores que posee habilidades altamente comercializables.

¿Cuál es el daño a largo plazo? Recordemos que las facultades de doctorado son una "condición necesaria" para las universidades. Si los graduados desaparecen o se convierten en un número muy pequeño, sencillamente no tendremos universidad: la investigación científica, particularmente en los laboratorios, se volvería casi imposible; los profesores de otras áreas podrían sobrevivir, pero todos los docentes necesitan "hijos, herederos y discípulos". Los académicos no deberían convertirse de repente en "solterones". Las universidades han procurado mantener las inscripciones de los estudiantes de posgrado haciendo un uso creciente de sus propios y escasos recursos, que son inadecuados aún para las instituciones más ricas. Una consecuencia no intencionada, es el desvío de fondos necesarios para otros propósitos críticos: mantenimiento periódico, libros, laboratorios y demás.

Las posibilidades poco prometedoras de empleo y los bajos salarios están destinados a afectar, hoy, la calidad de los estudiantes y, más tarde, la calidad de los docentes. Algunos elegirán la vida académica sin considerar las consecuencias: esas son las personas que se encuentran fatalmente atraídas por las virtudes y muestran poca preocupación por los vicios; pero, en los casos más comunes, los jóvenes realizan su elección de carrera en forma racional y cuidadosa. Todos deseamos llevar una vida decente y bien remunerada, y cuando existen alternativas obvias e interesantes, se elegirán estas sin dudarlo.

146

En Harvard, el mejor elogio que podemos otorgar en un estudiante universitario es el título de *summa cum laude* (con los más altos honores). Ha pasado poco tiempo desde la Segunda Guerra Mundial como para permitir que ese título sea fácil de alcanzar: se han mantenido los criterios celosamente y a menudo se los ha elevado, y cada año solo el 5% de los estudiantes de posgrado alcanza este prestigioso estatus. En 1964, el 77% de estos estudiantes decidió asistir a la Facultad de Artes y Ciencias donde, presumo, buscaron obtener un doctorado como preparación para una vida de enseñanza e investigación; pero recientemente esos números han disminuido de forma precipitada. Para 1981, solo un cuarto de nuestros *summas* eligieron seguir su educación en Artes y Ciencias, y aún más recientemente (1987) la proporción se ha recuperado hasta el 32%. Esto es alentador a pesar de que no suple los triunfos de Derecho, Medicina y Administración.[18] ¿Y quién puede culparlos?

18. Cifras de la Oficina de Servicios Profesionales de la Universidad de Harvard University, "Highlights of the Educational and Career Plans of the Summa cum Laude Graduates and the Members of Phi Beta Kappa in the Class of 1987" (diciembre de 1987).

¿Quién puede dudar que eventualmente eso vaya a repercutir en la calidad del profesorado? Por ahora, "los mejores y los más brillantes" puede ser una frase desafortunada, pero es una descripción aceptable. No necesitamos atraer todo ese grupo al trabajo universitario; sin embargo, necesitamos nuestra parte y eso puede que sea más que un tercio de los *summas* de Harvard y de sus equivalentes en cualquier otro lugar.

¿Qué podemos decir a nuestros posibles graduados que transitan este valle de lágrimas?; exceso de oferta, estado estacionario, no crecimiento, desempleo... todas son palabras desagradables. ¿Acaso hay un mensaje más esperanzador? Creo que la respuesta es sí, y está compuesta de tres partes. Primero, a pesar del final del *baby boom*, la esperada crisis de inscripciones de los 80 nunca sucedió. Como han demostrado Harrington y Sum, "esto se debe a que las tendencias de inscripción no están determinadas solo por la demografía".[19] Entre 1970 y 1983 la población en edad universitaria aumentó un 22% y la inscripción a la universidad un 45%; desde 1980 hasta 1987, las inscripciones siguieron aumentando un 3,8%, a pesar de que se proyectó que la población en edad universitaria bajaría un 17% entre 1983 y 1993. El aumento en la cantidad de estudiantes adultos es otro factor compensatorio, sobre todo la inscripción de mujeres para estudiar a medio tiempo, en las edades comprendidas entre los 35 y 59 años. Estos resultados —completamente beneficiosos para los futuros académicos— parecen ser la consecuencia de los cambios estructurales en la economía norteamericana. Los pronósticos a mediano plazo indican una disminución de empleo en las fábricas y un crecimiento en las oportunidades en las industrias de servicios. Muchos de estos puestos de trabajo son profesionales, técnicos y gerenciales, y requieren títulos universitarios ("Los jóvenes con educación universitaria en 1973 ganaban un 21% más que sus homólogos que solo habían completado sus estudios secundarios; para 1986, sin embargo, esta cifra había crecido al 57%").[20] Estos cambios estructurales y las diferencias de ingreso que conllevan, pueden conducir a nuevas consecuencias a largo plazo para el mercado académico.

El elemento favorable más significativo se encuentra en el "efecto de eco" del gran *baby boom* posterior a la Segunda Guerra Mundial. Como resultado, las tasas de crecimiento han aumentado a partir de la mitad de los 70 y continuará

147

---

19. Paul E. Harrington and Andrew M. Sum, "Whatever Happened to the College Enrollment Crisis?", en *Academe: Bulletin of the American Association of University Professors* (septiembre-octubre de 1988), p. 17.

20. *Ibídem*, p. 22.

creciendo hacia los 90. Eso debería llevar a que se produzcan mayor cantidad de inscripciones, más puestos de trabajo y escasez de profesores para finales de este siglo.

Un último factor positivo es el envejecimiento de los profesores actuales junto con la marcada caída anterior en la producción de doctores entre las décadas de los 70 y los 80, y la creciente proporción de títulos entregados a extranjeros. Ya sea que los profesores elijan o no retirarse entre las edades "normales", es decir, entre los 65 y los 70 años, y sea cual fuere la situación legal, en algún punto aquellos que estuvieron después de la Segunda Guerra Mundial deberán partir con los pies por delante y, de acuerdo al promedio, no muchos años después de haber llegado a los 70 años.

Por todos estos motivos muchas autoridades pronostican que "se presentará una perspectiva mucho mejor en lo que respecta al empleo académico para mediados o fines de los 90".[21] Durante los próximos 25 años (1985-2009) "la cantidad de nombramientos probablemente llegue a dos tercios o más del plantel de profesores completo de 1985".[22] Por supuesto que las oportunidades son distintas de acuerdo al campo, pero en su totalidad hay un consenso optimista sobre la segunda mitad de los 90.[23] Sin embargo, vale la pena remarcar, como se cita en el libro de Harrington y Sum, lo dicho por el físico danés Niels Bohr: "las predicciones pueden ser muy difíciles, especialmente aquellas sobre el futuro".

Consejo de modesta utilidad para estudiantes de posgrado, actuales y futuros

Los estudiantes de grado o ya graduados de las universidades de Estados Unidos tienen distintas metas intelectuales. Los candidatos para el título de *bachelor* en las facultades selectivas buscan una educación liberal, o, para usar

21. William G. Bowen, "Scholarship and Its Survival: Demography", en *A Colloquium on Graduate Education in America* (Princeton: diciembre de 1983), p. 13.

22. Howard R. Bowen y Jack H. Schuster, *American Professors: A National Resource Imperiled* (Nueva York: Oxford University Press, 1986), pp. 197-198.

23. Para una nota de advertencia, ver Peter D. Syverson y Lorna E. Foster, "New Ph.D.'s and the Academic Labour Market", en *Staff Paper*, 1 (Office of Scientific and Engineering Personnel: National Research Council, diciembre de 1984).

148

una frase más descriptiva, una educación general. Se les pide que elijan un *major* o concentración de asignaturas, pero esto tiende a ser una especie de compromiso intelectual casual; el propósito principal es brindar al estudiante una orientación para que pueda aprender en detalle. Los estudiantes de grado no necesitan, por su plan de estudios, una relación obvia con el entrenamiento posterior a la graduación. No es poco común que alguien que siguió un *major* en literatura asista a la Facultad de Medicina o que alguien que eligió el major de su carrera de grado en Economía elija luego una carrera de posgrado en Arquitectura. Un plan de estudios fuerte en artes liberales es una buena preparación para todos los tipos de práctica profesional. Nada de esto puede compararse al compromiso que requiere la elección de un área para el doctorado. Para un estudiante de grado, una mala elección tiene una consecuencia relativamente pequeña; siempre se puede remediar. Elegir mal el área para el doctorado puede resultar fácilmente en una vida laboral mal orientada e infeliz. Los estudiantes de grado se interesan por ciertos temas a la ligera, son aficionados, y es así como debe ser. En cambio, los estudiantes de posgrado se comprometen de por vida.

Dadas las circunstancias, es mucho más difícil hablar de los estudiantes de posgrado "en general". Las áreas de especialización dominan la cultura, el estilo de vida, la moral y el futuro. Por estos motivos, tiene poco sentido considerar una reexaminación total o una reforma de la educación de posgrado. Hace muchos años, cuando me dirigí a todos mis colegas para tratar los problemas de nuestro plan de estudios para estudiantes de grado, me inundaron de respuestas y opiniones. Casi todos tenían fuertes puntos de vista y recibieron con agrado la oportunidad de discutirlos en un gran foro público. La misma situación en el departamento de posgrado obtuvo como respuesta silencio y falta de interés. No había, en absoluto, un deseo de intercambio de puntos de vista más allá del nivel departamental porque, creo yo, las disciplinas dominan el aprendizaje en su nivel avanzado (los profesores de inglés y química consideraban que tenían poco en común, con la excepción tal vez, del sentimiento universal de que más dinero resolvería más problemas). No existe, en la Facultad de Artes y Ciencias, una educación general o liberal que no sea de naturaleza departamental para los estudiantes de posgrado. Quizás debería existir, quizás se encuentre en algún lugar un raro ejemplo de su existencia, pero sería una gran excepción. Sin embargo, procuraré concentrarme en las pocas similitudes de la vida del estudiante de posgrado.

En la próxima sección de este libro se discutirán los motivos positivos para

149

elegir la vida académica, y especialmente en el capítulo "Vida académica: algunas virtudes, algunos vicios" y en los capítulos sobre el *tenure*. En ellos he querido mostrar un paisaje optimista, para estar seguro, lo proyecté sobre un pequeño número de universidades, sin minimizar los problemas. Hay que hacer hincapié en lo pequeño de la escala, ya que cuanto más se desciende en la escala de calidad y prestigio, más atributos positivos se tienen que descontar. Todas las ventajas en la lista deberán disminuirse: menos independencia, más rutina, salarios más bajos, menos buenos estudiantes, etc. Por supuesto que se pueden encontrar elementos atractivos que logran compensar las desventajas: ubicación, clima, tamaño, colegas específicos y demás. Las preferencias individuales son complicadas. Conozco profesores que han rechazado puestos con derecho al *tenure* en las mejores universidades de investigación para permanecer en pequeños *colleges*, y estas no son elecciones irracionales necesariamente.

Con todo esto en mente, ofrezco estas modestas sugerencias útiles, no busco desanimar a nadie y sí deseo hacer hincapié en el realismo:

150

1. Ingrese al programa de doctorado con los ojos bien abiertos

No es tan difícil ser admitido en un buen programa de posgrado, a pesar de que el grado de dificultad varía de acuerdo con la institución y el área de especialización. Por ejemplo, los programas en humanidades tienden a ser un tanto informales en lo que respecta a los procedimientos de admisión y pueden depender de las altas tasas de deserción para reducir el número de alumnos hasta llegar a proporciones manejables; por otro lado, las ciencias de laboratorio deben tener en cuenta el limitado espacio en los laboratorios que suele restringir el ingreso. Algunos programas de doctorado buscan personas en cualquier parte, mientras que otros rechazan una gran cantidad de candidatos; sin embargo, por lo general, la competencia es menos severa en el ingreso al doctorado que en el ingreso a las carreras de grado en las instituciones selectivas. Para el doctorado el ingreso es relativamente fácil, por ejemplo, en Stanford, Chicago y Yale, entre otras, la proporción entre ingresantes y solicitantes es significativamente mayor para los estudiantes de doctorado que para estudiantes de grado. Lo que es más difícil es completar el doctorado: en 1983, el período entre el *baccalaureate* (carrera de grado que conduce al *bachelor*) y el doctorado en este país era increíblemente de 10 años.[24] Es aún más difícil tener una carrera exitosa, definida en función del derecho al *tenure* en un instituto o una universidad "razonablemente satisfactorios".[25]

Ingresar en un programa de doctorado no es el principal obstáculo; graduarse puede llevar un largo tiempo, pero la mayoría de las personas lo logran. El problema más grande, normalmente, aparece 10 ó 15 años después de empezar el programa de doctorado, y consiste en asegurarse un trabajo aceptable con *tenure*. Solo por este motivo, es muy importante conocer un poco las oportunidades que ofrece un campo determinado. ¿Hay trabajos disponibles en este momento?, ¿son optimistas los cálculos para el futuro?, ¿estará satisfecho con un trabajo en la industria o en el gobierno si es eso lo que está disponible en el futuro para su profesión?, ¿estará satisfecho dando clase en un pequeño instituto ubicado en el sudoeste rural donde no hay oportunidades para la enseñanza de doctorado, donde los recursos de la biblioteca son pocos y donde cualquier estudiante con suficiente dinero para la matrícula es bienvenido? Nadie sugiere que deba sentirse feliz en una situación como esta, pero ¿podría soportarlo? Formulo estas preguntas desagradables porque los estudiantes de doctorado son propensos a realizar juicios equivocados basados en su propia experiencia de posgrado. Las universidades que ofrecen doctorados representan, en promedio, el escalón superior de la educación superior norteamericana.[26] Es en estas instituciones en las cuales los estudiantes de doctorado imaginan su futuro y merecen que se les advierta en el momento del ingreso, y también durante el período de preparación, que muchas carreras incluyen —esperamos que solo temporalmente— un progreso pequeño.

151

24. El análisis dividido en las principales áreas: 7,4 años en física e ingeniería; 7,9 años en ciencias biológicas; 9,3 años en ciencias sociales; y 11,1 años en artes y humanidades. Estas cifras cubren toda la educación superior e incluyen los campos profesionales y la educación, donde el período de tiempo es de 14,1 años. Creo que las mejores instituciones acompañan a sus estudiantes de posgrado a través del sistema con mayor eficiencia. En Harvard, el promedio entre la licenciatura y el doctorado es de 6 años (¡suficientemente largo!). Ver *Fact Book*, p. 141.

25. A pesar de otras actitudes académicas descritas anteriormente, una proporción significativa de personas con doctorados, siempre ha trabajado fuera de la educación superior. Un cálculo reciente (1984-1985) muestra un 57% de doctorados activos en la población norteamericana que trabajan como profesores universitarios. El nivel más alto que se alcanzó después de la Segunda Guerra Mundial fue de 70% durante 1975-1976. Ver Bowen y Schuster, *American Professors*, p. 179.

26. Para completar el escalón superior, solo necesitamos agregar los *colleges* de artes liberales de alta calidad, que son alrededor de 100.

¿A quién debería motivarse para que siga un doctorado? El talento para completar un plan de estudios es un requisito obvio y, rara vez, eso es un problema. Los estudiantes deberían tener un amplio conocimiento de los requisitos en el área elegida y de cuáles serán sus habilidades cuando reciben su título de *bachelor*. De todas maneras, bajo las actuales circunstancias, el talento por sí solo no es suficiente. También debemos buscar pasión (preferentemente hasta la obsesión) por el campo elegido. Cuando el mercado académico se estaba expandiendo a un ritmo sin precedentes en la década del 60, algunas personas eligieron la enseñanza en *colleges* y universidades por un vago agrado por ese estilo de vida. Encontramos entre nosotros clérigos que han tomado decisiones similares: su fe en Dios puede ser vacilante, pero disfrutan de predicar en las iglesias de los suburbios y en las sinagogas. Eso es una motivación inadecuada para nuestra generación ya que el camino se encuentra lleno de desvíos y el riesgo de decepcionarse es muy grande. Deberíamos buscar jóvenes a quienes les cueste distinguir entre el trabajo y el placer en lo referente a las tareas académicas. De no ser así, ¿por qué no probar un camino más fácil? Veo al candidato perfecto para el doctorado efectuando un delicado balance entre una obsesión por una materia y una encuesta actualizada del mercado de un campo específico.[27] Si lo he descrito a usted, súmese a nosotros.

2. Elegir un tutor de tesis con mucho cuidado: es una de las decisiones más importantes que tomará como estudiante

En las universidades norteamericanas, un programa de doctorado comienza normalmente con 2 años de trabajo de cursos de doctorado, seguido por la investigación y la elaboración de la disertación. El período de trabajo en los cursos es, generalmente, una continuación de la universidad: las asignaturas pueden ser más difíciles o específicas, pero la atmósfera es familiar y confortable. Por más extraño que parezca, las calificaciones suelen ser más

---

27. Ya he mencionado anteriormente el efecto del programa de acción afirmativa. Obviamente uno también alentaría a las "minorías insuficientemente representadas", es decir, mujeres, negros, hispanos, y otras categorías. Sabemos que en un futuro inmediato, se realizarán esfuerzos para incluir a estos grupos en la universidad como miembros del personal docente; y cualquier individuo que cumpla con esta descripción puede y debería aprovechar esta situación.

fáciles de obtener en los cursos de doctorado cuando "A-" representa el promedio.[28] Quizás esto tiene sentido porque el rendimiento en los cursos no es un indicador confiable para lograr el éxito a largo plazo para los futuros académicos. La tesis tiene una importancia mucho mayor, por eso insisto que se debe hacer una elección especialmente cuidadosa del tutor de la disertación (el *Doctorvater* o "padre sustituto").

Llevar a cabo una gran investigación y escribir una tesis es una experiencia nueva para la mayoría de los estudiantes; por lo que necesitarán ayuda para desarrollar un proyecto y, en la mayoría de los casos —especialmente en las ciencias naturales— los consejeros sugerirán un tema. Además, los estudiantes necesitan que alguien lea sus borradores, un crítico. Generalmente, la investigación será financiada por subvenciones profesionales, y una tesis exitosa puede darle forma a la agenda de investigación de un académico durante muchos años. Esto es una guía intelectual, pero no completa, sobre los deberes de un buen tutor de tesis. Otra responsabilidad consiste en ayudar al estudiante de doctorado para encontrar un trabajo: su futuro mentor, ¿es alguien a quién se dirigen los profesionales?, ¿es respetado ampliamente?, ¿tiene contactos por todo el país y en distintos tipos de instituciones? Los profesores realizan su propia red de contactos laborales y conseguir entrar en esa red en su área elegida es una ventaja tremenda a largo plazo. Estas pueden ser consideraciones trascendentales, de mucha mayor importancia para el estudiante listo para entrar al mercado laboral, que el tamaño o la eficiencia de la oficina de colocaciones de la universidad. Por último, pero no menos importante, quisiera sugerir una cualidad menos tangible: dentro de las posibilidades, debería buscarse un mentor comprensivo, alguien que extienda una mano al cruzar por los valles oscuros que conducen a la tesis y que esté presente, también, durante los tiempos difíciles que surgen en las primeras etapas de cualquier carrera académica. Uno de mis dos tutores de tesis fue un ejemplo: respondía a todas mis cartas, escribiendo con dos dedos en una vieja máquina de escribir. Me hizo sentir que mi trabajo era importante y que él disfrutaba al aprender de mí. Durante un período difícil me alojó en su casa durante una semana, mientras discutíamos mis resultados durante muchas horas todos los días ¿Todavía hacen esto hoy en día?

153

28. Se dice que el economista austríaco Joseph A. Schumpeter, quien enseñó en Harvard en las décadas de los 30 y 40, calificaba con tres tipos distintos de A: la A china, para los estudiantes extranjeros; la A femenina, para todas las mujeres (que eran muy pocas); y, por último, la A común, para todos los demás.

Los estudiantes tienen dificultad para tomar las decisiones adecuadas, generalmente por manejar información inadecuada; por ejemplo, la tarea de guiar una tesis está distribuida de forma despareja entre los departamentos: algunos profesores tienen muchos estudiantes, mientras que otros tienen muy pocos, y algunos no tienen ninguno. La mejor elección no es necesariamente el profesor más atractivo, las cualidades espirituales pueden pesar más que todas las demás. De acuerdo con mi experiencia, todas las universidades son el hogar de profesores cuya mayor contribución es aconsejar a los doctorandos, y no publicar o dar conferencias. Son valiosos colaboradores para la universidad, que ganarán una modesta inmortalidad en las páginas de los libros. Existen superhombres y supermujeres que pueden hacerlo todo, pero no he conocido a muchos. Nuevamente, el punto principal: hay que tomar una decisión muy cuidadosa y no tentarse con ostentaciones, hay que averiguar quién tiene más estudiantes y por qué, hay que averiguar qué opinan sus colegas y quienes ya se hayan doctorado; hay que preguntar y seguir preguntando.

154

3. La lucha contra el aislamiento: el mayor enemigo de los estudiantes de doctorado

La investigación es una actividad solitaria, especialmente cuando el lugar es una biblioteca en vez de un laboratorio. Pocas experiencias en nuestra vida laboral pueden ser más aislante que recolectar material para una tesis en las profundidades de las entrañas de alguna gran biblioteca. Nadie puede ayudar: no se escucha ninguna voz humana, la única constante es un olor especial a libros en estado de descomposición, ¿voy por el camino correcto?, ¿será una gran pérdida de tiempo?; la duda sobre uno mismo crece día tras día. En contraste con esto, siempre he visto el laboratorio de investigación como una comunidad, funcionando las 24 horas del día alrededor de grupos de apoyo formado por máquinas de café y personas de edades y habilidades varias, todo esto bajo la benévola supervisión de un científico sabio. Quizás esta sea una visión ligeramente romántica o envidiosa de alguien que no es científico y, quizás, he exagerado la situación apremiante de los humanistas; pero aunque ambas descripciones se pasen por alto, permanece un contraste válido. Toda investigación tiene una dimensión solitaria ya que las ideas básicas deben originarse en una sola mente. La soledad o el aislamiento son particularmente fuertes en las áreas de humanidades y de las ciencias sociales porque se desaconseja la investigación cooperativa, especialmente al escribir una tesis: este debe ser un trabajo individual para poder exhibir las capacidades personales.

El aislamiento se ve reforzado por las condiciones sociales: muchos estudiantes de doctorado están casados, tienen responsabilidades familiares y viven lejos del campus donde los alquileres son más baratos. La competencia entre los estudiantes de doctorado empeora el problema ya que no solo buscan superarse unos a otros en el nombre de una competencia que es casi un juego, sino que su futuro puede depender de desempeños comparables en clases o seminarios; entonces, ¿quién soportará que un compañero de curso lo rebaje frente a un profesor o a una audiencia en un seminario? Estas tensiones socavan la confianza del estudiante en sí mismo, aumenta el sentimiento de aislamiento y están en duro contraste con la actitud de tranquilidad con que aceptan las cosas que no salen bien en la escuela de grado.

No conozco reglas generales que se puedan aplicar para luchar contra el aislamiento. Hace muchos años fui miembro fundador de la *Liquidity Preference Marching and Chowder Society*,[29] un pequeño grupo de estudiantes de doctorado de económicas que nos reuníamos con regularidad tanto para estudiar como para hacer vida social. Mientras duró, todos nos beneficiamos, y creo que los grupos de este tipo debían ser alentados y asistidos por los departamentos. En ciencias sociales, los talleres de trabajo lograban convertirse en equivalentes funcionales de los laboratorios. Normalmente estos grupos se construyen alrededor de un campo menor (historia económica, política norteamericana, teoría literaria, entre otros), y también deberían tener un lugar propio, un área de lectura, que esté disponible en cualquier momento como lugar de reunión para discusiones serias o debates y por la simple necesidad de hablar con una persona a la medianoche, cuando las dudas sobre uno mismo se encuentran en su punto más alto. Por supuesto, los profesores también deben ser habitantes regulares de estos talleres, no necesariamente a la medianoche, pero tampoco solo durante su horario de trabajo. Un aspecto especialmente importante de la creación de la comunidad del laboratorio es que los experimentos requieren asistencia en horarios extraños, tanto durante el día como por la noche. Una gran parte de los trabajos es de naturaleza de flujo continuo, y las demandas de los equipos también requieren una programación

155

29. Los economistas no tendrán dificultad para reconocer la preferencia de la liquidez como uno de los determinantes keynesianos para la tasa de interés. El doble sentido es obvio, y es un hecho que, por desgracia, es el sentido de humor típico de los estudiantes de doctorado.

de 24 horas. Esto no sucede con frecuencia en otros campos, y no estoy defendiendo el trabajo nocturno para los profesores de filosofía y los estudiantes de posgrado; pero lo que sí necesitamos es una búsqueda consciente del espíritu del laboratorio fuera de las ciencias naturales. Los humanistas en particular necesitan considerar estos temas, porque cualquier actividad que disminuya el sentimiento de aislamiento merece ser fomentada.

4. Cuando esté listo para empezar su primer trabajo, elija la mejor universidad disponible, aunque esto represente algún sacrificio económico, y aunque las posibilidades de promoción parezcan dudosas

156

Entiendo la atracción de las posiciones con posibilidad de *tenure* y el deseo de seguridad en un mercado incierto; pero, precisamente debido a las incertidumbres actuales, muchos estudiantes en la fase inmediata posdoctoral de sus carreras pueden subestimar los beneficios a largo plazo que provienen de los colegas más exigentes y de los mejores estudiantes posibles. Los desafíos provenientes de estos dos sectores ayudarán al nuevo profesor a alcanzar todo su potencial. Es una meta mucho más difícil de alcanzar cuando uno ha perdido el ritmo y encabeza el recorrido sin hacer mucho esfuerzo. La mayoría de nosotros nos beneficiamos enormemente con los desafíos interpuestos por nuestras instituciones porque es vital para la construcción de nuestra musculatura intelectual. Es preciso mantener esto en mente: en la vida académica las fuerzas de movilidad descendente son muy poderosas. Las búsquedas de nuevos profesores se concentran en universidades del mismo nivel y el hecho de trabajar en instituciones de prestigio menor, bajo condiciones adversas, hace que sea cada vez más difícil ascender en la escala. Subir después de haber bajado siempre es difícil.

Las páginas anteriores han adquirido —en parte sin proponérmelo— un sabor a "sangre, sudor y lágrimas". No pido disculpas por las advertencias pesimistas, porque he buscado informar, prevenir decepciones y dar a conocer las realidades actuales; pero una advertencia solo debe poner a la persona en guardia, para evitar errores, y no busca cerrar puertas. Conozco muchos estudiantes de doctorado cuyas vidas profesionales y personales se encuentras realizadas. Incluso la mayoría de nosotros ve signos de mejoras en el mercado académico: mejores oportunidades en la década del 90, mientras una generación más vieja abandona gradualmente (demasiado gradualmente, por desgracia) la escena. Por sobre todo, en lo que sigue busco destacar (de forma realista) las virtudes y placeres de la vida profesional, y exhorto a todos los estudiantes de doctorado a que sigan leyendo.[30]

30. Nota de la traducción: datos recientes referidos al sistema de educación superior estadounidense [Fuente: *The Chronicle of Higher Education, Almanac Issue 2009-2010*, 28 de agosto de 2009].
- Población (2008): 304.059.724. Distribución según su nivel de educación: primaria o menos = 6,4%; algún tiempo en el secundario sin graduarse = 9,1%; graduados del secundario = 30,1%; con alguna formación superior sin graduarse = 19,5%; graduados con títulos intermedios = 7,4%; grados = 17,4%; *master's* = 7,1%; doctorados = 1,9%; posgrados profesionales = 1,1%.
- PBI per capita según el grado de educación alcanzado: 1. Alguna educación secundaria: hombres (H) = 25.070 dólares; mujeres (M): 15.370 dólares. 2. Secundario completo: H = 34.770 dólares; M = 22.360 dólares. 3. Grado intermedio (*associate*): H = 45.200 dólares; M = 30.550: dólares. 4. Estudios de grado completos: H = 58.340 dólares; M = 39.150 dólares. 5. Maestría: H = 70.640 dólares; M = 50.200 dólares; tasa de pobreza; 12,4%.
El sistema de educación superior:
Instituciones de educación superior (2008): total = 4.391; públicas = 1.737; privadas sin fines de lucro = 1.745; privadas con fines de lucro = 909. Distribución:
- *Associate colleges*: total = 1.814; públicos: 1078; privados sin fines de lucro: 134; privados con fines de lucro: 602
- Universidades: total = 2.514; públicas = 659; privadas sin fines de lucro = 1.611; privadas con fines de lucro = 307.
- Universidades de investigación (comprendidas en universidades): total = 283; públicas = 167; privadas sin fines de lucro = 108; privadas con fines de lucro = 8.
- Distribución de los campos de investigación: ingeniería = 15,2%; ciencias ambientales = 5,5%; ciencias de la vida y la salud = 60,2%; matemática y ciencias de la computación = 4,0%; ciencias físicas = 7,8%; psicología = 1,7%; ciencias sociales = 3,6%; otros = 1,9%.
- Financiación de las universidades (2007). Aporte de los aranceles al presupuesto: universidades públicas = 16,8%; universidades privadas = 26,0%.
Distribución de los gastos. Universidades públicas: instrucción = 25,9%; investigación = 12,2%; servicio público = 4,8%; soporte académico = 6,7%; servicios al estudiante = 3,8%; soporte institucional = 7,2%; becas* = 3,1%; otros (operaciones, mantenimiento, depreciaciones, varios) = 36,3%. Universidades privadas: instrucción = 33,1%; investigación = 11,1 %; servicio público = 1,6%; soporte académico = 8,8%; servicios al estudiante = 7,7% soporte institucional = 13,5%; becas* = 0,6%; otros (operaciones, mantenimiento, depreciaciones, varios) = 23,3%.
* Nota: la mayor parte del presupuesto de becas es soportado por el estado y donaciones, tanto en las universidades públicas como en las privadas.
Estudiantes (2008):
- Grado = 15.603.771; posgrado = 2.293,593; total = 18.248.128. Prognosis, crecimiento previsto para el 2017: total de estudiantes = 20.080.000 (9% de crecimiento en 6 años).
- Distribución: instituciones públicas = 75%; mujeres = 57,2%; inscriptos *full-time* = 75,5%; representantes de minorías = 31,8%; extranjeros = 3,4%
- Graduados: intermedios (*associate*) = 728.114; grado (*bachelor's*) = 1.524.092; *master's* = 604.607; doctorado = 60.616; posgrados profesionales = 90.064.
- Tasa de graduación en estudios de grado de 4 años de duración en 6 años: total = 56,1%; públicas = 53,5%; privadas = 63,7%.
Profesores y directivos (2008):
1. Total: 1.371.390. *Full-time*: 51%. *Tenure*: públicas = 50,5%; privadas = 44,7%.
2. Salario anual de profesores *full-time*:

▶

157

▶- Instituciones públicas: promedio = 104.493 dólares; universidades doctorales = 115.509 dólares; *master's* = 88.357 dólares; *baccalaueate* = 84.488 dólares; 2 años = 74.933 dólares.

- Instituciones privadas: promedio = 128.257 dólares; universidades doctorales = 151.403 dólares; *master's* = 99.555 dólares; *baccalaueate* = 98.808 dólares; 2 años = s/d.

3. Directivos:

- Perfil de los presidentes de universidades: Hombres = 77%. Edad: 41 a 50 = 7,5%; 51 a 60 = 42,6%; 61 a 70 = 42,6%. Casados: 83%. Antigüedad: 5 años o menos = 37,8%; 6 a 10 años = 31,2%; 11 a 15 años = 17,7%; 16 a 20 años = 8,0%, más de 20 años = 5,2%.

- Presidente/rector: salario anual promedio = 233.352 dólares; universidades doctorales = 380.293 dólares; *master's* = 242.050 dólares; *baccalaueate* = 225.000 dólares.

- Decanos, salario anual promedio por disciplina: artes y ciencias = 134.632 dólares; negocios = 150.000 dólares; ingeniería = 204.551 dólares; derecho = 266.895 dólares; medicina = 386.561 dólares.

profesores

CAPÍTULO NUEVE

Vida académica: algunas virtudes, algunos vicios

Para un amplio sector de la población, ir a trabajar en la mañana es una tarea poco grata. Los trabajos son monótonos; la disciplina es impuesta por las máquinas, un reloj controla la asistencia y los superiores son autoritarios. En las fábricas, el entorno es poco atractivo y ruidoso. El trabajo que es físicamente agotador no se limita a trabajos manuales. Cuando era joven, unos 40 años atrás, pasé unos meses vendiendo juguetes en Macy's en la Ciudad de Nueva York. Dos veces por semana, la tienda estaba abierta de 9:00 a.m. a 9:00 p.m., y estar de pie detrás del mostrador durante esos largos días era una verdadera tortura.

En niveles ejecutivos, uno se tropieza con diferentes molestias: códigos implícitos de vestimenta, códigos implícitos de política, un estilo de vida controlado. Y las personas deben estar preocupadas sobre cierres, despidos al final de la vida laboral o desempleo desesperado en industrias obsolescentes.

Estas no son, por supuesto, las condiciones universales de trabajo. Muchos trabajadores están felices con sus trabajos, y la alienación es un concepto del que se abusa demasiado. No obstante, mucha gente va a trabajar sin alegría, simplemente para ganarse la vida. Según mis observaciones, avaladas por algunas evidencias, los profesores de las buenas universidades tienen una actitud mucho más positiva respecto a sus trabajos.[1]

Una de las razones puede ser que la mayoría de nuestros *colleges* y universidades están situados en un entorno físicamente atractivo. La mera noción de "campus" trae a nuestras mentes un cuadro de árboles, césped y estructuras impresionantes. Los campus representan una importante proporción de los mejores ejemplos de arquitectura norteamericana. He pasado una considerable cantidad de años en cada una de las tres instituciones: William and Mary, Berkeley y Harvard y he visitado algunas más. William and Mary es el emplazamiento del único edificio en este país "tal vez" diseñado por Sir Christopher Wren. Es una estructura de ladrillo modesta, pero encantadora, con una capilla, salas y aulas con una vista hacia un impresionante jardín. Todo en William and Mary también armoniza elegantemente con Colonial Williamsburg, uno de los lugares más hermosos en la Costa Este.

Berkeley es un campus de la Universidad de California, en el que, la burocracia estatal combinada con la expansión tras la Segunda Guerra Mundial, han hecho lo suficiente como para borrar lo que una vez fue un edén. No obstante, hay poco lugares más impresionantes que éste. La Bahía de San Francisco se puede observar desde muchos lugares, la niebla ofrece su magia especial a Berkeley y muchos de los antiguos edificios representan lo mejor de la creatividad de California de fines del siglo XIX.

El *Harvard Yard* —que en otro lugar se denominaría "campus"— y sus alrededores forman parte de la arquitectura tridimensional de América y Europa. El *Harvard Hall* y el *Massachusetts Hall*, construidos antes de la Guerra de Independencia, todavía están en uso. El mejor edificio en el Yard es el University Hall: edificio de piedra gris, erigido a principios del siglo XIX y diseñado por Charles Bullfinch, que cobija al decanato de la Facultad de Artes y Ciencias. Enfrente está, idealizada por Chester French, la estatua de John Harvard: objeto de atracción de los turistas en todas las estaciones del año. Y puedo continuar con los dormitorios del *Yard*, la Biblioteca Widener, la Iglesia dedicada a los muertos de la Primera Guerra Mundial, el Carpenter Center para las Artes Visuales diseñado por Le Corbusier (su único edificio en Estados Unidos), etc.

160

---

1. "Los académicos norteamericanos están, por lo general, felices con la elección de sus carreras. El 88% de ellos, por ejemplo, sostiene que, si tuvieran que comenzar nuevamente, volverían a escoger ser profesores de la universidad". E.C. Ladd Jr., y S.M. Lipset, The Chronicle of Higher Education (3 de mayo de 1976).

Retomando el punto a donde quiero llegar: el entorno físico en el cual trabajamos importa enormemente. Soy consciente de esto cada mañana cuando cruzo las miserias urbanas (siempre cambiantes) del *Harvard Square* y entro al *Yard*. Es un oasis: complace a la vista y a la mente en todas las estaciones del año, es un comienzo refrescante para un día de trabajo. Siento pena por mis vecinos que llegan al centro de Boston para transitar por la atmósfera artificial de una torre revestida en vidrio durante todo el día.

La atracción de un campus va más allá de la arquitectura y el paisaje: a las personas les gusta estar rodeada de universidades porque disfrutan del ambiente. Boston, con sus muchas universidades, ha sido denominada la capital joven de Estados Unidos. Los psiquiatras y los exitosos hombres de negocios —¿quién más podría permitirse el lujo de pagar los precios de los bienes inmuebles?— viven en Cambridge porque allí está Harvard. Para ellos, el campus es un circo con muchos espectáculos libres: museos, bibliotecas, conferencias, entretenimiento y los estudiantes forman parte del espectáculo ya que determinan y reflejan la última tendencia en moda, música, cine y comidas. Estar cerca de los estudiantes —aunque lo suficientemente lejos como para permitirse una retirada ocasional— es sentirse joven y vivo, incluso bien entrada la madurez. Este es el motivo por el cual Palo Alto, Durham-Chapel Hill y Ann Arbor, así como también Cambridge y Berkeley se han visto favorecidos como lugares de residencia para la clase media alta no académica.

El aspecto principal del trabajo de un profesor, sin embargo, no es el entorno sino el contenido; y aquí las virtudes de la vida académica se manifiestan nuevamente. Un amigo de mi padre, un profesor de la Universidad de St. John en Annapolis, cuando se le consultaba sobre su elección de trabajo respondía que lo que más le gustaba era leer; la docencia universitaria era la única profesión que pagaba un salario por hacerlo. La esencia de la vida académica es la oportunidad —de hecho, la obligación— de una inversión continua en uno mismo, es la única oportunidad de una vida dedicada a construir y renovar el capital intelectual. Para muchos, enseñar proporciona la mayor satisfacción;[2] para otros, la investigación es la clave: satisface la curiosidad intelectual y alimenta las alegrías y glorias del descubrimiento.

161

2. Solamente el 25% de los profesores norteamericanos indica un fuerte interés en la investigación y el resto demuestra un fuerte compromiso con la enseñanza. Estos resultados se informan en las encuestas Ladd-Lipset. Ver The Chronicle of Higher Education (29 de marzo de 1976). Obviamente, la proporción académicos comprometidos con la investigación es mayor en las mejores universidades.

Usted se preguntará: ¿esto no se aplica a todas las ocupaciones que ejercitan la mente?, ¿no ocurre lo mismo con los docentes en todos los niveles educativos? Esta es una cuestión de grados, pero las diferencias son importantes. En las universidades que enfatizan la investigación —y este es mi tema central— mantenerse actualizado puede ser una tarea extremadamente exigente y que absorbe mucho tiempo. La Biología moderna, por ejemplo, ha estado siempre explotando con nuevos conocimientos desde el estallido del código genético por James Watson y Francis Crick en la década del 50. Los practicantes me cuentan que mantenerse al día con los descubrimientos actuales, aún en sus propios campos estrechos y definidos, casi siempre es una ocupación de tiempo completo. Por lo general a estas afirmaciones le siguen pedidos de reducción de la carga horaria lectiva: "¡realmente no tenemos tiempo!" Si bien de este modo pueden despertar las sospechas de un decano: sé que tienen razón.

La biología moderna puede ser el ejemplo más extremo de dichas presiones y tensiones, aunque las Ciencias de la Computación y algunas ramas de la Física no están muy alejadas. El fenómeno no está confinado a las ciencias naturales. Completé la parte formal de los estudios de posgrado en Economía a comienzos de 1950 y, en esa época, los conocimientos matemáticos no eran considerados como algo absolutamente necesario para las herramientas de un economista. Al final de la década, lo fue y, sin el entrenamiento de econometría y economía matemática, se tornó imposible leer muchas de las obras de literatura profesional. Lo que ocurrió en economía está ocurriendo ahora en ciencias políticas con el aumento del uso de modelos cuantitativos. Incluso las humanidades no están inmunes a estas revoluciones, aunque sus estudiosos resisten el cambio con más energía. Los últimos 20 años han sido testigos de la creciente influencia de la teoría literaria, la semiótica y el nuevo historicismo, que han conducido a nuevas construcciones, un vocabulario diferente y supuestos filosóficos no tradicionales. Así para el humanista individual se ha vuelto necesario adquirir nuevas habilidades, aprender un lenguaje nuevo y difícil.

Estos son simplemente ejemplos al azar de la presión sobre la vida académica de investigación. Una presión complementaria proviene de los estudiantes de posgrado. Los estudiantes jóvenes tienen su mirada puesta exclusivamente en el futuro. El "llevar la delantera" es su boleto hacia el futuro y adherirse a la tradición puede ser peligroso ya que los profesores son, en gran medida, juzgados por el número y calidad de sus estudiantes de posgrado; por lo que los incentivos para estar al corriente de las últimas tendencias son considerables.

Así la vida académica es un mundo en movimiento. Algunos cambios revolucionan los campos de estudio, ocasionalmente surgen nuevas áreas, aunque algunas innovaciones son efímeras y se olvidan rápidamente. Las nuevas ideas pueden tornar miserable la vida de los muchos que quieren aferrarse a las tendencias antiguas, generando conflictos entre los partidarios de lo antiguo y lo moderno. Cada académico tiene que enfrentar estos retos fundamentales durante su vida, es una carga, un desafío y uno de los atractivos de la vida académica.

La inversión intelectual no es completamente una respuesta a los desafíos de los demás. Muchos académicos persiguen sus propias ideas con poca referencia a sus colegas. Cualquiera que sea el motivo, el acto de la investigación es una forma de renovación mental y un excelente beneficio potencial para el individuo. Estos desafíos y oportunidades pueden estar presentes, en cierto nivel, en otras ocupaciones; pero no tan a menudo. Sospecho y podría sostenerlo, que la combinación de investigación y nuevas maneras de ver las cosas es una característica especial de la universidad y la porción de rutina es más pequeña que en cualquier otra ocupación.

163

Otra virtud crítica de la vida académica —y estoy pensando en profesores con *tenure*, digamos, en las principales 50 a 100 instituciones norteamericanas— es la ausencia de jefes. Un jefe es alguien que puede decirte qué hacer y que pide que lo hagas: un impedimento a la libertad. Como decano, es decir, como un administrador, mi jefe fue el rector. Le servía a su antojo: él podía y me daba órdenes. Pero como profesor, no reconozco control, salvo la presión del grupo, ni una amenaza, a excepción, tal vez, de una acusación poco probable de inmoralidad. Ninguna profesión garantiza a sus practicantes una combinación de independencia y seguridad como la investigación y la enseñanza universitarias. Permítanme ampliar este punto:

A principios de 1950, la Universidad de California se vio inmersa en una controversia seria por la insistencia del Estado en que todos sus empleados debían firmar un juramento de lealtad anticomunista. Eran los días de McCarthy y la amenaza comunista, los comités estatales y federales de actividades antinorteamericanas acechaban el país, había oposición a los juramentos de lealtad dentro y fuera de la universidad; y, aunque al final casi todos firmaron, unos pocos profesores se negaron y fueron despedidos.

El rechazo más interesante fue el del Profesor E.K. Kantorowicz, un famoso historiador medieval y refugiado de la Alemania de Hitler, que particularmente no objetó el requerimiento del juramento de lealtad (no estoy sugiriendo que la aprobara) sino que, más bien, tenía una objeción más profunda: no deseaba, bajo ninguna circunstancia, ser clasificado como un empleado del Estado de California. Kantorowicz creía que los profesores no eran empleados universitarios sujetos a la disciplina laboral corriente. Ser un profesor era tener una vocación diferente. Los empleados trabajan una cantidad de horas específicas y pueden cobra horas extra, se les dan tareas específicas, en la mayoría de los casos hay una separación brusca entre el trabajo y el ocio, y por lo general el servicio realizado es impersonal: ¿importa realmente quién te vende un par de zapatos?

En las propias palabras de Kantorowicz:

> Existen tres profesiones que tienen derecho a usar la toga: el juez, el cura y el académico. Esta vestimenta simboliza la madurez mental del portador, su independencia de juicio y su responsabilidad directa ante su conciencia y su dios.
>
> Esto significa la soberanía interna de esas tres profesiones interrelacionadas, por lo que deberían ser las últimas en permitirse actuar bajo coacción y rendirse a la presión.
>
> ¿Por qué es tan absurdo imaginarse a los jueces de la Corte Suprema haciendo un piquete en sus propias cortes, a los obispos haciendo un piquete en sus iglesias y a los profesores en las universidades? La respuesta es muy simple: porque los jueces *son* la Corte; los ministros, junto con los creyentes, *son* la Iglesia; y los profesores, junto con los estudiantes, *son* la Universidad [...] son instituciones por sí mismas y, por lo tanto, tienen derechos de prerrogativa para y dentro de sus instituciones que los ujieres, sacristanes y bedeles no tienen.[3]

La distinción mantenida por Kantorowicz es muy valiosa: nosotros, los profesores, tenemos los ingresos de los funcionarios estatales pero la libertad de los artistas. Esto impone ciertas obligaciones. Las obligaciones formales, impuestas por nuestras instituciones, son mínimas: en cualquier lado entre 6 y 12 horas de clase por semana durante 8 meses del año.[4]

164

3. Grover Sale Jr., "The Scholar and the Loyalty Oath", en Chronicle (San Francisco: 8 de diciembre de 1963.

4. Otra historia de California parece apropiada. Un profesor estaba testificando frente a un comité estatal en Sacramento. El presidente del comité preguntó: "¿Cuántas horas enseña usted, doctor?". Respuesta: "8 horas". Luego, el presidente dijo: "Eso es excelente. Siempre he sido partidario de una jornada laboral de 8 horas".

La mayoría de nosotros trabajamos largas horas y pasamos muchas noches en nuestros escritorios o en nuestros laboratorios; y no les decimos a los estudiantes que este es nuestro día libre, que deben buscar a otra persona con quien discutir sus problemas. Nosotros ejercemos nuestra profesión como una vocación considerándonos, no como empleados, sino como accionistas de la universidad: un grupo de propietarios. "Compartir valores" se determina por la calidad de la gestión y del producto. Nosotros buscamos mantener esos valores lo más alto posible. Nada de esto es para negar que disfrutamos mucho de nuestra vocación y creemos que estamos dedicados a actividades de alto valor social.

Debo mencionar al Profesor Kantorowicz nuevamente, ya que a su muerte en 1963 hubo un giro irónico respecto de la que acabo de escribir: Para ese entonces él era un profesor en el Instituto de Estudios Avanzados de Princeton, New Jersey, y el *Chronicle* de San Francisco tomó nota sobre el fallecimiento de un distinguido californiano. Además de escribir mal su nombre (Catorowicz), humillación a la que algunos de nosotros estamos acostumbrados, la nota necrológica decía: "Fue *empleado* de la Universidad de California en Berkeley desde 1939 a 1950".[5]

165

Existen todavía otras recompensas que se aplican especialmente a los profesores con *tenure*. Las licencias sabáticas son costumbres agradables: cada 7 años un profesor puede tomarse licencia para refrescar su mente de las obligaciones de la enseñanza; este año de alivio es acompañado por una reducción en el salario, pero las subvenciones de investigación y otras ayudas económicas en algunas ocasiones cubren el déficit. Los miembros del personal docente adoran los períodos sabáticos. Se pueden completar proyectos, visitar lugares y consultar a colegas en lugares distantes. Los profesores tienden a ser viajeros entusiastas y sus formas de vivir alientan esta inclinación natural. Para los que están entre los mejores, los grupos de referencia son internacionales. Además, una proporción significativa de temas de investigación requieren viajar y residir en el extranjero.

Mi propia experiencia puede ser levemente atípica: viví en Japón durante casi 5 años como soldado, estudiante de posgrado, docente e investigador. He pasado períodos bastante largos dando conferencias, realizando investigaciones y consultas en el Reino Unido, Indonesia e Israel; y he perdido la cuenta

---

5. San Francisco Chronicle (13 de septiembre de 1963).

de los países extranjeros en los que he asistido a conferencias. Ya que estas actividades combinan trabajo y placer, pueden ser vistas como compensaciones adicionales. Los profesores de instituciones importantes están entre los destacados "viajeros frecuentes" en este país, creo que inmediatamente después de pilotos, sobrecargos, asistentes de vuelo, atletas profesionales y al mismo nivel que algunos vendedores. Los abusos existen y algunos de mis amigos han sido denominados, con sarcasmo, como los "Profesores de Biología de Pan American Airways", el "Profesor de Física de Swissair" o el "Profesor de Sociología de El Al".

En un estudio reciente sobre las buenas costumbres académicas, el novelista David Lodge —quien fue el primero en observar que las tres cosas que han revolucionado la vida académica en los últimos 20 años son los viajes en avión, los teléfonos de discado directo y la máquina Xerox— describe nuestros encuentros periódicos de la siguiente manera:

> La conferencia moderna se asemeja a la peregrinación de la cristiandad medieval que permitía a los participantes gratificarse con todos los placeres y diversiones de viajar mientras aparentaban estar austeramente inclinados a la superación personal. Hay que reconocer que existen ciertos ejercicios penitenciales que deben realizarse: la presentación de una ponencia, tal vez, y seguramente tener que escuchar las de otros. Pero, con esta excusa, viajan a nuevos e interesantes lugares, se encuentran con nuevas e interesantes personas, y forjan nuevas e interesantes relaciones; intercambian chismes y confidencias (sus historias gastadas son nuevas para ellos y viceversa); comen y beben, y se contentan con sus compañías cada noche; y, al final de todo esto, regresan a casa con una reputación realzada y seriedad mental. Los conferenciantes de hoy en día tienen una ventaja adicional sobre los peregrinos del pasado y es que sus gastos, por lo general, los paga o los subsidia la institución a la que pertenecen ya sea un departamento gubernamental, una empresa comercial, o, lo más común tal vez, una universidad.[6]

Los supuestos abusos pueden ser más aparentes que reales. En 1984, mi ex colega Carlo M. Rubbia ganó el Premio Nobel de Física. Profesor de Harvard y un físico muy energético en busca de partículas nuevas, Rubbia solicitó los

---

6. David Lodge, *Small World* (Nueva York: The Macmillan Company, 1984), prólogo.

servicios de un gran acelerador; pero no había ninguno disponible en Cambridge, Massachusetts, y otros sitios de Estados Unidos no eran adecuados, por lo que Rubbia desplazó sus actividades al Centro Europeo de Investigación Nuclear en Ginebra, Suiza. Cada dos semanas, más o menos, viajaba al extranjero para llevar a cabo experimentos, permaneciendo muchos días fuera de Cambridge. Rubbia —una persona inteligente— compró un abono de los pasajes más económicos de APEX para viajar cada siete días más o menos y los utilizaba escalonadamente, así sorteaba el requisito de que el usuario permanezca fuera más de quince días. Me cuentan que la gente de Swissair lo conocía tan bien que un ascenso a primera clase se tornó automático (mucho antes del Premio Nobel). En mis más bien frecuentes viajes a la Costa Oeste generalmente veía a uno o dos colegas en su camino al SLAC (el acelerador lineal de Stanford).

Estrechamente relacionado con los sabáticos y los viajes está otra característica generalmente positiva de la vida académica, al menos desde el punto de vista del personal docente. Junto con la independencia profesional, se ha mencionado la ausencia de jefes y la naturaleza leve de obligaciones formales (las obligaciones informales cuando se las toma en serio, y eso es lo normal, son exigentes y requieren mucho tiempo). El profesor controla su tiempo a un nivel poco usual y, generalmente, se acepta que algún tiempo pueda ser utilizado para "trabajos externos". Las vacaciones prolongadas están disponibles para ese propósito y, además, en Harvard y en otros lugares, se le permite al profesor pasar un día a la semana realizando actividades no universitarias.[7]

El "trabajo externo" puede tener muchas formas y es extremadamente difícil de definir. Generalmente se fomenta el servicio público, pero no hay un claro acuerdo sobre qué encaja bajo esta rúbrica. Hay una diferencia evidente entre hacer campaña para un candidato político y testificar como especialista ante un comité del Congreso; Otra clase de servicio público, por ejemplo, una licencia sin goce de sueldo de la universidad por 1 año o más para llevar a cabo un proyecto en Washington, es algo muy bien visto.[8]

167

7. Imponer esta norma es imposible: intente definir "un día a la semana". Seguramente las vacaciones no están incluidas, y ¿qué hay de los fines de semana? En cualquier evento, la vigilancia es poco viable y reprensible. Como de costumbre, uno debe contar con el sentido de la responsabilidad personal.

8. Las normas de Harvard no permiten más de 1 año de licencia bajo circunstancias normales. El servicio público es la única excepción, cuando se permite una licencia por 2 años. Estas normas difieren significativamente de un lugar a otro.

Para algunos, aunque de ninguna manera para la mayoría de los profesores, también está la oportunidad de ganar dinero adicional en actividades externas. Un caso poco común en Harvard fue el de un profesor que fue vendedor de medio tiempo en Filene's basement, una tienda por departamentos. Ser consultor para la industria privada es una actividad más común y más remunerativa, de hecho, algunos profesores han ayudado a fundar compañías. . Mi difunto colega, el distinguido economista Otto Eckstein, fundó el DRI, una empresa de previsión económica muy exitosa. Por lo menos cinco empresas biogenéticas han sido iniciadas por profesores de Harvard. Muchos profesores salen en viajes de conferencias y algunos hasta tienen la habilidad de ofrecer conciertos; en ciertas facultades, principalmente en la Escuela de Administración, los miembros del comité corporativo están siempre disponibles. También es posible hacer una fortuna escribiendo, de lo cual es un ejemplo notable en Harvard, en las últimas décadas, el profesor emérito J.K. Galbraith.

168 Existen importantes rechazos asociados con las actividades externas, que explicaré más adelante, pero ahora hay que decir unas palabras. La habilidad para vender nuestros servicios fuera de las paredes de la academia está estrechamente correlacionada con la etiqueta institucional que podemos usar. Ayuda estar en una universidad famosa, es lo que los economistas llamarían obtener rentas de una asociación. Debido a que los observadores tienen dificultades en realizar juicios independientes en lo que respecta a talento, imprudentemente, le ponen toda la fe a las etiquetas: un "profesor de Harvard". El sujeto vende su institución, al menos, en parte. También, una proporción relativamente pequeña del personal docente posee habilidades que son comercializables fácilmente fuera de la universidad. Dejando de lado las escuelas de profesionales como pertenecientes a un universo diferente, las ganancias extras considerables llegan principalmente a los científicos, economistas y a algunos otros científicos sociales. Una historia exitosa o un texto en inglés será rentable, pero, la oportunidad es menor de lo que uno se puede imaginar. Soy consciente de la falta de cifras confiables respecto a este tema, pero mi conjetura es que en la Facultad de Artes y Ciencias de Harvard, solamente alrededor de un tercio de sus miembros ganan 20% o más de sus salarios en actividades externas a la universidad. Muchos menos excederán el 20% con amplio margen. Si consideramos los aspectos financieros de la vida universitaria, para la mayoría de las personas, puede que el salario sea un pensamiento dominante.

El panorama desde abajo

Algunos de mis colegas, especialmente aquellos de nombramiento interino (sin los beneficios del *tenure*, ver Capítulo 10), pueden tener una visión diferente de nuestra profesión y sus placeres. Podrán considerar mis palabras como engreídas, escritas como halago para aquellos que lo "lograron", y sin tacto para con los académicos jóvenes que todavía están trepando la escalera o para con aquellos que nunca alcanzarán la cima. Estos sentimientos son comprensibles, aunque nadie comienza como profesor *tenure*, y todos nosotros hemos experimentado alguna de las mismas agonías. Lo que cambia de tiempo en tiempo es el estado del mercado académico durante los primeros años de la carrera; por ejemplo, la década del 50 fue mediocre para quienes buscaban trabajos académicos; era difícil encontrar buenos cargos. Recuerdo mi último año como estudiante de investigación en Japón (1957-1958), casado y con un hijo, esperando desesperadamente una oferta de trabajo que llegara desde mi patria. Finalmente Berkeley llegó a fines de la primavera (fue mi única oferta). En contraposición la década del 60 fue sorprendentemente excepcional ya que las universidades en todas partes del país se expandieron como consecuencia del Sputnik y la Gran Sociedad. La demanda fue tan fuerte que probablemente descendieron los criterios para la contratación. Durante la década del 70, las reducciones gubernamentales en educación y el estancamiento debido a la inflación crearon un mercado de trabajo desastroso para los académicos durante casi toda la década y la primera mitad de los 80. Muchos de los mejores académicos jóvenes tenían dificultades para encontrar trabajo. Actualmente la situación está mejorando debido a que la generación de profesores de posguerra alcanza los 70 años de edad y las instituciones de enseñanza superior se benefician con una mejora económica general. Obviamente la disposición de los miembros jóvenes de la facultad que compiten por cargos o promociones está estrechamente relacionada con sus propias oportunidades en el mercado académico. Unos pocos genios —o casi genios— siempre estarán en demanda, pero, la disposición de los individuos aún con talentos sobresalientes se verá afectada por el número de vacantes en los ámbitos más importantes.

La fortaleza y debilidad de las fuerzas del mercado no son la historia completa. Como consecuencia de un "ascenso o despido" o sistema probatorio (ver Capítulo 10 sobre el *tenure*) el entorno siempre le parecerá cruel al "profesor junior". El simple uso de este término crea una atmósfera paternalista.

169

Todos los llamados *juniors* tienen títulos de Ph.D o similares. Son adultos, la mayoría está alrededor de los 30 años, y con frecuencia son reconocidos internacionalmente en sus especialidades. Sus competencias técnicas y su dominio de las últimas herramientas de investigación son, a menudo, superiores a la de sus colegas más antiguos, por el hecho de haber sido entrenados recientemente. Desde el punto de vista de la enseñanza, investigación, asesoramiento o asignación de comisiones, realizan exactamente las mismas funciones que sus colegas mayores; en verdad, a los profesores *juniors* se les ofrece, rutinariamente, las asignaciones menos deseables: se les asignan cursos obligatorios poco populares, asesoramiento igualmente impopular a estudiantes y clases que comienzan a las ocho de la mañana o en las últimas horas de la tarde del viernes. Finalmente, llegamos a la singularidad básica de la falta de estabilidad en su posición: hacen exactamente lo mismo que los profesores *seniors*, solo que por la mitad del sueldo, menos estatus, menos servicios y un futuro incierto. Es una situación poco común y alienante.

En el Ejército —para citar un ejemplo de otra organización jerárquica— los cuerpos de oficiales se dividen en grado de compañía, grado de campo y oficiales generales, todos con distintos sueldos y privilegios. Esto refleja jerarquía, obligaciones y responsabilidades. Comandar un pelotón o comandar un ejército no son la misma cosa. Para hacer las cosas correctamente, un general necesita más plantel que un teniente. Un estudio de abogados se asemeja más a un departamento universitario, con sus divisiones entre asociados y socios; pero, incluso aquí, la situación académica es poco común ya que en un estudio de abogados, por lo general, los asociados asisten o trabajan bajo la supervisión de los socios, y esto no ocurre en la universidad: un *assistant profesor* no asiste a nadie, un *associate profesor* no es adjunto ni asociado de nadie, son meras asignaciones para académicos independientes que reciben un sueldo menor y poca ayuda secretarial mientras que realizan las mismas tareas que los catedráticos. Tanto para los de afuera como para los de adentro, estas cosas les deben parecer ejemplos de explotación.[9]

9. Algunos de mis colegas pueden objetar esta descripción y alegarán que los profesores con *tenure* tienen obligaciones administrativas más agobiantes dentro y fuera de la universidad. Muchos participan en comités nacionales y son activos en una variedad de academias y sociedades profesionales. Los profesores *seniors* también apuntarán a la carga pesada que tienen al dirigir las tesis doctorales. Aunque las situaciones individuales varían, rechazo la validez promedio de estos alegatos. Las obligaciones administrativas son tanto beneficios como costos y raras veces uno se ve forzado a realizar estas tareas. Lo mismo ocurre con el servicio nacional. Además, no todos los profesores tienen muchos estudiantes candidatos al doctorado, y cuando son numerosos, ▶

Como si todo esto no fuera suficiente, nosotros asestamos un golpe que crea la más profunda de las heridas psicológicas: el rechazo explícito que ocurre, casi siempre, al finalizar un período de 6 u 8 años. En Harvard, en la Facultad de Artes y Ciencias, el rechazo aparece en aproximadamente ocho de cada diez casos. Las proporciones varían pero en las instituciones que están incluidas en "Dos Tercios de las Mejores", la retención nunca es una rutina. Además, el no ser promovido a titular no es consecuencia de un acto casual. Esto no ocurre porque alguna autoridad anónima se olvida de renovar un contrato o cita razones creíbles de, digamos, apuro económico; más bien, por el contrario, el rechazo es cuidadosamente calculado, determinado por colegas cercanos e incluso es público. Desde este punto, el académico está marcado con una letra escarlata, siempre teniendo que explicar la base de un juicio negativo presumiblemente erróneo. En cada caso con el que estoy familiarizado, el resultado es una cicatriz que no puede ser borrada por la recompensa de los honores profesionales más altos.

¿Por qué alguien, aparentemente inteligente, es tan tonto como para permitir ser colocado como miembro *junior* de la universidad?, ¿es masoquista? En absoluto: su elección es razonable porque el dolor de los primeros años se ve superado por las recompensas de una carrera con *tenure*. Lo que los economistas denominan "revelación de la preferencia" cuenta la historia: lo que más quieren los miembros interinos de la facultad es ser profesores en buenas universidades; otras alternativas atractivas son, claramente, una elección alterna. Las así denominadas "víctimas de la explotación" son firmes creyentes de la vida académica, como lo revelan sus actitudes y, sobre todo, sus acciones.

Aunque basado en evidencia imprecisa, creo que los observadores de la escena académica acordarán que los mejores estudiantes de posgrado y los profesores *juniors* desean permanecer en la academia. Esto es verdad en Artes y Ciencias, y en un nivel menor se aplica a las escuelas profesionales: Economía puede ser un ejemplo excelente porque es un campo cuyas habilidades se utilizan dentro y fuera de la universidad.

Una cantidad de graduados de economía en Harvard han realizado carreras distinguidas en bancos o en el gobierno, o en organizaciones internacionales; y algunos han hecho grandes fortunas. Cuando surgen sus nombres y

171

▶ su presencia se considera como señal de la excelencia intelectual del profesor. La diferencia más clara es que los miembros interinos no participan en el trabajo intensivo relacionado con las promociones al *tenure*. Está claro que no es una discrepancia suficiente para justificar la brecha entre los dos grupos.

logros en alguna conversación, aparece un cierto tono de pena: "Rubinstein es dueño de un cuarto de Manhattan y es consultado regularmente por el Presidente de Estados Unidos. Lo recuerdo como un joven brillante y encantador, lástima que no fue lo suficientemente bueno para llegar a profesor de Berkeley." Rubinstein puede no compartir estos sentimientos, pero creo que representan justamente las actitudes académicas de todos los rangos. También sé de una cantidad de estudiantes que —durante los años difíciles de las décadas del 70 y principios del 80— ocuparon puestos lucrativos en el mundo de los negocios; pero a la primera oportunidad que tuvieron, reanudaron felices sus carreras académicas.

De hecho, la mayoría de los profesores sin *tenure* consiguen puestos eventuales en otras universidades, aunque no necesariamente en la institución donde primero ejercieron como profesores. Aunque el mercado académico sea fuerte, tampoco es posible para las principales universidades contratar a todos los académicos de talento. En esos tiempos, sin embargo, una asignación *junior* en, por ejemplo, Harvard, Stanford o Chicago garantizaba con bastante probabilidad un puesto excelente en alguna otra universidad apreciable de Estados Unidos. En otros tiempos, el *tenure* en un buen lugar puede ser una meta escurridiza. Durante la década de las vacas flacas de la década del 70 se desarrolló una clase de viajantes académicos cuyos miembros nunca "escalaron" y siempre se "les mostró la salida", por lo que se convirtieron en visitantes permanentes y, sin duda, algunos abandonaron el mundo académico para conseguir otras ocupaciones. No conozco ningún cálculo firme sobre el tamaño de esta desdichada cohorte, pero mi observación personal me lleva a pensar que el número no es grande. Lograr el *tenure* no es una expectativa poco realista, aunque muchos académicos jóvenes en las universidades mejores clasificadas deben descender un peldaño para conseguir seguridad. Esto mejora la calidad a escala nacional y es una razón que explica el número creciente de centros de excelencia académica en nuestro país.

Sería útil hacer una aclaratoria adicional. Desde mi punto de vista, la oferta de talento académico puede ser dividida en dos amplias categorías: aquéllos con gran ventaja comparativa para la enseñanza y la investigación (a veces manifiestamente incompetente para otra clase de trabajos) y aquellos que poseen talentos más generales (individuos que pueden realizar bien una variedad de cosas). El primer grupo se ve fácilmente seducido por el atractivo de la vida universitaria: aman el conocimiento en detalle y jugar con las ideas; odian el control de asistencia y quieren ser sus propios jefes; pueden preferir los libros y las ideas que a los seres humanos; pueden ser rechazados por lo que el *Harvard Crimson* denomina "El Mundo Real". Todos nosotros hemos conocido muchos ejemplos de esta clase, es casi la caricatura aceptada de un profesor y tiene un dejo de verdad. El segundo grupo se unirá a los talentos académicos solo si el sacrificio financiero no es demasiado grande: cuando el mercado está fuerte les agrada formar parte de nuestra compañía; cuando es débil, y existen otras alternativas profesionales, miran más allá de las paredes recubiertas de hiedra. Contar con gente cuyo "fuego en las entrañas" es académico exclusivamente, quizás no conduzca a reunir un grupo lo suficientemente grande de talentos. Tenemos un motivo importante para estar siempre preocupados sobre el grado de atractivo que tienen nuestras condiciones de trabajo.

"¡Ascender o ser despedido!" es un eslogan despiadado y la causa radical de la miseria de no tener *tenure*. Si bien el *tenure* es una práctica defendible y necesaria, no es una señal amistosa de bienvenida. Donde se practica la contratación con promesa de *tenure* (ver Capítulo 11) y donde el darwinismo social está un poco más enmudecido, puede que haya menos ansiedad entre los rangos de períodos probatorios; pero estos períodos son un ensayo y, por definición, el resultado es incierto. Es la pura verdad, pero no hay necesidad de disfrutar maliciosamente del sufrimiento de nuestros colegas más jóvenes. Un nombramiento por un semestre en la universidad no necesita ser el equivalente moral a la iniciación en una fraternidad en la cual se rechazan la mayoría de los compromisos. "Ascender o ser despedido" solamente puede justificarse como una manera de elevar la calidad de los nombramientos de *tenure*, pero someter a los futuros candidatos a una sarta de humillaciones desagradables no mejora el rendimiento.

Para quienes somos "accionistas" permanentes de la universidad, existen dos obligaciones de cara a nuestros colaboradores sin *tenure* que son, rara vez, representados en forma adecuada o con cortesía. Primero, debemos poder ponernos en sus zapatos en todo momento: si aprietan nos debe hacer entender las ansiedades, dolores y neurosis ocasionales que afectan a este grupo; porque observar el mundo desde sus perspectivas alentará a tener actitudes más tolerantes, compasivas y comprensivas, y los disgustos también deberían disminuir. La otra obligación —y esta es una cuestión de simple interés personal— es crear circunstancias que permitan a estos académicos lograr el máximo crecimiento intelectual posible durante sus períodos de contratación. Las necesidades cambiarán con los tiempos en que nos toca vivir, nuestras áreas de especialización y otras varias circunstancias especiales. En

173

mi experiencia, nuestras mejores universidades no siempre cumplen con esta obligación a los niveles más altos de excelencia. Me gustaría hacer algunas modestas sugerencias.

Algunas están siendo abordadas actualmente: mejorar las circunstancias de las parejas en las que los dos trabajan, a través de ofrecer centros para cuidado de los niños y una bolsa de trabajo para cónyuges. Los subsidios para la vivienda son cruciales en algunas áreas del país. Estas son medidas onerosas y obvias.

Mucho menos comprendido y, rara vez puesto en práctica, es el principio de que *las compensaciones profesionales adicionales deberían ser independientes del rango profesional*. Como ya lo he señalado, el aspecto poco común de nuestra jerarquía es que los miembros realizan esencialmente las mismas tareas cualquiera que sea su rango; entonces ¿por qué debería tener un catedrático ventajas desde el punto de vista de la asistencia secretarial o ayuda en investigación?, ¿o equipo de laboratorio?, ¿o dinero para viajar a conferencias?[10] Un mayor énfasis sobre estos beneficios, una redistribución de los recursos, ayudaría a los colegas más jóvenes a alcanzar su potencial completo y mejorar las oportunidades de promoción interna; y, a cambio, esto elevaría la moral y la eficiencia: la promoción es mucho más económica que traer una "estrella" de afuera.[11]

174

Mi última sugerencia es la más difícil de poner en práctica y, tal vez, sea la más importante. Los departamentos académicos deberían proporcionar el sentido de comunidad a los académicos jóvenes, con mentores, con *seniors* que se tomen el rol de colega con seriedad. Aunque los *assistant* y *associate professors* no son asistentes ni adjuntos de nadie, al menos pueden ser tratados como asociados, y no como transeúntes. Un buen departamento académico debería parecerse a una familia: comprensiva, guiadora y nutricia. En el mejor de los casos, el Departamento puede convertirse en un socio para del progreso de sus miembros jóvenes, ayudando a cada uno a desarrollar sus capacidades.

10. Para explicarme más claramente, no tengo ningún problema con la asignación de oficinas sobre la base de la jerarquía. Es un tema superficial: la calidad y cantidad de trabajo se ve relativamente poco afectada. (Esto no es cierto en los estudios en bibliotecas, éstos podrían afectar la calidad y cantidad de la investigación.) La asistencia secretarial o de investigación tiene una influencia mucho más directa sobre las actividades profesionales.

11. Una promoción interna siempre se relaciona con un académico relativamente joven que puede considerarse una promesa. El poder de negociación de ese individuo tiende a ser más bajo comparado con una "estrella" de una institución rival.

Nada de esto eliminará el dolor de un eventual rechazo. Las probabilidades de que esto ocurra siguen siendo altas; pero, seguramente, el dolor disminuirá y podrá transformarse gradualmente en recuerdos placenteros. Estos recuerdos afectarán de manera positiva a las futuras generaciones de alumnos que puedan sentirse atraídos por carreras académicas. Transformar un círculo vicioso en uno virtuoso es posible.

Esta introducción a la vida académica desde el punto de vista profesional se ha referido muchas veces al *tenure* o permanencia académica. La seguridad académica con respecto al empleo es un tema importante y frecuentemente mal entendido. El próximo capítulo habla de esto.

175

CAPÍTULO DIEZ

Tenure: el significado del *tenure*[1]

Desde hace mucho tiempo soy consciente de que la mayoría aplastante de los no académicos ven el *tenure* con profunda desconfianza. Recientemente *The Economist*[2] describió el *tenure* como una promesa a los profesores de que "pueden pensar (o pasar el rato) en una paz mal remunerada, sin tener que rendir cuentas a nadie". El sentimiento general es que nosotros, los académicos, de alguna manera nos "estamos saliendo con la nuestra". El *tenure* de por vida conduce a la holgazanería, ahoga los incentivos y contribuye directamente a la falta de buen desempeño en el trabajo: es una

---

1. Nota de la traducción: se denomina *tenure*, en las universidades del mundo anglosajón, a la modalidad de contratación de profesores por tiempo indeterminado que solo puede cesar por justa causa: por ejemplo, inconducta, incumplimiento de los deberes de profesor o una crisis financiera grave de la universidad. En las últimas décadas se registra una tendencia a disminuir el ofrecimiento e incorporación de nuevos *tenure*.

Al *tenure* se accede en general mediante un procedimiento que puede llegar a ser muy competitivo y que puede requerir: varios años de tareas docentes y en general la recomendación de los pares, o transitar un concurso abierto, o bien la invitación directa de quien esté a cargo de la búsqueda y selección. La decisión es tomada, por el decano, el presidente o el *board* de la universidad, según lo determinen los estatutos de cada institución.

2. "The *Tenure* Temptation" (28 de febrero de 1987).

receta para echarse a perder. También hay una creencia de que es una costumbre inmoral, incluso contraria a la manera de ser norteamericana. A estas vagas consideraciones se les debería agregar las opiniones de los estudiantes sobre el hecho de que a sus docentes favoritos se les niega sistemáticamente el *tenure*, así como también la convicción de que algunos miembros jóvenes del personal docente sin *tenure* son más inteligentes y más calificados que los viejos "bastardos" que les niegan la promoción. Este es un recuento de los hechos en que se basan las acusaciones.

Puede que yo haya exagerado los sentimientos en contra del *tenure*, pero no mucho; por una serie de razones —que serán tratados luego— son sorprendentes. En Estados Unidos, la permanencia académica tiene antecedentes legales y sociales que se remontan a la década del 20, y no hay necesidad de describirlos aquí[3] porque mi interés se centra en el presente y no en la historia. Incluso en aquellos tiempos una definición y descripción general resultaría difícil. En el 94% de las escuelas y universidades en Estados Unidos,[4] *algunos* profesores conservan sus puestos de por "vida" —es decir, hasta la edad de jubilación— y, en general, no pueden ser removidos por la administración salvo por grave incumplimiento del deber, incapacidad física o mental, un desliz moral grave, o serios problemas financieros de la institución. Existe un requisito adicional sobre el despido de un profesor con *tenure* —evento poco frecuente— y es que se debe seguir una forma de procedimiento reglamentario. Por supuesto, también es posible intentar conseguir el cumplimiento de los contratos de *tenure* por medio de las Cortes.[5] Hago hincapié en *algunos*

---

3. Una gran cantidad de información útil se encuentra en la Comisión sobre el *Academic Tenure* en Educación Superior, en *Faculty Tenure* (San Francisco: Jossey-Bass Publishers, 1973).

4. Una encuesta realizada en 1972 reveló que "los planes de *tenure* existen en todas las universidades públicas y privadas y en *colleges* con carreras de 4 años; en el 94% de los *colleges* privados y en más de los dos tercios de los *colleges* de 2 años, públicos y privados. Un estimado del 94% de todos los miembros del personal docente de las universidades y *colleges* norteamericanos están en instituciones que confieren *tenure* [...] Una cantidad sustancial de instituciones —a mayoría de ellas *community and junior colleges* o instituciones que ofrecen carreras o cursos de 2 años— no operan bajo un plan de *tenure*, pero sí bajo alguna forma de sistema contractual". *Ibídem*, pp. 1, 10.

5. Cito a continuación *todo* lo que figura en los Estatutos de Harvard respecto del *tenure*: "Los *professors* y *associate professors* son designados sin un límite expreso de tiempo salvo que se especifique de otra manera. Todos los otros funcionarios son designados por un período determinado o por períodos de duración no establecida, sujetos al derecho de la universidad de fijar el período de dicha asignación en cualquier momento. Todos los funcionarios que tienen asignaciones de enseñanza, como lo define cada tanto la Corporación con el consentimiento de los *Overseers*, están sujetos a ser despedidos por la Corporación solamente por mala▶

profesores porque la recompensa *tenure* por lo general involucra un período a prueba, que dura entre 3 y 8 años.[6]

Por lo general, el *tenure* está vinculada al rango. Los *professors* y *associate professors* tienen normalmente puestos estables pero no ocurre lo mismo con los *assistant professors*, instructores y otros profesores que no los tienen.[7] La situación es mucho más complicada porque es probable que haya varias formas de seguro de empleo en las instituciones de educación superior. A los miembros *junior* de la facultad (instructores y profesores adjuntos) se les ofrecen contratos por un período determinado. Muchos investigadores, algunos profesores y administradores son los beneficiarios de los cargos "sin límite de tiempo": una presunción de trabajo continuado. En Harvard, hemos utilizado, en forma informal, el término *"tenure* industrial" para este grupo, lo que implica la perspectiva de trabajos a largo plazo salvo que haya un cambio básico en las necesidades o finanzas de la universidad. Sin embargo, el *tenure* o permanencia *académica* es bastante especial y diferente. Ningún rector o decano puede tenerla en sus puestos. Es solamente un privilegio del profesorado. Junto con este privilegio debería surgir el derecho a elegir el camino del propio desarrollo intelectual. Como decano, si le hubiese dicho al rector que los temas financieros y educativos se han tornado pesados y que intento utilizar los próximos años para enfocar la calidad del equipo de fútbol de Harvard, él sin duda hubiese solicitado mi renuncia inmediata, a pesar de su bien conocido entusiasmo juvenil por los deportes atléticos. Como profesor titular, le puedo informar a mi rector que planeo cambiar mi especialización de Historia Económica Japonesa a Estudios Económicos Rusos; y, mientras sea competente para llevar a cabo mis intenciones y lo pueda realizar en un período de tiempo razonable, el rector no podrá frustrar mi nuevo camino elegido. Hay que recordar las dos joyas de la corona que tienen los profesores con *tenure* en una institución de primera categoría: independencia y seguridad.

Permítanme intentar exponer un argumento afirmativo a favor del *tenure* como una de las virtudes necesarias en la vida académica. La primera línea habitual de defensa es *el tenure como principal garantía de libertad académica,*

179

► conducta o incumplimiento del deber. Los funcionarios que tienen cargos profesionales o administrativos están sujetos a despido por parte de la Corporación por mala conducta o cuando, en su opinión, sus obligaciones no son cumplidas satisfactoriamente".

6. En algunas universidades de medicina, el período a prueba puede ser entre 10 y 12 años.

7. En Harvard, en la Facultad de Artes y Ciencias, solamente los catedráticos *full time* tienen *tenure*.

que asegura el derecho a enseñar lo que uno cree, exponer ideas académicas y no académicas impopulares, actuar de acuerdo con el conocimiento y las ideas como uno las percibe sin temor al castigo. Pocos profesores considerarán la necesidad de esta clase de protección como algo de poca importancia, ya que nuestro país tiene una extensa historia de persecución profesional por razones políticas manifiestas. Durante mi vida he visto los estragos del macartismo y otras clases de caza de brujas.

Como grupo, los docentes universitarios son, probablemente, menos convencionales (menos conformistas) que la población promedio y, por consiguiente, pueden levantan sospechas de ser corruptores de la juventud. Los conservadores parecen especialmente encantados con esta consideración. También los profesores tienden a ser verbales y visibles, y están entrenados en la promoción de las ideas. Las pasiones alcanzan el punto de ebullición fácilmente en las universidades y pueden llamar demasiado la atención. La protección puede ser tan necesaria en caso de agresión tanto interna como externa.

180

Las administraciones, con o sin presión externa, han sido conocidas por intentar imponer sus propias versiones de ortodoxia. Debo admitir que si yo hubiese sido rector universitario durante la revuelta de fines de los 60, la tentación de despedir a ciertos miembros de la facultad hubiese sido casi irresistible. No estoy pensando en ideas o discursos impopulares, pero sí en sentadas, irrupciones violentas y otras formas de comportamiento incivilizado, especialmente de parte de aquellos que deberían haber sido un ejemplo para los estudiantes. Recordando el pasado, me contenta que el *tenure*, y lo más importante, la tradición de libertad académica hubiera proporcionado una defensa contra aquellos con mi mal genio e impulsos infames.

Nada puede disminuir la necesidad de libertad académica; su ausencia ha convertido en caricaturas a las universidades de muchas partes del mundo contemporáneo. La dificultad yace en realizar una estrecha conexión entre la libertad académica y el *tenure*. ¿No necesitan tanta o más protección los profesores jóvenes sin *tenure*? Algunas veces se sugiere que un cuerpo impertérrito de colegas *senior* (con *tenure*) sirve como aval de libertad para todos. Esto no es convincente. Para que sea realmente efectivo, estos cuerpos míticos deberían estar unidos precisamente cuando la libertad se ve amenazada y abunda la controversia, y eso es una quimera. No necesitamos teorizar. Durante el principio de la década de los 50, una cantidad de instructores y profesores adjuntos de Harvard fueron víctimas de las presiones políticas macartistas:

algunas asignaciones temporales fueron rescindidas antes de tiempo; algunos dejaron "voluntariamente" para no tener que enfrentar una investigación sobre sus opiniones y afiliaciones políticas. Lo mismo ocurrió en otras partes y no recuerdo que los mayores hayan organizado una defensa efectiva. Por supuesto, la libertad para algunos es mejor que la libertad para ninguno: hay que reconocer que el *tenure* ayuda a conservar la libertad académica.

Así y todo, Estados Unidos es un país considerablemente más tolerante ahora que, digamos, hace 25 años. Somos menos provincianos y más indulgentes; algunos dirían más (o demasiado) permisivos. El hecho es que el rango de comportamiento y pensamiento aceptado socialmente es extremadamente amplio. Nuestras cortes son también más activistas en lo que respecta a la defensa de los derechos individuales. Por todas estas razones, la libertad académica pudiera no estar amenazada en estos tiempos aunque un movimiento retrógrado siempre es posible. A mí no me parece muy probable en el futuro, pero ¿quién soy yo para predecir esto?[8]

Otra línea de respaldo para los contratos (laborales) de por vida es un grupo de razones que denominaré *tenure como recurso de disciplina interna*. Otorgar el *tenure* es costoso para las instituciones, departamentos y colegas. Una vez otorgada, la universidad tiene la obligación de pagar un salario relativamente alto por un período de tiempo prolongado, como promedio podría pensar en 25 años por lo menos. Los departamentos académicos otorgan afiliación por el mismo período de tiempo y deben preocuparse por el alto precio de las equivocaciones. Una vez en posesión del *tenure*, despojar a alguien de su cátedra se hace virtualmente imposible. ¡Y quién quiere semejante error para un colega por 25 años! Por supuesto, también hay generaciones de estudiantes preocupados: las equivocaciones departamentales tienen un efecto directo sobre la calidad de la educación. Una consecuencia conveniente y saludable de que el costo sea elevado en diferentes sentidos es que la existencia del *tenure* anima a los departamentos y a aquellos que revisan sus acciones, a tomar decisiones difíciles que, de otra manera, tratarían de evitarse. Así, el *tenure* es un factor para conservar y elevar los valores; elegir colegas de por

181

---

8. "Pocas cruzadas han sido más exitosas que las que atañen a los derechos de los modernos profesores universitarios para garantizar su seguridad cualesquiera que sean sus creencias y declaraciones. No deberíamos dejarnos engañar respecto a este tema por nuestra arraigada tendencia a pelear batallas que ya están ganadas", discurso de John Kenneth Galbraith (Universidad de California en Berkeley, 27 de marzo de 1986). Uno también podría pensar en garantías de contratos que efectivamente protegerían la libertad académica; por ejemplo, comité de quejas con afiliación imparcial.

vida se convierte en una cuestión de suma seriedad.

¿Pero por qué seguir por este camino en primer lugar? Porque sin obligaciones a largo plazo, nuestro sentido de disciplina interna sería mucho más débil. La tentación de extender el trabajo de un individuo muchas veces por "1 año más" (solamente para evitar disgustos) podría volverse difícil de resistir. No puede ser un accidente que las profesiones en las que la colegiatura es importante, usen sistemas que se acercan bastante al *tenure* académica. El mejor ejemplo son los bufetes de abogados: el nombramiento de asociado se parece al *tenure* y la disciplina de la selección mejora por la duración del compromiso tácito. Tanto los bufetes de abogados como las universidades evitan las revisiones periódicas y perpetuas de socios o profesores titulares, lo que demandaría, dividiría y destruiría el ideal colegial; una vez es suficiente: para elegir socios o para ofrecer un *tenure*, pero esa "única vez" tiene que estar sujeta a normas extraordinariamente rigurosas.

Existen otros argumentos tradicionales a favor del *tenure*. Se dice que la práctica contribuye a la estabilidad institucional porque se espera que quienes tienen la seguridad del *tenure* juzguen a otros de manera más justa y profesional, y no sobre la base de una ventaja competitiva personal; y un sistema de escalar posiciones o ser despedido (un corolario del *tenure*) evita la explotación a largo plazo de profesores-académicos de rango *junior*.[9] Todos estas consideraciones son válidas hasta cierto punto, aunque parecen igualmente razonables en otras formas de empleo, abarcando desde la fábrica japonesa al hospital americano. Para mí, la esencia del *tenure* académico yace en la consideración de un motivo más.

Tengo la idea del *tenure como contrato social*: una forma de contrato social apropiado y esencial en las universidades. Es apropiado porque las ventajas superan las desventajas. Es esencial porque la ausencia de *tenure*, a la larga reduce la calidad del personal docente y esta es la piedra angular de la vida académica. El mejor cuerpo docente atraerá a los estudiantes más capaces, producirá a los mejores egresados, generará apoyo para la investigación, etc. A diferencia de otros sectores de la economía, las posibilidades de progreso tecnológico y organizativo se ven más limitadas en la educación superior. Sustituir el capital por trabajo no parece especialmente prometedor y casi todo depende de la calidad de las personas.

---

9. Aunque podría existir un sistema de "escalar posiciones o ser despedido" sin ofrecimiento de *tenure*.

Nuestras vidas profesionales, como ya intenté demostrar, pueden ser descritas como un "buen acuerdo". Comparativamente hay pocas rutinas desagradables; para muchos de nosotros, el trabajo se aproxima al placer en entornos agradables. Existe, sin embargo, otro aspecto que debe ser considerado. Nuestros trabajos como profesores *senior* en universidades importantes requieren una inteligencia superior, talentos especiales e iniciativa. Estos atributos están en gran demanda: el mundo de los negocios, del derecho, de la medicina y otras profesiones buscan gente con características similares; y algunas de estas carreras prometen, a un riesgo considerable, muchas más recompensas económicas. Al momento de la elección de nuestra carrera todos tuvimos que enfrentar una variedad de alternativas y casi todas eran potencialmente más lucrativas que enseñar. El salario actual anual promedio (1988-1989) de un profesor catedrático en Artes y Ciencias de la Universidad de Harvard es de alrededor de 70.000 dólares y es uno de los promedios más elevados de las universidades de Estados Unidos. La edad promedio de los profesores con *tenure* es de aproximadamente 55 años y un profesor medio es una autoridad reconocida mundialmente por un tema u otro. Los profesores adjuntos, todos con títulos de doctorado, comienzan en alrededor de los 32.000 dólares. Los abogados, recién salidos de la universidad, serán contratados por empresas de Nueva York con una compensación anual de aproximadamente 70.000 dólares. Todavía tiene validez lo que dijo Teddy Roosevelt en 1905:

183

> [...] valoro al máximo el hecho de que el mayor trabajo de todos nunca se verá afectado, de una manera u otra, por cuestiones de compensación [...] pero, también es cierto que el efecto sobre las mentes ambiciosas no puede ser sino negativo, si como personas demostramos nuestro poco respeto por los logros académicos al no tomar medidas para recompensarlo.[10]

Escoger la carrera académica envuelve una elección entre costos y compensaciones. El costo es económico y esa carga es compartida por la familia. Los beneficios no son en el sentido estrecho, materiales, pero uno de los más importantes es el *tenure*. Desde mi punto de vista, el *tenure* implica unirse a una gran familia: es decir, el contrato social. Cada lado puede conseguir un divorcio: la universidad solamente bajo circunstancias extraordinarias y

---

10. Discurso pronunciado por el Presidente Teodoro Roosevelt en la Universidad de Harvard el 28 de junio de 1905. Quisiera agradecer al profesor Robert J.C. Butow por llamar mi atención hacia esta cita.

el profesor tan fácil como un hombre bajo la ley islámica. No es un trato desigual ya que la universidad necesita la participación de personas talentosas y los profesores canjean la seguridad a largo plazo y la pertenencia a la familia académica, por compensaciones económicas inferiores.

Como decano interpreté el *tenure* de esta manera, y tuve muchas ocasiones para poner esta interpretación en práctica. Mi puerta siempre estaba abierta para mis colegas e intentaba poner todos los recursos de Harvard a su disposición, tanto en lo personal como en lo profesional. Problemas de alcoholismo, divorcios, enfermedades prolongadas llamaban mi atención y espero que se hayan abordado con un espíritu familiar. En Artes y Ciencias no existía una política específica de licencia por enfermedad para profesores, se trataba en forma informal y con gran generosidad. Uno de mis docentes tuvo una apoplejía y estuvo incapacitado durante 6 años. La facultad lo conservó en su nómina. Tal vez fue una práctica desfavorable desde el punto de vista de los negocios, pero sí una excelente práctica familiar.

No quisiera dar la impresión de que la afiliación a la familia de los profesores con *tenure* no es más que otra manera levemente más generosa de seguro de salud; es una visión mucho más amplia: en realidad es un estado de ánimo. Por ejemplo, cuando surgían oportunidades especiales, las reglas se rompían alegremente o se reinterpretaban a favor del individuo. Una invitación tentadora del extranjero podía significar la necesidad de financiar un viaje o un período de licencia extra; una idea para una nueva investigación podría significar un capital para iniciar algo mayor; uno podía acercarse siempre a los recursos de la facultad a través del decano. No todos recibían lo que querían, pero el decano intentaría ayudar, proclamando en voz alta que sus acciones no constituían, de ninguna manera, un precedente.

¿Estoy instando, con un excesivo sentimentalismo, a una interpretación desmesuradamente paternalista? No si uno considera a los profesores como accionistas sin jefes y no como empleados. El decano es *primus inter pares* (el primero entre iguales), un colega que conduce temporalmente el espectáculo antes de ser reemplazado por otro par. Sus acciones no son favores otorgados desde la superioridad sino inversiones en el bienestar general y, por lo tanto, en la calidad de la empresa familiar: en aquellos con afiliación permanente que forman un conjunto de propietarios.

Existe otro aspecto del *tenure* que debería ser mencionado cuando enfatizamos "familia extensa" y "propiedad". Tener la seguridad de un puesto laboral hasta la jubilación obviamente remueve uno de los principales temores que aquejan a los trabajadores en nuestra sociedad. Mucho más significativo, el sistema de *tenure* visto como un contrato social también significa que la edad no trae aparejada una manifiesta pérdida de respeto. Los derechos del individuo están asegurados y no cambian hasta la jubilación. Incluso después de la jubilación, la mayoría de las universidades continúan otorgando valiosos privilegios a los *emeriti* (eméritos): los científicos mantienen un espacio, si bien reducido, en el laboratorio, a otros se les otorgan oficinas, y el uso de todas las instalaciones comunes (bibliotecas, clubes, etc.). Estos son hábitos caros (algunos los catalogarían como una mala administración) y uno tiene que admitir que hay abusos.[11] No obstante, la posibilidad de envejecer con dignidad es muy atractiva y poco frecuente en nuestro país, y los abusos relativamente insignificantes tiene un pequeño costo.

Estoy seguro que algunos colegas míos en Harvard y en otros lados estarán tentados a rechazar mi interpretación del *tenure* como contrato social, especialmente si tienen menos de 50 años. Está de moda que los jóvenes académicos destacados o reconocidos digan que no les importa ni les preocupa el *tenure*, especialmente después de haber alcanzado ese estatus.[12] Estos profesores se sienten extremadamente cambiantes y saben que, si lo desean, otras escuelas pueden presentar una oferta atractiva por sus servicios. Algunos pueden tener dificultad en ver en sus colegas una familia extensa. Todo lo que les llega tienden a interpretarlo como derechos inalienables o simplemente el reconocimiento de los méritos personales. Esto es nuestra contrapartida a las jóvenes estrellas de cine, hombres y mujeres bendecidos con una gran belleza y deseados por el estudio cinematográfico y el público. Así como las estrellas de edad avanzada encuentran pocos roles (la cantidad de John Waynes es muy limitada) lo mismo ocurre con los ascensos que declinan considerablemente para profesores con apenas 50 años. Tal vez uno puede siempre ir a otro lugar, pero el rango de opciones se vuelve muy restringido; y aunque la familia puede dar lo máximo a los miembros jóvenes, el reconocimiento de los valores está probablemente más desarrollado entre los mayores.

He intentado describir las características más preciadas del contrato social académico (que para mí es la esencia del *tenure*). El "mundo real" tiene

185

11. En Harvard, por ejemplo, una gran proporción de "boxes" en la Biblioteca Widener son asignados a profesores retirados que los mantienen de por vida. Muchos de ellos los utilizan muy poco, mientras que académicos jóvenes más activos esperan durante años por un espacio disponible.

12. Rara vez he escuchado de alguien sin *tenure* que la haya rechazado.

sus propios caminos para motivar e inspirar la lealtad en sus diversas comunidades. Ya hemos mencionado el elevado bienestar económico y arreglos específicos, planes de jubilación extremadamente generosos, contratos blindados, clubes de miembros y otros convenios imaginativos son las opciones que existen. Además, el *tenure* no está ciertamente restringido a la educación superior. Todos los jueces federales, muchos funcionarios, y maestros de escuelas primarias y secundarias participan en convenios similares. Por esta razón me deja perplejo la desconfianza externa ante esta costumbre académica. Al final, debe relacionarse con la combinación académica especial de mucha libertad (pocas obligaciones formales) y seguridad; y esto es lo que hace surgir la desconfianza: no hay trabajo de 9 a.m. a 5 p.m.; no hay un lugar de trabajo asignado, excepto unas pocas horas en las aulas; y la seguridad de ¡un cheque mensual! Una receta perfecta para la holgazanería, a menos que el trabajo y el placer estén sumamente correlacionados... y lo están.

Pero existen otros factores más externos que inducen a la disciplina: la presión de los pares ha sido aludida un buen número de veces; pocas ocupaciones producen tantos juicios regulares y públicos sobre sus miembros; nuestros libros son revisados y, rara vez, sin unas gotas de ácido; nuestros artículos son evaluados y a veces rechazados; y las solicitudes de subsidios o becas fracasan de tanto en tanto. La afiliación a las academias, despachos en sociedades cultas, nombramiento de cargos, y en muchas instancias los salarios, indican abiertamente donde estamos parados en relación con los otros. Los estudiantes son un estímulo adicional: dar una conferencia en aulas casi vacías desalentará al más grande ego y las evaluaciones desfavorables, a veces mordaces de los estudiantes han podido cambiar los hábitos a más de un profesor.[13] La presión para producir una investigación de calidad en cantidades adecuadas y enseñar bien es fuerte, y proviene de muchas direcciones: el despido o la falta de renovación del contrato no son necesarios como refuerzo. La idea de que el *tenure* ampara a los inútiles es falsa, en especial en universidades de primera línea. La combinación de *tenure* y baja calidad es peligrosa y la verdad es que

---

13. Una cita editada del actual *Course Evaluation Guide* publicado por la Comisión de Estudiantes de Harvard sobre la Educación de Grado: "El profesor X perjudica seriamente [el curso]. [Las] presentaciones sin vida, según se informa, hacen hincapié en el material irrelevante para el curso y pasa precipitadamente sobre los temas difíciles e importantes, para gran consternación de los estudiantes. En vez de explicar el significado [científico], el profesor X simplemente escribe formulas en el pizarrón, que los alumnos citan como un ejemplo típico de [un] enfoque superficial.

puede perpetuar la mediocridad o empeorarla. Repito: no es un tema para la clase de instituciones consideradas aquí.

Es cierto que un gran número de profesores con *tenure* presenta problemas peculiares de gestión, en especial si la amenaza, el temor o las órdenes directas son las herramientas preferidas de dirección. En cambio, el énfasis se debe poner en el consenso y la persuasión en un estilo democrático y participativo.

187

CAPÍTULO ONCE

El *tenure*: un caso modelo

M ientras que casi todos parecen tener una opinión sobre los pormenores asociados con el *tenure* académico, muy pocos, dentro y fuera de la universidad, comprenden el proceso, sus objetivos, o sus estándares. Por este motivo pensé que sería interesante describir un procedimiento que ilustre lo que es el *tenure*. Como de costumbre, mis ejemplos provienen de Artes y Ciencias de Harvard, y aunque nuestros procedimientos no son del todo típicos, eso no es muy importante. Los objetivos y valores de nuestras universidades de investigación son muy similares y eso proporciona una amplia aplicabilidad a estos ejemplos.

El número de cargos con *tenure*, en cualquier universidad, está limitado por las restricciones de presupuesto. Estos cargos crean costos fijos en cualquier empresa, y en una universidad privada estos costos deben tener una relación razonable con el ingreso generado por las donaciones y las tasas de matriculación de los estudiantes. En una institución pública, el principal fiador del *tenure* es el poder de los impuestos de cada estado. En Harvard, la creación de una cátedra requeriría en estos tiempos un capital neto de alrededor de dos millones de dólares; el flujo constante de ingreso resultante de dicha cátedra apenas cubriría el salario y compensaciones adicionales de un profesor *senior* y los precios de las cátedras siguen aumentando. Los espacios para *junior* (sin *tenure*) en la facultad son de costos variables: los números pueden ser controlados en el corto plazo ya que, aunque los profesores tengan contratos temporales, los mismos tienen una duración relativamente breve y rara vez exceden los 5 años. En la actualidad, artes y ciencias de Harvard es el hogar temporal de alrededor de doscientos profesores *junior* y de cien conferencistas. Los números tienden a fluctuar y reflejan las necesidades de enseñanza y financiación. De acuerdo con los estándares de la mayoría de las universidades de investigación, la proporción de *tenure* en Harvard es baja (levemente por debajo del 60%). En muchas instituciones, donde obtener un *tenure* es más sencillo o donde la expansión del plantel docente manifiesta un carácter más cíclico, la proporción puede alcanzar un 90%; lo que puede conducir a falta de flexibilidad estructural.

Mientras se escribe esto, la Facultad de Artes y Ciencias es el hogar permanente de alrededor de 400 profesores con *tenure*, asignados a unos 50 departamentos y programas profesionales, y un continuo y lento proceso de reasignación interna refleja una variedad de fuerzas. Las nuevas áreas y algunas veces los nuevos departamentos requieren un liderazgo de especialistas, por ejemplo, los estudios por área (Japón, China, Oriente Medio, ex Unión Soviética, etc.) apenas se conocía antes de la Segunda Guerra Mundial, ahora Harvard dispone de un gran plantel de profesionales en estas áreas. Actualmente también hay departamentos de Bioquímica y Biología Molecular, un grupo importante de ciencias de la computación, un Departamento de Estadística, y uno de Estudios Afroamericanos (todos relativamente recientes). Algunas veces el interés de algún donante expandirá ciertos campos por medio de dádivas restringidas a las condiciones impuestas por quien hace la donación. Recientemente, nuestro personal docente aumentó con profesores de arqueología científica y de estudios contemporáneos de Grecia y Australia. Nos encanta enriquecer nuestros programas con estos recursos adicionales, a pesar de que estos temas no representan las prioridades internas más urgentes. Por último, el reparto de cargos de *tenure* debe reflejar los intereses cambiantes de los estudiantes de grado y de posgrado. Se debe tener en cuenta la demanda por parte de los consumidores de enseñanza y de los que se orientan hacia la investigación, y por eso hay, por ejemplo, más profesores de ciencias política y biología de Acadia o de historia de la ciencia.

Según mis cálculos, en cualquier momento, unas 40 decisiones de *tenure*

190

están pasando por diversas etapas de consideración. Por lo general, las vacantes surgen cuando los profesores *senior* se jubilan, mueren o renuncian, o cuando se crean nuevos cargos permanentes por una expansión planificada o por una donación inesperada. Cuando se cumple el período de contratatación de un profesor *junior* los Departamentos pueden solicitar cargos adicionales con *tenure*. Enfrentados con la amenaza de perder a un joven y deseable académico como lo exige la práctica de "ascender o ser despedido", los departamentos solicitarán frecuentemente una revisión exhaustiva del *tenure*. La jubilación es el origen más común de vacantes de *tenure* en Harvard y en otros lugares. Son menos los casos de fallecimientos y renuncias antes de alcanzar la edad de jubilación. La vida en la universidad es demasiado placentera: durante mi período como decano, hubo años sin muertes prematuras o renuncias al *tenure* por trabajos en otras universidades. Infortunadamente, no todos los años fueron tan buenos: en algunas ocasiones un pequeño número de nuestra mejor gente eligió ir a otros lugares.

En todos los departamentos académicos, las candidaturas al *tenure* son un contrapunto a todas las banalidades de la rutina diaria. Un compromiso permanente con un colega o un ofrecimiento de *tenure* a alguien de afuera representan una inversión sumamente importante y frecuentemente es una gran apuesta. La reputación profesional de los individuos asociados a una disciplina depende, en gran medida, de la calidad del grupo (departamento): ser miembro de un departamento excelente realza la reputación individual y aumenta las oportunidades profesionales. Al menos uno desea que un miembro nuevo del club (departamento) no reduzca el promedio; el objetivo ideal es aumentarlo.

Las normas que prevalecen y las fuerzas del mercado también requieren que las decisiones se tomen temprano en la carrera del candidato. Casi todas las universidades tienen alguna norma de "ascender o ser despedido" que previene que los académicos jóvenes permanezcan en rangos *junior* por más de 7 ó 10 años.[1] El mercado, especialmente para asignaturas "en boga" o para individuos capaces de lograr que su asignatura cobre esa importancia, induce sus propias presiones competitivas y la probabilidad de conservar u obtener una estrella ascendente puede depender de hacer una oferta en el momento

191

---

1. Como en el ejército, ser pasado por alto para una promoción significa "jubilación anticipada"; solamente en nuestro mundo la decisión surge después de un intervalo mucho más breve y la persona involucrada, con toda probabilidad, encontrará un puesto en otra universidad menos prestigiosa, quizás.

oportuno. Durante mi período como decano, la persona más joven recompensada con un *tenure* fue un astrofísico de 26 años, en Princeton. El famoso matemático Charles Louis Fefferman recibió su título de profesor con *tenure* en la Universidad de Chicago a los 22 años. Por lo general, la promoción surge a una edad temprana en las ciencias naturales, un poco después en las ciencias sociales y en último lugar en las humanidades.

Por estos motivos, las preguntas relacionadas con los nuevos profesores con *tenure* son el tema principal en las deliberaciones departamentales (las posibles excepciones son los salarios y el espacio): ¿A quién intentaremos promover?, ¿a quién podemos "conquistar" para nuestra universidad?, ¿quién puede considerarse una promesa y quién no?, ¿autorizará el puesto la administración? Esa son las cosas que se analizan.

Para mi caso típico e imaginario de Harvard, elegiré el Departamento de Economía ya que es mi propia base. Es un departamento grande, alrededor de 30 profesores con *tenure* y 15 miembros *junior*. El tamaño es una función inexacta de una cantidad de variables. Con cierta regularidad, Economía es el área de concentración (*major*) con más estudiantes en la Universidad de Harvard. El curso básico de Principios de la Economía tiene matriculados 1.000 alumnos aproximadamente y esto hace aumentar la demanda de docentes para este curso. El número de estudiantes que la escogen como *major* puede variar pero Economía siempre ha atraído a muchos estudiantes de grado. Algunos dirían que esto se debe a sus escasas demandas intelectuales (muchos atletas de Harvard se encuentran entre nuestros graduados). Otros, con inclinaciones más caritativas, harán hincapié en que Economía es una excelente y rigurosa preparación general para lo legal y los negocios que son, sin duda las opciones más populares en la actualidad. Bastante interesante y sin ningún motivo aparente, el tamaño de la especialización varía inversamente con el ciclo de negocios y puede ser uno de nuestros indicadores más confiables. El departamento también dirige un programa de doctorado extenso, exitoso y exigente. Su popularidad está, sin duda, estrechamente relacionada con la fascinación inherente del tema, un grupo visible de profesores, una universidad de gran reputación, y las oportunidades laborales para los economistas.

Existe otro motivo para el gran número de economistas en la Facultad de Artes y Ciencias. Muchos alumnos de Harvard se convierten en exitosos hombres de negocios. Una vez logrado el éxito financiero, la universidad se encargará de comenzar una persecución implacable instándoles a proporcionar una evidencia tangible de su gratitud al alma máter; y como sus logros son principalmente económicos, tienden a pensar amablemente sobre el tema y a ofrecer dinero para nuevas cátedras para el departamento. A veces hay una motivación contradictoria que paradójicamente da el mismo resultado: después de años en el mundo de los negocios, están convencidos de que se les enseñaron doctrinas irrelevantes y falsas; y, a menudo, creen que estas doctrinas estaban matizadas con prejuicios izquierdistas. Ahora el motivo se convierte en la salvación de futuras generaciones para que no padezcan un destino similar y ofrecen dinero para nuevas cátedras, proponiendo a veces etiquetas y términos que mencionen la libre empresa, que hagan hincapié en estudios de políticas, y cosas similares.[2]

Por todas estas razones, el Departamento de Economía puede esperar recomendar una nueva asignación de *tenure* por lo menos una vez cada 2 años, aunque generalmente es una vez al año. Es común enfrentarse con dos o incluso tres vacantes en un típico año académico. Intentar ocupar estos cargos, ya sea por promoción interna o invitando a un académico de otra institución, es la tarea académica clave de aquellos economistas que reivindican su pertenencia al departamento. La tarea lleva tiempo (por lo general, más de 1 año), las apuestas son elevadas, y el proceso implica placer y dolor.

193

Como ya lo he indicado, las discusiones son un proceso continuo y hacen hincapié en dos consideraciones levemente contradictorias: cuáles son los campos dentro de la disciplina que necesitan ser fortalecidos (macro o microeconomía, organización industrial, historia económica, etc.) y, sin tener en cuenta el campo, quién es el más brillante, interesante y prometedor economista disponible. Ambos aspectos tienen importancia, aunque al final los campos especiales no pueden ser ignorados sin perjudicar la misión de la enseñanza de grado y posgrado del departamento. Se discuten los posibles candidatos, se leen sus trabajos de investigación, se escriben cartas solicitando candidaturas a colegas de todo el mundo, se escuchan conferencias y lentamente el consenso va tomando forma.

Aunque cada profesor ingresará a estos debates con sus propios preconceptos y prejuicios (presionar a favor de los propios estudiantes es una debilidad ampliamente reconocida que puede producir resultados desastrosos), los

---

2. Como dicen los rusos, no es correcto "escupir en la sopa". No recomiendo que haya menos posiciones en economía; sin embargo, debo señalar que las asignaturas varían en su grado de atractivo para los benefactores. Cualquier cosa con la promesa real o percibida de que es algo práctico, tiene una enorme ventaja. Recabar fondos para la enseñanza de la literatura extranjera, por ejemplo, es desgraciadamente más difícil.

debates tienden a ser considerablemente abiertos y democráticos. En algunos campos (economía es un ejemplo de libro de texto) surge una dificultad intelectual seria: cuando los temas cambian rápidamente y emergen nuevas técnicas, resulta difícil para los profesores mayores juzgar a los jóvenes; por ejemplo, mis antecedentes, instrucción y competencias no me permite leer la economía matemática actual. Si tengo que decidir sobre este campo, tengo que aceptar lo que dicen mis colegas. Los generalistas son una especie en extinción en las universidades modernas; casi todos nosotros estamos estricta y altamente especializados.

Lo que ha sido descrito hasta ahora es la situación normal en la mayoría de las universidades de investigación. Se puede mencionar una cantidad de peculiaridades de Harvard. Primero, no todos los miembros departamentales participan en estas deliberaciones ya que la participación se limita a los integrantes del "Comité Ejecutivo", compuesto por aquellos profesores con *tenure*. El profesor *junior* es excluido para no ser puesto en una condición de conflicto de intereses, después de todo, son los candidatos de las presentes y futuras vacantes;[3] sin embargo, se los consulta extraoficialmente. Lo mismo rige para el personal no académico y los estudiantes pero, en este caso, sobre la base de falta de competencia: las calificaciones profesionales son el tema principal y ni el personal ni los estudiantes tienen la experticia necesaria para dictar juicios válidos. (Como veremos, la evaluación del estudiante sobre la calidad de la enseñanza de los profesores se considerará más adelante). Nada de esto es realmente muy extraño considerando los estándares nacionales, pero lo menciono solamente porque los estudiantes, en general, sienten que deberían tener voz en las decisiones sobre *tenure* y ese es un tema que eventualmente deberíamos tratar. También, en algunas instituciones, los profesores sin *tenure* tiene voz; por ejemplo, cuando estuve en Berkeley en 1960, un profesor *junior* designado formaba parte del comité ejecutivo del Departamento de Economía.

Una peculiaridad de Harvard digna de mencionarse se relaciona con la amplitud de todas las búsquedas de *tenure*. Cuando aparece una vacante, cada departamento de Harvard está preparado para preguntarse: ¿quién es la mejor persona "en el mundo" que se ajusta a la descripción del trabajo? Si la mejor persona es (de acuerdo con la opinión de los colegas departamentales) uno de

---

3. Ver Capítulo 15.

nuestros miembros *junior*, este será nominado para la promoción. Si es una persona de fuera, será invitada. Si la mejor persona rechaza la oferta, esta pasa al mejor candidato siguiente. Un puesto puede quedar vacante si no hubiera candidatos disponibles de alta calidad. Por supuesto, estoy describiendo un ideal, y la viabilidad si importa. "Mejor" es, hasta cierto punto una cuestión de gusto. Lo "mejor" también puede ser alguien mayor de 60 años y ya no sería una inversión departamental razonable. Además, cuando "la autoridad más importante del mundo" es un extranjero, emigrar a Estados Unidos puede presentar barreras infranqueables: a veces obtener una visa puede resultar dificultoso, los salarios norteamericanos están por debajo de los niveles que se manejan en algunos países europeos; pero, tal vez, lo más importante está asociado con abandonar la familia y la cultura en pos de un entorno desconocido. En Harvard, algunos años atrás, nombramos un reconocido estudioso de Literatura Italiana que para comunicarse con el decano (¡no conmigo!) necesitaba un traductor; y, después de unos pocos meses, renunció. Si bien el idioma no es por lo general un obstáculo, puede suceder que a veces lo sea.

Cualesquiera que sean las realidades, los ideales importan y el concepto de someter todos los nombramientos permanentes a la competencia mundial coloca a Harvard en una situación diferente a la de la mayoría de las otras universidades norteamericanas. El sistema, al menos en principio, no representa una ventaja para los académicos jóvenes (posiblemente calificados) que ya están en Harvard: es más, sus oportunidades individuales para una promoción son escasas. Hay muchos más profesores *junior* que la cantidad real de vacantes de *tenure* y competir contra el universo carga el dado contra los candidatos internos.[4]

Describir las diferentes filosofías de búsqueda de candidatos al *tenure* es difícil porque varían considerablemente. La práctica de Harvard de buscar

195

---

4. Algunos hechos de Harvard proporcionarán una perspectiva: El promedio de edad de los actuales profesores al momento de sus primeros nombramientos de *tenure* era de 37 años y el 54% eran propuestos en forma interna. El grupo designado desde 1973, promediaba los 41 años y el 39% fueron promociones internas. Claramente una disminución, pero el 39% no es una proporción insignificante. Con todo, las oportunidades individuales de promoción para un profesor *junior* son muy escasas, ya que el grupo (de más o menos 200 personas) cambia su composición completamente cada 6 ó 7 años. Así, la oportunidad individual cae por debajo de un 10%. La proporción de candidatos internos propuestos para su promoción, que resulta aprobada por el presidente, concuerda exactamente con el índice de aprobación para candidatos externos. El 55% de los candidatos presentados a comités ad hoc en los últimos años rondaba los 40 años o menos (56% en las ciencias naturales, 54% en las ciencias sociales, y 38% en las humanidades). Y el 77% de estos nominados jóvenes era aprobados en el proceso ad hoc. Ver Universidad de Harvard, Facultad de Artes y Ciencias, *Dean's Report, 1979-1980*.

extensamente con una oferta en exceso de profesores sin *tenure* en la escena, describe a la mayoría de las universidades de la *Ivy League* y a algunas de las otras universidades privadas. Algunas universidades, incluyendo algunas de las ocho que componen la *Ivy League* y muchas de nuestras universidades estatales más famosas, utilizan un sistema de contrato con promesa de *tenure* (*tenure track*). De acuerdo con esta práctica, cada miembro *junior* puede, si lo desea, convertirse en *tenure*. Se supone que cuando el período de prueba (por lo general, 7 u 8 años) termina, se accede al *tenure* (es una suposición, *no* una garantía), pero la posibilidad de promoción nunca es excluida por la falta de vacantes. Además, cuando el tema es finalmente discutido y decidido por los departamentos y la administración, la prueba a superar no es si se trata de "la mejor persona disponible en el mundo", sino que se tienen que superar los criterios definidos por la universidad. Estos criterios pueden ser muy elevados; en teoría y en instancias específicas, ambos criterios pueden producir la misma elección, aunque en general la promesa de *tenure* es una prueba más generosa. Cuando el mercado laboral es reducido, los académicos jóvenes se sienten poderosamente atraídos por estos puestos.

196

El contrato con promesa de *tenure* tiene algunas ventajas obvias: el sistema probablemente eleva la calidad y la moral de los profesores sin *tenure*. Los académicos jóvenes tienen aversión a los riesgos especialmente cuando el mercado académico es débil. Probablemente escogerán trabajos donde las posibilidades de ascenso sean más firmes. El énfasis en la promoción interna es más económico también: traer a alguien establecido de universidades competidoras, es la manera más costosa de renovar el personal académico. El acento sobre la juventud asociado con promociones internas es otra ventaja; aunque por otro lado, lo que describí como el sistema de Harvard puede tener una leve ventaja en función de los valores para asignaciones *senior*. La competencia por el *tenure* es fuerte y la gama de candidatos es mayor. Creo que alguna versión de contrato con promesa de *tenure* es la tendencia del futuro, dominada por consideraciones de costo y moral (dos preocupaciones poderosas y válidas).

En algunas instituciones, el supuesto de que luego del período de prueba llega automáticamente el *tenure* es tan fuerte como para convertirse en una garantía virtual después de un breve período probatorio. Aquí uno piensa especialmente en lugares donde hay una fuerte asociación de profesores. Uno de mis amigos fue decano del *college* de Artes Liberales y Ciencias en una institución católica de California, donde (según él) todas las negativas de *tenure* eran en forma rutinaria, empujadas a arbitraje. El convenio colectivo respecto de las calificaciones de *tenure* estaba redactado tan vagamente que los rechazos de la universidad nunca eran considerados por el mediador. Una característica particularmente extraña de estos procedimientos basa el *tenure* y/o promoción solamente en una solicitud individual al decano. Al tomar la decisión, se le prohíbe al decano (bajo amenaza de acusación de práctica laboral injusta) buscar cualquier información u opiniones de los miembros del personal docente; ningún afiliado al sindicato docente de la unión puede "controlar" (juzgar o supervisar) a otro miembro.[5] Esta situación triste no se ajusta a mi visión de *tenure* como un contrato social deseable, ya que va en contra de todas las virtudes de la vida académica enumeradas con anterioridad y conduce a una forma de seguridad en el empleo diseñada para alentar la mediocridad académica.[6]

Retornemos a un nuestro caso "típico" de Harvard. El Departamento de Economía, en la búsqueda de un nuevo catedrático especialista en el campo de, digamos, Organización Industrial, ha alcanzado un consenso preliminar: un académico de aproximadamente 30 y tantos años, catedrático de una universidad rival. La juventud es un recurso definitivo porque la edad promedio de los profesores titulares ronda los 55 años. Alguien joven traerá opiniones frescas, entrenamiento técnico actualizado y la promesa de ser mentor para

197

---

5. *Collective Bargaininn Agreement Between the University of San Francisco and the USF Faculty Association* [*Convenio Colectivo entre la Universidad de San Francisco y la Asociación de Profesores de la USF*], (1981). Aquí algunos extractos: "El *chairman* de los departamentos es elegido por los Miembros de la Asociación de Profesores y no son asignados por el decano.

Las partes entienden que la universidad no debería asignar y [...] los miembros de la Asociación de Profesores no deberían aceptar responsabilidades que, si son aceptadas o llevadas a cabo, pueden ser interpretadas como funciones de gestión y podrían de ese modo invalidar las diferencias esenciales que existen entre las partes de un convenio colectivo. Ejemplos de obligaciones que la universidad no debería asignar y que los miembros (afiliados) no deberían aceptar, incluyen responsabilidades de personal tales como contratación, evaluación, recomendación para *tenure* y promoción, asignación de obligaciones [...] y aquellas responsabilidades fiscales como desarrollo de presupuesto y administración".

¡El más increíble conjunto de condiciones que reduce, por sus propias acciones, a los miembros de una honorable vocación a la categoría de miembros de un proletariado académico!

6. Curiosamente, el convenio colectivo en esta institución define a la universidad como "el presidente y otros administradores". El personal docente es definido como "los miembros del grupo de negociación". No se menciona a los estudiantes. ¡Qué imagen extraña de una universidad! El convenio también contiene las siguientes frases divertidas: "Se solicita a todos los Miembros de la Asociación asistir a los ejercicios anuales de ceremonia de graduación con birrete y toga. El permiso para ausentarse de estos ejercicios será otorgado por el decano de la Asociación de miembros".

las nuevas generaciones de estudiantes graduados. Enfoques innovadores al campo de especialización y el dominio de las últimas técnicas de investigación son elementos particularmente deseables. Hay un sentimiento tácito de que nuestros residentes expertos están levemente más allá de su punto más alto.

Ahora, el director del departamento tiene la obligación de componer y enviar lo que nosotros denominamos "carta ciega". Esta carta dice que el Departamento de Economía se propone realizar un nombramiento con *tenure* en el campo de Organización Industrial y enumera los cinco o seis candidatos de primera que, por lo general, tienen edades similares. La elección preliminar departamental no se revela, de ahí su condición de "ciega". Se les solicita a aquellos que reciben la carta, académicos destacados en el área aquí y en el extranjero, que clasifiquen y evalúen a los candidatos; que comenten sobre la comprensión general y calidad de la lista; y, si fuera del todo posible, sugerir otros nombres. Se realiza una petición especial para incluir nombres de representantes de las minorías y de mujeres.

En Harvard y en otros lados, existe escepticismo respecto a las "cartas ciegas". Se cree que en nuestro pequeño y chismoso mundo, los destinatarios podrán ser cualquier cosa menos "ciegos": no tendrán dificultad en identificar la elección del departamento. Eso puede ser cierto, pero también sé que las encuestas relacionadas con una persona específica generan más que todo elogios. No hay contexto, no es agradable ser el malo y, en estos días, el temor a la filtración de información y archivos abiertos afecta a todas las respuestas.[7] Una lista de nombres invita a una respuesta más matizada y sutil, y somos lo bastante buenos para leer entre líneas y comprender cuando la condenación va acompañada de un débil elogio.

Si las respuestas a las "cartas ciegas" son satisfactorias (el candidato es clasificado en la cima o cerca de ella en la mayoría de las respuestas, o si se dan algunas evaluaciones pobres, éstas pueden ser explicadas como idiosincrásicas) el departamento confirma su juicio con un voto formal. Una simple mayoría no siempre es considerada como una aprobación departamental lo suficientemente fuerte; y por otro lado, la unanimidad no es necesaria y unos pocos votos negativos no invalidan un caso de *tenure*.

Ahora el expediente se traslada a niveles del decanato. El decano y sus

198

---

7. Se ha alcanzado un punto donde algunas solicitudes de evaluaciones "confidenciales" simplemente no se responden, salvo, quizás, por teléfono; una gran pérdida para la profesión académica porque nosotros dependemos mucho de la evaluación sincera de los individuos.

principales asesores académicos estudiarán el expediente (cartas de referencia, "cartas ciegas", *currículum vitae*, declaraciones departamentales, etc.), y determinarán si el candidato merece seguir siendo investigado más profundamente o no. En casi todos los casos, el decano decide proceder al próximo nivel ya que las preguntas y dudas (si las hubiera) son cuestiones profesionales y de disciplina, y como tales dan derecho al departamento a que sus argumentos sean escuchados por expertos. Una vez que el decano ha tomado su decisión para seguir adelante, solicitará a cada miembro del Comité Ejecutivo Departamental que envíe una explicación confidencial sobre su voto personal. Un decano experimentado sabe muy bien que los departamentos presentan, a menudo, una suerte de impresión errónea de entusiasmo y unanimidad. Los profesores no son inmunes al pensamiento grupal o a la presión ejercida por algunos individuos carismáticos. Las cartas privadas y confidenciales brindan un espléndido control sobre las extravagancias de presentaciones oficiales.

La próxima fase supone el nombramiento de un comité ad hoc y comienza la participación del presidente de Harvard. Cada proceso de *tenure* da vida a un comité ad hoc encabezado por el presidente, con el decano como uno de los miembros, y es tarea del comité informarle sobre la recomendación de *tenure* propuesta, de hecho, él tiene la decisión final; aunque por derecho, la aprobación debe otorgarla la Corporación y los *Overseers*.

Una característica especial de los comités ad hoc de Harvard es su composición: además del presidente y el decano, por lo general, hay otros cinco miembros. Tres participantes representan el área específica del candidato (en este caso, Organización Industrial) y todos ellos son académicos distinguidos de otras universidades. Esto posibilita el más neutral asesoramiento posible al presidente, sin que se vea afectado por amiguismos locales o prejuicios. Dos miembros adicionales que son generalistas internos de Harvard, pero no son miembros del departamento que hace la recomendación. Nuestro candidato ejemplo es un economista y, por lo tanto, los dos miembros generalistas probablemente serán científicos sociales. Obviamente la composición del comité y, en especial, la elección de gente de fuera pueden afectar el resultado. Se solicitan sugerencias de los departamentos y se emiten invitaciones en nombre del presidente. En realidad, esta tarea difícil y controversial es encomendada a un asistente especial del decano, en mi época era un profesor *senior* de filosofía, un hombre justo y de notable erudición. Él debía asegurarse de que cada comité ad hoc tuviera expertos reconocidos, imparciales e inteligentes: no era una tarea sencilla. No se escatima esfuerzo o gasto para traer a Cambridge

199

los árbitros correctos; por ejemplo, no son infrecuentes a las invitaciones a académicos extranjeros. Así y todo, cuando, como ocurre algunas veces, el resultado desagrada a un departamento, la culpa se atribuye con demasiada frecuencia a la composición del comité que puede ser calificada de poco representativa o supuestamente incompetente.[8]

Una reunión ad hoc es un procedimiento formal que se parece a un juicio. Los participantes se reúnen en el *Massachusetts Hall* a las 10:00 a.m. y escuchan presentaciones breves del presidente y del decano, después de haberse leído todo el expediente. Siempre se consideran tres preguntas clásicas: la primera, ¿tiene el candidato la suficiente calidad como para ofrecerle un *tenure* en Harvard?; la segunda, aún si la respuesta a la primera pregunta es "sí", ¿podría ser mejor?; y la tercera, ¿la elección para este campo específico es óptima en vista de la actual composición del departamento?

Un conjunto de preguntas son omitidas intencionalmente en esta y en las etapas siguientes del proceso de revisión. ¿Es el candidato una persona agradable?, ¿será un colega amable y cooperativo?; introducir dichas reflexiones sería desconsiderado. Siempre he imaginado que en otras asociaciones colegiadas (por ejemplo, estudios de abogados o grupos médicos) estas son consideradas cuestiones legítimas para una discusión y acción abiertas. No quisiera sugerir que son ignoradas cuando los departamentos académicos hacen sus elecciones o cuando los comités de revisión emiten sus juicios. Uno puede insinuar, hacer algún chiste indirecto, o expresar una opinión reservada, y en nuestro pequeño mundo estos actos pueden ser importantes. Sin embargo, nunca he escuchado a nadie decir: "Yo no quiero al profesor X como colega permanente porque es una pésima persona que envenenará la atmósfera de nuestro departamento y eso explica mi voto negativo". Esta no sería una buena manera porque nuestro ideal apunta hacia lo cerebral: buscamos a los mejores investigadores y profesores y si se da el caso de que tienen personalidades abominables, podemos declarar alegremente que estamos dispuestos a sufrir en nombre del conocimiento.

200

8. En un discurso reciente lleno de reminiscencias, mi colega el profesor J.K. Galbraith dijo: "[Un comité ad hoc de Harvard] se supone que debe producir un juicio impersonal, incluso legal. Desde mi propio nombramiento, me he preguntado sobre la eficacia de este sistema. En ese entonces el director de mi departamento me pidió que le diera —para presentar ante el comité— los nombres de los académicos más eminentes que estarían en favor de mi nombramiento. Yo sin dudarlo, accedí a ello." Obviamente, los procedimientos se han vuelto más rígidos en el curso de los últimos 40 años, si la versión de Galbraith es exacta; Con respecto a esto, tengo una ligera duda (discurso de John Kenneth Galbraith [Universidad de California en Berkeley, 27 de marzo de 1986]).

Sin duda, existe un tono de hipocresía en esta costumbre, pero también hay un alto grado de realidad. He presenciado demasiadas elecciones que dejan de lado trastornos de personalidad obvios en busca de la excelencia académica. El precio de tal acción puede ser muy elevado y este modo de proceder es, en mi opinión, una peculiaridad universitaria norteamericana. Nuestros colegas británicos, por ejemplo, parecen querer asegurarse de que sus elecciones finales sean más "amables para el club".

En las reuniones ad hoc, los departamentos son representados por alrededor de cuatro testigos positivos y todos los profesores que votaron contra el nombramiento también son invitados a comparecer. Como los testigos llegan a intervalos de 20 ó 30 minutos, ven a los miembros del comité por primera vez. Hasta este punto, las identidades del panel (salvo, por supuesto, la del presidente y el decano) son mantenidas en forma confidencial para evitar un *lobby* poco correcto. Comienzan las preguntas: ¿por qué el candidato A más que el profesor B?, ¿han estudiado los testigos los artículos y libros más importantes?, ¿la elección del departamento es una persona demasiado inmadura o demasiado madura?; sin duda alguien sacará a relucir una de las dos cosas (Por supuesto, la ley nos exige evitar la discriminación por edad.) ¿Qué explica los comentarios negativos y sutiles del profesor C, una autoridad mundial? La atmósfera es legal, un poco tensa y algo nerviosa, en especial para los abogados departamentales. El presidente de Harvard es abogado y adopta fácilmente el estilo de un fiscal. Otros se unen a este espíritu y crean un panel de abogados del diablo, con demasiada facilidad. Estas reuniones del comité académico no son ordinarias y lacónicas: las chispas saltan con bastante frecuencia. He presenciado a distinguidos académicos mayores tratarse unos a otros con cortesía glacial ocultando a duras penas su desprecio. Una vez, un testigo dio un ejemplo nombrando a alguien, quien, según su opinión, sería un nombramiento indigno. Un miembro del comité se puso colorado: su nombre había sido utilizado como ejemplo. Después de eso siempre he estado pendiente de presentar a los testigos a todos los miembros del comité.

Es habitual para testigos positivos tornarse levemente negativos bajo el estrés del interrogatorio. También he escuchado a profesores explicar en detalle que ellos son más eminentes que el candidato, quien, sin embargo, es la mejor opción disponible. Una vez le pregunté a un colega, que estaba testificando, si realmente creía que el candidato era un académico de primera categoría. Él vaciló y luego me reprendió por haberle hecho una pregunta embarazosa. Pero, ya he dicho lo suficiente para indicar la seriedad y dificultad de la ocasión.

201

Una o dos palabras sobre la controversia perenne: la evaluación de la forma de enseñar. En Harvard, y en todas las universidades importantes, un profesor debe ser investigador y docente. Muy pocos hacen las dos cosas igualmente bien, pero se deberían implementar y mantener criterios básicos para cada actividad. Es mucho más sencillo evaluar la excelencia en la investigación ya que su fruto es una publicación, un producto tangible sujeto a continua revisión de los pares. Las críticas de libros, las menciones y la cantidad de trabajo intelectual ofrecen evidencia confiable. Un expediente de *tenure* y un comité ad hoc están bien equipados para ofrecer opiniones en esta área. La capacidad de enseñar es más subjetiva, y la evaluación y la medición son menos certeras. A pesar de la opinión generalizada de que la capacidad de enseñar es ignorada por las universidades de investigación, el proceso de revisión para el *tenure* también trata detalladamente este aspecto de los candidatos. El expediente debe contener una carta especial del director del departamento suministrando toda la información importante: esto incluye las evaluaciones de los estudiantes, cartas de estudiantes de posgrado, informes sobre visitas a clase y materiales similares. Como decano, sentí que simplemente escuchando el cotilleo de la facultad —una tarea seria para cualquier decano— y estudiando la evidencia disponible (por ejemplo, la Guía de Evaluación Anual del Curso publicada por el Comité de Estudiantes sobre Educación de Grado), no era tan difícil obtener una información exacta sobre las habilidades de enseñar de un colega o tal vez sobre su entusiasmo por la tarea. Ciertas palabras claves alertan de inmediato sobre el peligro a un par de oídos experimentados: "Bueno para un grupo pequeño" siempre significa un pésimo docente.

El punto principal es no hacer compromisos innecesarios. Existen genios ocasionales que uno quisiera tener en su plantel docente aunque sus modos habituales de comunicación tienen forma de gruñidos y balbuceos. El poder de sus ideas y el valor de las contribuciones de sus investigaciones (supuestamente comunicadas en forma impresa) triunfan sobre todos los otros defectos. Una universidad debería hacer lugar para estas personas; un *college* no puede hacerlo. Por definición, un "genio" es alguien raro y poco frecuente, incluso entre los profesores de nuestras grandes instituciones, y afortunadamente quienes encuadran en dicha descripción son personalidades extrovertidas y excelentes profesores. La mayoría de nosotros, y en especial aquellos que somos profesores catedráticos de la universidad, somos extremadamente competitivos y creativos. Estas cualidades no son suficientes para olvidar nuestros privilegios y obligaciones duales (enseñar e investigar): debemos aprender a hacer las dos cosas bien, porque de otra forma un contrato de por vida nos debería ser negado, cosa que ocurre. Enseñar es un arte y no todos nosotros hemos sido bendecidos con la misma cantidad de talento natural; pero aún así, la enseñanza puede ejercerse por medio del uso de una variedad de técnicas modernas efectivas que incluyen asesoramiento por parte de los expertos y sesiones de práctica de vídeo, seminarios que nos hacen conscientes de nuestra forma de enseñar frente a la que caracteriza a los docentes famosos, y dispositivos similares. En Harvard, el Centro Danforth para el mejoramiento de la enseñanza ha ayudo a muchos miembros del personal docente a alcanzar un nivel elevado de desarrollo pedagógico.

A estas alturas el comité está almorzando en el comedor formal de la mansión que hasta hace poco fue la residencia de los presidentes de Harvard. Han bebido algunas copas de jerez, e intercambian algunas novedades profesionales y charlas amables mientras toman la sopa; pero este agradable interludio no dura demasiado porque el presidente está ansioso por comenzar la discusión. Durante la mañana escuchó un testimonio conflictivo: el candidato es joven y quizás un compromiso de por vida es prematuro, hay una sensación de que se ha pasado por alto a una persona mejor, y un miembro del Departamento de Economía eligió ofrecer un testimonio negativo señalando el supuesto mal uso de estadísticas por parte del candidato. Estas cuestiones deben resolverse. El presidente da vueltas alrededor de la mesa solicitando a cada miembro del comité que expongan sus opiniones iniciales, comenzando con los distinguidos invitados de afuera. A esto sigue una discusión general.

Uno desea claridad y consenso, y frecuentemente esto es lo que ocurre. En otras ocasiones, se desarrollan fuertes debates y quedan marcadas divisiones de opiniones. No hay votos: el procedimiento es simplemente asesor y cada individuo ofrece su opinión personal. La decisión final la toma el presidente de la universidad, es el único con autoridad y puede aceptar el consejo del comité ad hoc o ignorarlo: la elección es suya. Por supuesto, la elección del presidente está dentro de los límites razonables. Un presidente no puede gobernar sin la cooperación de los docentes. Los juicios estrafalarios, inaceptables e inexplicables no se pueden sostener por largo tiempo, y todas sus decisiones tienen que tomar en consideración las consecuencias políticas. En la abrumadora mayoría de los casos el presidente sigue el consejo del comité, en especial cuando está claramente expresado. También se da el caso de que la mayoría de los candidatos que se presentan reciben eventualmente la aprobación del presidente. Los números varían mucho de año en año, pero, mi

203

conjetura es que el índice anual de fracaso rara vez excede el 10%. Nada de esto debe ser interpretado como señal de un procedimiento sin sentido ya que los comités se componen de expertos y sus consejos pueden ser ignorados solo en circunstancias excepcionales. La mayoría de los candidatos reciben aprobación porque los departamentos interpretan los rechazos como una crítica al juicio colectivo, y los casos débiles tienen una fuerte posibilidad de quedar en el camino antes que se solicite a un comité que dictamine.

A las 2:00 p.m., cuatro horas después de la primera convocatoria, el presidente finaliza la sesión, por lo general sin anunciar su decisión. El presidente y el decano vuelven juntos a sus respectivos despachos y, en casos sencillos, toman la decisión antes de que termine la corta caminata. Pueden estar de acuerdo, raras veces, en que el caso defendido por el departamento carece de mérito; y algunas veces el presidente autorizará al decano a realizar una oferta inmediata, otras veces habrá más conversaciones e intentos para reunir evidencia adicional: se convoca a nuevos expertos y se escriben cartas nuevas. A veces pasan muchas semanas hasta que se toma la decisión final.[9]

204

Este es el final de una larga historia. La he contado en detalle para que los lectores noten que la concesión de *tenure* es un asunto serio. No sé de ninguna corporación privada o profesión que busque gente con criterios tan rigurosos y objetivos. La profundidad de la investigación y el carácter exhaustivo de la evaluación de los candidatos colocan al proceso de concesión de *tenure* en las universidades norteamericanas en una categoría aparte. En Harvard hemos llegado a un punto en el cual nunca estamos completamente satisfechos con algún nombramiento después de haber examinado devotamente cada debilidad concebible, cada verruga y granillo intelectual de un futuro colega; sin embargo, la mayoría de nosotros está convencido de que la calidad de la Facultad de Artes y Ciencias se mantiene y mejora por los pasos que he descrito.

Lo que ocurre en Harvard no se repite exactamente en otro lugar. Algunos presidentes desempeñan un papel importante en el proceso de nombramiento. Derek Bok de Harvard considera este rol como la parte más importante e

9. La manera de hacerlo en Harvard no existe sin sus riesgos. Un defecto serio es el período de tiempo entre "el contacto informal" (cuando un candidato descubre que está siendo considerado) y un ofrecimiento formal. Entre 6 y 9 meses es un lapso normal, y mucho puede pasar durante ese intervalo. Muchos académicos se sienten molestos por la incertidumbre durante el período de espera y por la idea de tener que someterse a una revisión exhaustiva. Otros se sienten tentados a utilizar la posibilidad de un ofrecimiento en Harvard para negociar con sus propias instituciones y una vez que sus condiciones han mejorado, pierden el deseo de trasladarse.

interesante de su trabajo. Para él es la manera más directa de controlar la calidad del personal docente, y requiere un tiempo considerable de compromiso: un promedio de 20 comités ad hoc en artes y ciencias solamente cada año. La dependencia y la confianza de Harvard en especialistas externos es poco frecuente. En la mayoría de las otras universidades, las evaluaciones externas toman la forma de cartas, mientras que los grupos de revisión son fundamentalmente internos. Desde mi punto de vista, estas diferencias importan menos que las similitudes. Cada universidad tiene su propio estilo, y yo he utilizado a Harvard como ejemplo. Lo que nos une es la búsqueda cuidadosa, minuciosa, nacional e internacional de candidatos al *tenure*, lo que constituye un vínculo significativo y poderoso.

Otras dudas

Hasta el momento he acentuado principalmente los aspectos positivos del sistema; pero también deseo considerar algunas críticas que todavía no han sido mencionadas. Para comenzar, existe el conocido alegato de que el sistema tiende a excluir la innovación mientras perpetúa especialidades y enfoques determinados. En palabras de un crítico social:

205

> La organización mide la sabiduría de acuerdo con lo que ya cree; acepta como acción sabia lo que ya se ha realizado. La calidad intelectual es evaluada de acuerdo con lo que más se parece a las creencias y los métodos de aquellos que toman la decisión.
>
> El control de nombramientos por parte del plantel docente *puede*, a veces, ser un medio de autoperpetuación de calidad; puede, particularmente, ser un medio de autoperpetuación de la mediocridad; y en un mundo de cambio, puede ser una tendencia poderosa de obsolescencia académica.[10]

Esto es grave, no tanto por su validez sino por una teoría implícita sobre las fuentes de la innovación académica: ¿quiénes serían los innovadores?, ¿quiénes deberían decidir qué innovaciones adoptar?, ¿quién, en realidad, encabeza las innovaciones académicas?

---

10. Discurso de John Kenneth Galbraith (Universidad de California en Berkeley, 27 de marzo de 1986).

Esta acusación está dirigida a la forma departamental de organización utilizada en casi todas las universidades. Sin duda los departamentos son la "cabeza de turco" favorita dentro y fuera de la academia. Algunos los ven como estructuras intrínsecamente conservadoras que evitan los enfoques interdisciplinarios y el nombramiento de inconformistas o disidentes.[11] Una queja adicional es que los departamentos ignoran a los estudiantes (en especial a los estudiantes de grado) y ponen a resguardo sus propias conveniencias, es decir como un "club", en el mal sentido de la palabra. La relación de estas circunstancias adversas con el *tenure* es obvia. Como hemos visto, los departamentos inician el proceso; la autoridad superior puede aprobar o rechazar pero, en casi todos los casos, la gama de opciones está determinada por un departamento que representa una disciplina establecida.

Como persona que ha sufrido en manos de los departamentos durante muchos años, mi apetito por desarrollar una defensa conmovedora es pequeño. He sido testigo del deterioro de algunas áreas debido al disenso interno y a las envidias mezquinas. De vez en cuando, se ofrece a los "grandes hombres" la oportunidad de imponer sus voluntades con resultados extremadamente perjudiciales. Muchas veces estuve en desacuerdo con las preferencias departamentales respecto a los miembros nuevos y las políticas educativas porque me parecía que se hacían elecciones demasiado conservadoras. En muy pocos casos (cuatro veces en 11 años) me vi obligado a efectuar la "intervención" de un Departamento esencialmente para declarar su "quiebra académica" (*the enterprise intelectual bankrupt*) hasta que se reorganizaran. También observé la arrogancia departamental para con los estudiantes, los miembros más jóvenes y toda clase de decanos.[12]

No obstante la mayoría de estas críticas no dan en el blanco aún si nosotros no rechazamos —como se debería— la culpa colectiva. Los departamentos son una forma necesaria y eficiente de organización porque sus miembros están mejor equipados que otros para juzgar la calidad de sus asignaturas.

11. Por supuesto, no existe nada intrínsecamente superior en el enfoque interdisciplinario o los disidentes. Los resultados son los que cuentan, no los términos de moda, y bajo ese criterio la puntuación favorecería a la disciplina más que a la interdisciplina. Muy pocos ganadores del Premio Nobel en ciencias naturales o en economía han sido disidentes.

12. Una camiseta recién salida a la venta en *Harvard Square* cuenta la historia: muestra el escudo de Harvard y arriba la palabra "Historia" entre corchetes, que en nuestra jerga significa "no se ofrece este año". Donde, normalmente, aparece la palabra *veritas* encontramos "se fue a Francia".

Por supuesto, también cometen errores y a veces necesitan un empuje de los niveles superiores. En Harvard, y en otras universidades, las opiniones más válidas relacionadas con el futuro de, digamos, Química o Bellas Artes se pueden encontrar en la sabiduría colectiva de los respectivos departamentos. Las opiniones administrativas pueden ser imperfectas y sumamente influenciadas por lo moderno. Es por eso que muchos departamentos se convierten en centros de innovación, transformándose en forma creciente con infusiones periódicas de sangre nueva; y esto es también una de las razones por las que los departamentos antiguos producen filiales (nuevos departamentos) en forma bastante regular, dan vida a nuevos campos, cambian los requisitos, etc. Nada de esto es sencillo o rápido, tampoco se promocionan las innovaciones ocasionales inspiradas en el decanato, tales como un nuevo plan de estudios del Core; sin embargo, a la larga, el verdadero "núcleo" del plan de estudios es la calidad del plantel docente y no un plan de estudios particular, y eso está bien servido por los departamentos.[13]

En las mentes de nuestros críticos hay dos dudas que se relacionan entre sí: elecciones equivocadas a pesar de, o debido a, procedimientos cuidadosos (y conservadores), y la incapacidad, relacionada con el *tenure*, de deshacerse de personas inútiles. Estos problemas no son exclusivos de las universidades, aunque pueden ser más importantes debido a la seguridad absoluta en el trabajo que va unido al *tenure*.

Existen dos clases de elecciones equivocadas (por supuesto, además de aquellas que resultan de criterios posiblemente erróneos): seleccionar a alguien que luego resulta ser una decepción, y no haber seleccionado a alguien, que visto en retrospectiva, debería haber sido escogido. Desde luego, ambas situaciones ocurren. Hemos dejado de contratar a académicos jóvenes que más tarde realizaron hazañas de investigación deslumbrantes; hemos designado profesores que creímos que iban a ser futuros líderes en sus campos y quienes, años después, resultaron un fracaso; hemos designado docentes desastrosos (espero que haya sido involuntariamente); pero esos pudieron haber

207

13. Mi impresión es que la falta de departamentos ha hecho poco para remover los abusos generalmente asociados con su existencia. Esto se aplica incluso a la cantidad y calidad del trabajo interdisciplinario. Como ejemplo, hago referencia a la situación actual de la Universidad de California en Irving. Aquí, la Facultad de Ciencias Sociales ha sido establecida deliberadamente sin departamentos desde sus inicios, en 1964. Cualquiera sea su estatus actual, pocos podrán afirmar que la estructura en Irving produjo resultados interdisciplinarios o educativos que están por encima del promedio de las instituciones similares.

sido errores inevitables y tal vez escogimos la mejor opción con la información disponible en ese momento.

Estas son cuestiones sutiles y no existe una evidencia científica disponible para comprobar que el tipo de selección para el *tenure* descrita aquí va dar como resultado el conservadurismo, elecciones equivocadas, personas inútiles y enseñanza deficiente: también es igualmente difícil probar lo contrario. Sin embargo, he participado en más de doscientas selecciones de *tenure* (comités ad hoc) y he tenido que vivir con las consecuencias de dichas elecciones como administrador y colega. En mi opinión el sistema funciona bien, no perfectamente, pero mejor que ciertas alternativas concebibles. Los errores nefastos no son frecuentes: las decepciones vienen, por lo general, con sus señales de advertencias prematuras, pero hemos seguido adelante de todas maneras porque el tiempo para la elección es limitado. Los mayores riesgos son una consecuencia de nuestra incapacidad para predecir el futuro, y quiero hacer hincapié en que no son una consecuencia de nuestras dificultades de evaluar los logros actuales comparativamente. Los académicos se perfeccionan en diferentes etapas: algunos alcanzan su máximo desempeño tarde y otros brillan prematuramente solo para debilitarse después de los 40 años. Estos riesgos son realmente inevitables en un sistema que reconoce un contrato social entre los profesores y la institución.

¿Hay una cantidad importante de profesores universitarios "holgazaneando en una paz mal pagada, sin rendir cuentas a nadie"? De acuerdo con mi experiencia, este es el problema más pequeño. He visto energía mal dirigida, demasiada actividad externa, como también la búsqueda de investigación que daría pocos resultados valiosos; he observado la desviación de la actividad pedagógica hacia las asignaciones administrativas; pero, el rótulo de "persona inútil" se aplica solamente a menos del 2% de un plantel universitario. Esta es mi conclusión poco científica.[14]

Otro tema de debate creciente es la jubilación. Una edad de jubilación razonable y clara es condición necesaria para el buen funcionamiento del sistema de *tenure*. Me parece que los 65 años son una edad apropiada, aunque la práctica reciente de los 70 años es factible. Pienso que la ausencia eventual

---

14. También creo que aquellos dentro del 2% no deberían ser simplemente ignorados, como pasa frecuentemente. La jubilación anticipada es una excelente opción y los decanos (después y solo después de asesorarse) no deberían tener dificultad en transmitir sus señalamientos por medio de una política salarial y distribución de otros beneficios.

de jubilación obligatoria hará necesaria una modificación del *tenure*.[15] Las razones son simples: por un lado, el incentivo para que los profesores se jubilen es pequeño; por el otro, forzar a los colegas (nuestros pares) a que se jubilen en algún momento no determinado después de una larga asociación es difícil, desagradable y poco viable.

Que los incentivos para jubilarse sean insignificantes parece inherente a la escala superior de la vida académica. He señalado reiteradamente las obligaciones formales limitadas y los niveles de ingresos moderados; a estos factores se le suma que las tareas son poco exigentes desde el punto de vista físico (no hay que levantar cosas pesadas, pocas horas asignadas). ¿Por qué alguien abandonaría voluntariamente un trabajo así, sobre todo si este paso trae consigo inevitablemente alguna reducción en el ingreso? El peligro es claro: después de cierta edad, como la energía decae, la proporción entre obligación formal y esfuerzo total aumentará hasta que los dos sean idénticos.

Ninguna institución interesada en preservar la calidad puede tolerar una gerontocracia creciente que, sin duda, trae aparejado el decaimiento de la productividad. El efecto desastroso sobre los académicos jóvenes no necesita comentario. Si alguna vez llega considerarse la jubilación obligatoria universitaria como una discriminación por edad, deberá encontrarse un mecanismo alternativo para lograr el mismo propósito. La introducción de contratos y pruebas periódicas de competencia y desempeño parecen lógicos. Nada de esto es horrible en teoría, pero en la práctica sería infernal o ineficiente. ¿Cómo puede uno esperar veredictos neutrales y severos que involucren a "socios" de toda una vida de trabajo? Mi predicción es que una vasta mayoría de contratos se renovarían, como ocurre en muchos sistemas por contrato, acompañados por el innegable deterioro de calidad. Los profesores más viejos pueden desplazar a los jóvenes, y eso es malo. Menos oportunidades generan en los jóvenes menos interés por las carreras académicas (un cuadro triste). Un método mucho mejor sería reestructurar la jubilación de tal manera que disminuyan los beneficios económicos relacionados con los servicios prolongados, mientras que al mismo tiempo se reducen los riesgos financieros de la jubilación. Una combinación de beneficios definidos y pensiones ajustadas a la inflación podría funcionar bien para las instituciones y los individuos.

209

---

15. Hoy en día, la ley federal todavía permite que los catedráticos se jubilen a los 70 años en *colleges* y universidades. Esto ya no será posible después de 1993, cuando esos *colleges* sean tratados como cualquier otro negocio en el cual la jubilación obligatoria está prohibida.

CAPÍTULO DOCE

Agotamiento, envidia y otros malestares

Cuando mi tutor de tesis, el historiador de la economía Alexander Gerschenkron se jubiló hace más de una década, *The New York Times* escribió un artículo bajo el titular "El Erudito Modelo de Harvard finaliza su carrera".[1] Obviamente este caballero merece toda nuestra atención. Durante la Segunda Guerra Mundial, Gerschenkron, que para ese entonces no tenía un cargo docente, era un refugiado que trabajaba en un astillero en el norte de California. Durante su "entrevista de despedida" con el *Times*, dijo: "Consideré seriamente quedarme en el astillero. Me gustaba el contacto con las masas anónimas norteamericanas y el trabajo no te sigue hasta la noche en tus sueños. El ejercicio académico, ¿es placer o dolor? Si alguien te corta la pierna, sabes que eso es dolor, pero con la academia nunca se sabe". De alguna manera, es una evaluación sorprendente al final de una excepcional y exitosa carrera como catedrático.

Puedo ofrecer un ejemplo personal muy parecido. Como decano, mis actividades consistían en ver a mucha gente, revolver cuestiones administrativas,

---

1. 19 de junio de 1975.

escribir cartas, y presidir innumerables comités. A menudo estas actividades no concluían en un progreso o beneficio apreciable, pero a la noche siempre volvía a casa convencido de que mi tiempo había sido utilizado productivamente. ¿Cuál es la base de esta ilusión constructiva? La dificultad de medir el rendimiento ejecutivo y la tendencia natural de otorgarse el beneficio de la duda.

Como académico y profesor, mis sentimientos de logro y progreso son necesariamente cíclicos: hay depresiones regulares y algunos picos. Escribir un libro es una tarea pedagógica clásica. Uno no puede —al menos yo no puedo— escribir durante ocho horas al día. Como suelen hacer otros, reservo un período del día para escribir, por lo general, en la mañana; y algunas veces las cosas no salen tan bien. Me siento y miro fijamente la almohadilla amarilla, hago demasiados viajes hasta la máquina de café y el baño, anhelo alguna interrupción telefónica y al mediodía tengo poco que mostrar. En cambio, me siento frustrado y culpable. La frustración es el producto del fracaso temporal, la culpa surge por conservar el don de la independencia y la libertad, con un salario asegurado y utilizándolo tan mal.

212

Aquí tenemos la gran paradoja de nuestra profesión: una virtud significativa (libertad) que se convierte tan fácilmente en un vicio (culpa). En esto yace la imposibilidad de distinguir entre el placer y el dolor. Ambas sensaciones son muy personales. No somos miembros de una gran orquesta sinfónica protegida en nuestra ocasional ineptitud por otros músicos y un director hábil. Mientras podemos, en el grado que sea posible, nos escondemos detrás de los nombres de nuestras instituciones —algunas proporcionan más protección que otras— pero al final estamos solos, ya sea frente a una clase o una hoja impresa. En el mundo universitario, las reputaciones se crean y se destruyen sobre una base individual.

La actividad comercial es bastante diferente: si la industria automotriz norteamericana es acusada de producir un auto de baja calidad, no es sencillo para la dirección y la mano de obra de General Motors sentir que no han desempeñado un papel en esta evaluación. Como contraste, estoy seguro de que a muchos de mis colegas les parecen lejanos los ataques a la educación de Harvard porque creerán que las críticas están dirigidas a otros y prestarán la suficiente atención solo cuando su reputación personal está involucrada. Por supuesto, el énfasis sobre el individuo tiene su lado bueno y su lado malo: lo bueno es que no es necesario compartir el éxito, y lo malo es que el fracaso no puede ser compartido.

¿Cuáles son los factores importantes que componen el lado oscuro de la vida académica? Tal vez ninguno sea único pero aparecen de formas múltiples. Trataré estas categorías nefastas: agotamiento y aburrimiento, envejecimiento, y envidia.

Comparado con la mayoría de otras carreras, la vida laboral de un profesor no conlleva un progreso o niveles claros una vez superado el obstáculo del *tenure*. Podemos decir que este es un factor importante que contribuye al aburrimiento y al agotamiento. Una vez que se obtiene un contrato de por vida —digamos a los 35 años— enfrentamos las mismas obligaciones individuales durante más de 30 años: contribuir a los resultados de nuevas investigaciones y dar clases. Se crean los fundamentos y no se alteran ya que lo nuestro es una empresa colegial de "propietarios" con igualdad de derechos y obligaciones. La organización no se concibe en función de grupos de vicepresidentes, sucursales extranjeras o el liderazgo para el trabajo en equipo. Para profesores con *tenure* —y en comparación con el mundo empresarial— el número de cargos administrativos disponibles es muy limitado y en todo caso, las ventajas reales percibidas son escasas.

Durante el transcurso de una carrera académica, es común que los intereses de investigación cambien significativamente. Los estudiantes también cambian año tras año y son el motor de una estimulación nueva. Esto es suficiente para mantenernos activos e interesados a la mayoría de nosotros, pero una minoría perderá el entusiasmo inevitablemente. Diferentes factores explican lo que sucede a este grupo problemático. En algunas circunstancias, una mente brillante y creativa puede deteriorarse; en muchas oportunidades, campos completos avanzan hacia nuevos caminos y dejan atrás aquellos incapaces de cambiar. Algunas veces temas establecidos se tornan aburridos y rutinarios, y el aburrimiento afecta a los profesionales. También hay caminos individuales sin salida que aparecen solamente después de muchos años de inversión intelectual, y que generan una profunda ansiedad y pesimismo sobre el propio futuro intelectual. Algunos científicos tienen problemas para estar al día con sus estudiantes de posgrado porque las áreas cambian demasiado rápido, y algunos humanistas se rinden porque no están seguros de que a alguien le importen sus trabajos.

Ninguna de estas categorías incluye el problema de "gente inútil" mencionado reiteradas veces por los que se oponen al *tenure* académica. Por el momento, no estoy considerando a individuos que se retiraron voluntariamente, pero que siguen cobrando, es decir, aquellos que simplemente han dejado de

213

intentar producir.[2] Me preocupan aquellas personas que experimentan dificultades para crear un ritmo apropiado para su vida laboral.

La frustración en la investigación puede hacer que las actividades docentes
pierdan el atractivo. Si el campo al que nos dedicamos se ha tornado aburrido
en nuestras propias mentes, ¿cómo se puede transmitir interés a los estudiantes? Si hemos sido superados por otros, ¿cómo podemos tener la confianza
suficiente para enseñar a las nuevas generaciones de académicos?

Estos son temas extremadamente delicados y en las universidades se evita,
en lo posible, comentarlos. Es como si viviéramos en casas de cristal y nadie
quisiera tirar la primera piedra. Como decano, conocía virtualmente a cada
miembro *senior* de nuestra facultad (alrededor de cuatrocientas personas).
Con una sola excepción, nunca nadie me dijo que su investigación tenía un
valor inferior o que estaba en un callejón sin salida. Cada científico de Harvard con quien he discutido sobre investigación me ha asegurado que su trabajo se estaba desarrollando bien y sugerían que sus mayores logros se verían
en el futuro. La edad no cambiaba estos pronósticos, de ninguna manera.
Esto no puede ser, sencillamente, cierto y quienes hicieron esas afirmaciones
lo sabían muy bien.

Al rechazar firmemente que la vida tiene etapas que requieren modificaciones contribuimos al problema del agotamiento; por ejemplo, creo que los
miembros más jóvenes de la facultad deberían hacerse cargo de la instrucción
de posgrado porque están actualizados y más especializados en sus áreas. El
entrenamiento de estudiantes de posgrado hará que se acentúen la profundidad y los enfoques claros, así como también las fronteras técnicas y teóricas de
un tema. Estas cualidades son el fuerte de los académicos en sus primeros años
después del doctorado. Los miembros mayores de la facultad deberían, en mi
opinión, ser más activos en la enseñanza a los estudiantes de grado, donde las
últimas arrugas del especialista son menos importantes que la sabiduría. Nuestros estudiantes de grado vienen a la universidad para recibir una educación
liberal y sus profesores más eficaces plantearán los temas más específicos en un
contexto y una perspectiva amplios. La experiencia de vida es una parte valiosa
de las artes liberales no importa cuál sea el tema que se trate.

214

2. Hace algunos años, la Universidad de Stanford intentó desarrollar un sistema de jubilación anticipada para
estos individuos. Me contaron que un decano se acercó a un candidato evidente y le aseguró que la generosidad
de Stanford le permitía un retiro inmediato a medio salario. El profesor lo rechazó señalando que, después de
todo, él ya estaba jubilado con un salario completo.

Realmente no estoy sugiriendo que sea deseable que esta división del trabajo sea rígidamente observada. Una gran cantidad de profesores mayores permanecen siendo docentes de primera clase de estudiantes de posgrado —y lo que es igualmente importante— los estudiantes de posgrado los quieren en sus clases y especialmente en los laboratorios. Además, como tutores de tesis de doctorado, los nombres *senior* más famosos traen aparejadas ventajas bajo la forma de "futuros empleos". También es cierto que los mejores instructores de estudiantes de grado son jóvenes recién egresados de escuelas de posgrado. Todavía pienso que mi punto de vista merece más atención que la que ha recibido en las universidades. Un cambio gradual hacia los estudiantes de grado como carrera pedagógica tiene sentido y puede ahorrar a los profesores muchas frustraciones, mientras que al mismo tiempo favorece a los estudiantes. No ocurre fácil o naturalmente debido a factores de prestigio y por el rechazo a reconocer un modelo deseable de cambio en las actividades intelectuales a largo plazo. Los profesores miden el éxito en función del reconocimiento de quienes comparten su disciplina, el número de estudiantes de posgrado, el tamaño de las ayudas financieras, etc. El criterio fundamental permanece igual durante 35 años aproximadamente, y esto no es una buena idea. En parte, esto también explica la gran cantidad de jubilaciones desafortunadas entre los profesores: durante sus vidas laborales reclaman más tiempo para sus "propios trabajos" y cuando eso es posible (entre los 65 y los 70 años) reciben con resentimiento la eliminación de obligaciones pedagógicas, de asignaciones de comité, y de votos departamentales. La respuesta puede ser que la actividad más apropiada (la investigación) es menos agradable a esa edad ya que, frecuentemente, son los jóvenes quienes llevan adelante la mayoría de los trabajos originales.[3]

Prosiguiendo, me dirijo a la categoría previamente rotulada como "envidia". He elegido esta palabra desagradable para describir una variedad de características frecuentes en el mundo académico en especial: envidia de colegas de otros campos y envidia de aquellos que ganan más que nosotros en otras ocupaciones. La envidia aflige a una gran parte de la humanidad, sin embargo, el rasgo está bien desarrollado entre catedráticos debido a una convicción profunda relacionada con nuestro propio valor y resentimiento por la falta de

215

3. En 1965, en su cumpleaños 65, un grupo de ex alumnos le presentamos a Alexander Gerschenkron un libro de ensayos en su honor (una *Antología*). En vez de agradecernos, sus observaciones fueron casi de resentimiento en esa ocasión. Nos deseó que experimentáramos alguna vez una experiencia desagradable parecida.

reconocimiento por parte de "otros"; es decir, administradores universitarios, el público, el gobierno, los estudiantes, casi todos.[4]

De acuerdo con una encuesta de la American Association of University Professors (Asociación Estadounidense de Profesores Universitarios, AAUP), durante el año académico 1984-1985 el salario anual promedio de profesores catedráticos en instituciones de nivel doctoral fue de 44.100 dólares. Para profesores adjuntos, fue de 26.480 dólares.[5] Los niveles de salarios son un tanto deprimentes si consideramos las calificaciones de estos individuos; pero, los números son algo engañosos. Nuestras 3.000 escuelas y universidades son demasiado heterogéneas, y los promedios significan poco. Para Artes y Ciencias de Harvard, el salario para profesores con *tenure* durante ese mismo año promediaba ligeramente por encima de los 60.000 dólares.[6] En las 30 universidades de investigación más importantes de Estados Unidos se encontrarán niveles similares. ¿Es esto bueno o malo?, ¿comprado con qué?; son preguntas muy difíciles. Por ejemplo, en 1935 un profesor catedrático de Harvard ganaba alrededor de 8.000 dólares anuales; con dicho ingreso se podía pagar fácilmente una casa de campo en Maine y un criado. El equivalente sería 59.000 dólares en 1984. Un período de más de 45 años no trajo ninguna mejora; además, la carga fiscal es más pesada y la evasión impositiva (legal) es problemática para aquellos cuyos ingresos consisten en gran parte en un salario. Los criados se han olvidado desde hace muchos años y las cabañas en Maine son poco frecuentes.

Consideremos otro ejemplo: el salario anual actual de un juez federal es de 89.500 dólares, un senador o representante recibe la misma cantidad, y un miembro de gabinete obtiene 99.500 dólares. Estos números se acercan bastante como para ser comparados con salarios académicos anuales, pero son menos atractivos como criterio cuando nos damos cuenta de que los funcionarios públicos han padecido un deterioro importante en sus ingresos en los últimos años. Entre 1969 y 1984, mientras los salarios académicos decaían levemente o se estancaban, el poder adquisitivo de los salarios del Congreso

---

4. Esta puede ser una razón por la que algunas veces es difícil convencer a los profesores de hacer donaciones para causas sociales. El sentimiento parece ser el de que ellos ya están subvencionando a la sociedad simplemente ejerciendo las profesiones que eligieron. Es una característica que supuestamente compartimos con los médicos.

5. *Fact Book*, pp. 122-23

6. Los salarios de las facultades de Administración, Derecho y Medicina, son mucho más elevados. Una discusión informal con otros decanos me lleva a calcular una diferencia del 20% a favor de estas escuelas profesionales.

caía un 39% y los jueces de distrito registraban un 32% menos. En mi opinión, los jueces y los congresistas están extremadamente mal pagados. Infortunadamente, esta no es una opinión compartida por Ralph Nader y grandes grupos del público en general. Hay que hacer notar que durante el mismo período de tiempo, el poder adquisitivo de jugadores de basquetbol aumentó el 466%, y los ejecutivos corporativos un 68%. Como le dijo el senador Paul Simon (demócrata, Illinois) a la Comisión Federal de Salarios Ejecutivos, Legislativos y Judiciales: "El jugador más débil del equipo de basquetbol de Chicago Bulls, quien pasa la mayor parte del tiempo en el banco de suplentes, gana sustancialmente más que la persona que hace las leyes del país".[7]

¿Son nuestras leyes más importantes que la clase de educación que reciben nuestros hijos o la calidad de la ciencia básica producida en nuestros laboratorios?, ¿Son los legisladores y los educadores menos valiosos que los jugadores de basquetbol? ¿Es el total de los ingresos una medida de valor social? ¿Por qué los conductores de autobuses en algunas de nuestras grandes ciudades ganan más que los docentes universitarios sin *tenure*? Sería sencillo hacer muchas más preguntas que podrían ilustrarse a través de una selección de estadísticas; pero no necesitamos hacerlo para dejar en claro nuestro argumento. En términos reales, los salarios pedagógicos (y los del servicio público) han aumentado poco en el período de posguerra mientras que los ingresos de los profesionales y de la gente del mundo empresarial han mostrado grandes aumentos. Como consecuencia, el estándar de vida de los académicos ha sufrido modificaciones negativas en relación con el de doctores, abogados, ejecutivos y ocupaciones similares. En el capítulo sobre las virtudes de la vida académica se describen los sacrificios y compensaciones, pero las necesidades familiares crean una gran presión cuando los grupos habituales de referencia superan tan obviamente a los de la propia profesión. El efecto neto es un poco de envidia: sentimiento de ser poco apreciado por la sociedad y un panorama poco atractivo para aquellos que están considerando una carrera académica.

Un problema mucho más serio es lo que yo denomino "envidia interna". Tiene dos raíces: la premisa filosófica de la igualdad colegial y la realidad académica. El árbol que se nutre de este sistema desde la raíz puede dar algunas veces frutos envenenados.

Artes y Ciencias abarca a la mayoría de los temas tradicionales de la

217

7. Como fuera informado en *The New York Times* (9 de agosto de 1985).

educación superior: las humanidades y las ciencias sociales y naturales. Supongamos que uno le preguntara al presidente o al decano, ¿tienen todos estos temas la misma importancia? ¿Son algunos más valiosos que otros? Las respuestas variarían dependiendo del tipo de escuela; por ejemplo, las universidades estatales con fuertes programas profesionales para estudiantes de grado pueden juzgar "importancia" y "valor" desde el punto de vista de la inscripción de alumnos, porque la asignación de recursos en las universidades subvencionadas por el Estado tiende a ser correlativa al número de inscritos, lo que inclinaría la balanza a favor de la administración de empresas, ingeniería, biología y economía, dejando a los estudios humanísticos un lugar más bajo.

Otros decanos y presidentes desearían considerar la oferta y la demanda de personal entrenado. Algunas disciplinas académicas están en demanda fuera de las universidades y esto conduce a fuertes presiones competitivas. Un ejemplo que viene al caso es el rápido crecimiento de las ciencias informáticas y de la ingeniería electrónica. En todos lados, estudiantes de todos los niveles asisten a los cursos de Ciencias Informáticas porque es el tema candente de la década. Simultáneamente, ha habido una gran expansión industrial que requiere un número considerable de especialistas altamente entrenados. El resultado es una escasez de científicos especializados en informática aplicada (en contraposición a la teórica), debido a que son necesarios en la industria, en las universidades y en el gobierno (hay que tener en cuenta que la industria y el gobierno no tienen necesidad de doctores en inglés, historia o literatura celta) y, por supuesto, el mercado funciona muy bien. Una demanda creciente para abastecer el inadecuado número de personas con destrezas especializadas aumenta los salarios, y la industria tiene poca dificultad para sacar a estos expertos del mercado académico con la atracción de mejores sueldos. Pero, como no podemos pasarnos sin ellos, tienen que ser colocados en una categoría especial con un salario alto, con acuerdos de condiciones especiales de trabajo y, de alguna manera, declararlos como "muy importantes".

Los temas académicos con valor práctico proporcionan a los profesionales recompensas considerables en lo financiero y en lo no financiero. El gobierno y la industria patrocinan la investigación en estos ámbitos ya que se consideran vitales para nuestra defensa nacional y nuestra competitividad tecnológica. Aquellos que consiguen ayuda financiera para sus temas de investigación reciben muchas ventajas: salarios de verano, estudiantes asistentes, fondos para viajes, mejores despachos, equipos modernos, etc. Deberíamos también considerar los beneficios psicológicos que se derivan del hecho de tener una investigación patrocinada o del elevado precio en el mercado de las habilidades particulares. Es un signo tangible de que uno le importa a alguien, que hay un valor demostrable en el producto intelectual.

No estoy sugiriendo que cada profesor encaja claramente en una de estas dos categorías: o beneficiario de un interés externo y por lo tanto puede ser clasificado como maníaco o no favorecido por dicho interés y, por lo tanto, depresivo. Aunque la realidad es más complicada, esta división es una primera aproximación útil. Creo que los años de posguerra han creado una estructura dual (¿una economía dual?) en las universidades.[8] En el "sector moderno" encontramos científicos (en ciencias naturales) y muchos científicos sociales. Los beneficios no son distribuidos equitativamente: actualmente, la Biología es tratada con más generosidad que otras ciencias (los gastos en salud son populares y lucrativos); el apoyo a las ciencias naturales desplaza el apoyo a las ciencias sociales (la ciencia dura es mejor que la ciencia blanda); y entre las ciencias sociales, la Economía es generalmente la niña mimada (es la ciencia más dura entre las blandas). No intentaré explicar o defender este orden jerárquico salvo para notar que puede ser causa de envidia (o quizás de leves desacuerdos entre los "que tienen").

219

Para comprender el verdadero significado de envidia tenemos que orientarnos hacia los que "no tienen" en el "sector tradicional": una gran categoría residual de ámbitos generales por lo general, y a veces inadecuadamente, descritas como las humanidades.[9] En realidad, estamos tratando con dos estilos y estándares de vida. El sector tradicional tiene ingresos inferiores, instalaciones más antiguas, pocas secretarias y una escasez de símbolos de estatus modernos: procesadores de texto, computadoras, menos secretarias, muebles de madera maciza, cocinas privadas pequeñas y lavabos, incluso algo tan primitivo como teléfonos de botones. Como decano, siempre fui consciente de

8. Antes de la Segunda Guerra Mundial, el patrocinio del gobierno y de la investigación privada eran virtualmente desconocidos. Es asombroso ver cuántos descubrimientos científicos fueron realizados en aquella época con pequeños presupuestos de investigación.

9. Los humanistas pueden creer que tienen casi un monopolio en el sufrimiento y el abandono. Sin embargo, existen ramas de las ciencias naturales y sociales que también sufren privaciones relativas. Por ejemplo, los científicos que van a la vanguardia de la investigación ya no requieren el uso de colecciones de museos científicos (botánicos, zoológicos y geológicos). Las técnicas moleculares y celulares están desplazando a los especialistas en sistemática. Los encargados de mantener esas instituciones para el futuro, cuando bien pueden estar en gran demanda, comparten sentimientos de envidia.

estas diferencias y para mí no eran cuestiones de poca importancia. Una carta de un científico llegó en papel personalizado escrito perfectamente a máquina por una secretaria. Una llamada telefónica a la oficina de ese caballero podía revelar que la secretaría tenía un acento inglés: un indicio de pertenencia a una casta alta. Cuando el profesor de chino envió una carta, parecía que había sido escrita a mano por él mismo o picoteada en una antigua máquina de escribir y, probablemente, su teléfono era respondido por un contestador o más probablemente, por nadie.

Estas diferencias no son creadas por la universidad y eliminarlas está fuera de su alcance. El flujo de fondos de investigación es determinado por el gobierno, la industria y la filantropía, y por las prioridades y la moda. Cuanto más grande es el flujo de dinero para investigación hay más oportunidades de obtener facilidades: secretarias, conferencias, fondos para viajar, salarios de verano, etc. En mi vida, ni la prioridad ni la moda han favorecido ni siquiera a la definición más amplia de estudios humanísticos. (Una posible excepción es el estudio de ciertos idiomas considerados críticos, de tanto en tanto, por el Departamento de Defensa.) El hecho es simple: algunas habilidades u ocupaciones se venden por salarios más elevados y reciben una participación más grande de recursos públicos y privados. Una institución puede intentar mitigar las diferencias (para achicar la brecha), pero eliminar la estructura dual está fuera de toda cuestión. Esto requeriría elevar a cada uno al nivel de los especialistas favoritos y esto estaría más allá de los medios y posibilidades de todas las universidades.

Existe otra complicación para tener en cuenta: la llegada del profesor megaestrella. Hasta ahora hemos discutido sobre categorías específicas que confieren ventajas; pero los privilegios también se pueden adquirir *ad personam*: dinero extra, espacio extra, licencia extra... extra de todo lo que pueda estar disponible. Es un fenómeno peculiarmente norteamericano y deriva de una feroz competencia interuniversitaria. A pesar de mi fe en las virtudes de la competencia institucional, me parece que somos unos apasionados de las estadísticas, las medidas y las clasificaciones.[10] ¿Quién es el número uno en esta liga o en aquella?, ¿quién encabeza las ventas de boletos?, ¿quién está arrasando en los negocios? Esta clase de preguntas son las que preocupan a la

---

10. Nuestro "pasatiempo nacional" de basquetbol proporciona una amplia evidencia de esta propensión. Ningún deporte produce más estadísticas por minuto de acción.

opinión pública y a la prensa. Dichas preguntas también están en la mente de las universidades norteamericanas porque atraer a una megaestrella tiene una poderosa influencia en las clasificaciones y en la imagen externa. No nos equivoquemos. Eso tiene un precio, y se paga con la moneda de la envidia.

221

CAPÍTULO TRECE

La universidad y las fuerzas del mercado 223

El tema de los malestares discutido en el capítulo anterior desde la perspectiva del profesor individual es, en gran medida, una consecuencia directa de las fuerzas del mercado. Nosotros, completamente a conciencia, tenemos nuestras instituciones abiertas a las influencias del mercado, y aunque ya se han notado resultados positivos en concordancia con el estilo de vida norteamericano, también surgen problemas.

Somos una sociedad en continua transición: las regiones que una vez fueron prósperas pasaron de ser un centro industrial a ser una zona "oxidada"; las áreas que en el pasado fueron pantanos y desiertos son ahora zonas muy ricas. Los vecindarios parecen estar en continuo movimiento. Cuando era joven, las avenidas Amsterdam y Columbus de la ciudad de Nueva York estaban habitadas por gente de bajos recursos; hoy en día se han aburguesado y son el hogar y el patio de juegos de la clase *"yuppy"*. En Estados Unidos, una "buena dirección" es efímera, no se nos reconoce por la estabilidad.

Entre nuestras universidades se pueden observar tendencias similares; por ejemplo, justo antes de la Segunda Guerra Mundial la lista de las instituciones estadounidenses importantes tenía un toque familiar. Estas listas incluían miembros del *Ivy League*, Chicago, Berkeley, Johns Hopkins, MIT, Wisconsin y otras. Hoy en día dichas universidades siguen siendo líderes pero son desafiadas por un grupo de universidades nuevas que han entrado o están decididas a entrar en el círculo de las 10 ó 20 más importantes; Stanford, UCLA, Texas (Austin) y NYU encajan en esta categoría. Lo mismo ocurre con una cantidad de instituciones del *Big Ten*. En los últimos años, he observado que en Harvard estamos más preocupados por la fascinación y el poder de Stanford que por los atractivos de Columbia y Yale. Hace 25 años, mis ex colegas en Berkeley se inclinaban a mirar con desprecio a la UCLA, aquel lugar primitivo y, de alguna manera, "ostentoso" tan "apropiadamente" ubicado en Los Ángeles. Estos sentimientos de autocomplacencia han sido reemplazados actualmente por un respeto saludable. Algunos años atrás, Texas creó un revuelo por rociar generosamente 100.000 dólares en propuestas por todo el país, y tuvieron éxito al atraer a unos cuantos académicos extraordinariamente distinguidos;[1] y, cuando se trata de matemáticas aplicadas o bellas artes, la posición de liderazgo de NYU es reconocida por todos.

224 Las universidades norteamericanas existen en el mundo real, donde se desafía a los líderes, o a veces se les obliga, a dar cabida a —o a ser reemplazados— por recién llegados. Para nosotros, la comodidad de Oxford, Cambridge, la Universidad de Tokio y la Universidad de París no existe. Siempre hay un grupo de universidades abriéndose camino a toda costa y otras intentando proteger sus posiciones en la cima. Quien crea, como creo yo, en las virtudes de la competencia, subrayaría los beneficios del sistema. Que una gran proporción de las universidades líderes del mundo estén ubicadas en Estados Unidos, se lo he atribuido en parte a los efectos de la rivalidad interinstitucional [ver Capítulo 2].

El contraste con Gran Bretaña, ya mencionado, ha sido descrito hermosamente por Christopher Rathbone:

> Al contemplar el sentido manifiesto de permanencia y estabilidad de una institución como Oxford, los norteamericanos sienten la existencia de una sabiduría institucional básica que echan de menos en sus propias universidades. Parte de esta impresión se debe a la autosuficiencia de un lugar como

---

1. Esto comenzó antes del colapso del precio del petróleo. Por sorprendente que parezca, la cantidad de 100.000 dólares ya no suena tan impresionante.

Oxford. Simplemente, Oxford no se ve obligada a competir. No existen aspirantes siempre listos a remover a Oxford de su posición superior. Gran parte de la fuerza de la integridad institucional de Oxford proviene de su confianza en sí misma y de ser capaz de dar por sentada su elevada posición. Oxford a diferencia de sus homólogas norteamericanas no tiene que estar probándose a sí misma. Como institución establecida, Oxford es un modelo inalterable en la vida de la Nación. Esto le confiere dominio de sí misma y dignidad.[2]

Puede ser cierto que Oxford sea superior entre las universidades inglesas, pero ya no es el estándar más riguroso. No tener la obligación u oportunidad de competir puede que sea uno de los muchos motivos del el deterioro relativo de las universidades inglesas desde la Segunda Guerra Mundial. Rathbone continúa:

> La condición de poder permanecer fuera del campo de batalla de la competencia institucional es una bendición que ninguna universidad norteamericana comparte. La única excepción posible aquí es Harvard; y aunque su posición fuera tan segura como la de Oxford, su comportamiento como institución dentro del consorcio de la elite de la nación no demuestra nada parecido al sentido de seguridad de Oxford, por lo que está obligada a combatir constantemente con contrincantes envidiosos. La capacidad de considerar la reputación como concedida es invaluable precisamente porque permite una atmósfera de calma en la cual la mente es completamente libre.[3]

225

El contraste entre Oxford y Harvard —símbolo de un contraste entre instituciones norteamericanas y no norteamericanas— está expresado en forma elegante. No estoy completamente seguro de la relación entre la calma y una mente libre. La calma excesiva puede conducir a una libertad mental equivocada, que algunos denominarían "sueño".

¿Cómo logra reputación y estima una universidad norteamericana? El dinero es condición sine qua non, y para las universidades privadas la cantidad de donaciones es un indicador de prestigio razonablemente confiable. Razonable,

---

2. "Los problemas de Alcanzar la Cima de la *Ivy League...* y Permanecer Allí", en *The Times Higher Education Supplement* (1º de agosto de 1980).

3. *Ibídem.*

pero está lejos de ser completamente confiable. Como lo indican las tablas a continuación, las mejores 20 instituciones son universidades de investigación (el *college* de mejores recursos económicos es Smith, y está en el puesto 31). La cantidad de donaciones cae muy rápidamente: el capital por donaciones de Chicago (puesto 11) está a solo el 23% de Harvard (puesto 1); decir que Harvard es cuatro veces mejor que Chicago sería pura tontería. Tres universidades públicas se encuentran entre las diez mejores (los sistemas de Texas, Texas A & M y California), pero, la contribución por estudiante es muy pequeña. Por supuesto, las universidades estatales tienen acceso al ingreso fiscal y el monto de donaciones es menos significativo. Según el estándar de fuente de financiación por estudiante, Rice estaría por encima de Yale, Stanford, Columbia y Chicago. Esto no sonaría correcto para clasificadores de calidad experimentados. Una encuesta realizada hace un par de años entre presidentes de universidades determinó la siguiente secuencia de calidad universitaria, haciendo hincapié en los programas de grado: 1. Stanford (5); 2. Harvard (1), Yale (4); 3. Princeton (3); 4. Chicago (11); 5. Duke (27), Brown (28), Universidad de California en Berkeley (10); 7. Universidad de Carolina del Norte (74); 8. Dartmouth (19). Los números entre paréntesis muestran la posición de la institución en la lista de donaciones y una vez más indican una correlación débil.[4] Nada de esto es para sorprenderse. Las fuentes de financiación por donaciones son solo una medida imperfecta ya sea de riqueza o de recursos disponibles. En la Facultad de Artes y Ciencias de Harvard, el ingreso por donaciones solo cubre un poco más del 20% de los gastos anuales. Otros activos —edificios, bienes inmuebles, piezas de arte, etc.— se omiten cuando se calcula la riqueza de las universidades, porque no representan lo mismo que las matrículas, los subsidios y contratos gubernamentales, y las concesiones anuales; pero incluso si se evaluaran correctamente todos los recursos, no constituirían una medida adecuada de calidad.

Un indicador mucho más confiable del estatus de la universidad es el grado de excelencia del personal docente que determina casi todo: un buen cuerpo docente atraerá buenos estudiantes, subvenciones, apoyo de ex alumnos y público, y reconocimiento nacional e internacional. El método más efectivo para conservar o aumentar la reputación es mejorar la calidad de los profesores.[5]

---

4. Ver "American Best Colleges", en *U.S. News and World Report* (25 de noviembre de 1985). La clasificación de la dotación de Berkeley se aplica actualmente a todo el sistema de California.

5. Aunque la analogía puede incomodar a los lectores, un cuerpo docente puede ser comparado con un equipo ▶

Fuentes de financiación - Las 20 instituciones más importantes

Universidad	Financiación (en miles)
Universidad de Harvard	U$S 4.018.270
Sistema de la Universidad de Texas	2.829.000
Universidad de Princeton	2.291.110
Universidad de Yale	2.098.400
Universidad de Stanford	1.676.950
Universidad de Columbia	1.387.060
Sistema de la Universidad de Texas A & M	1.214.220
Universidad de Washington	1.199.930
Instituto Tecnológico de Massachusetts	1.169.740
Universidad de California	1.122.160
Universidad de Chicago	913.600
Universidad Rice	857.155
Universidad Northwestern	802.670
Universidad Emory	798.549
Universidad Cornell	725.096
Universidad de Pennsylvania	648.528
Universidad de Rochester	556.908
Universidad Rockefeller	542.765
Darmouth College	537.272
Universidad Johns Hopkins	534.809

227

Fuente: derecho de autor 1988, *The Chronicle of Higher Education* [reimpreso con autorización].

Mayor cantidad de donaciones por estudiante

Privadas	Estudiantes	Monto (en miles)
Universidad Rockefeller	119	U$S 4.561.100
Universidad de Princeton	6.264	365.800
Universidad de Harvard	16.235	247.500

▶ de béisbol: el presidente de la universidad con el propietario, el decano con el director técnico, los académicos con los jugadores, y los estudiantes y ex alumnos con los espectadores. Tener un equipo con el más alto porcentaje de victorias requiere dinero y excelentes jugadores. Dichos jugadores pueden ser producidos por un "sistema interno de cultivo" (profesores *junior*) o comprados a otros equipos (megaestrellas).

Facultad de Medicina del Monte Sinaí	494	234.300
Instituto Tecnológico de California	1.850	221.100
Universidad Rice	3.986	215.000
College Swarthmore	1.312	210.400
Universidad de Yale	10.504	199.800
College Grinnell	1.253	181.000
Públicas		
Fundación del Instituto Militar de Virginia	1.592	49.400
Fundación de la Universidad de Ciencias de la Salud de Oregón	1.141	33.300
Sistema de la Universidad de Texas	90.000	31.400
Universidad del Commonwealth de Virginia	1.553	27.700
Universidad de Virginia	16.823	23.700
Universidad de Delaware	15.918	18.400
Universidad de Cincinnati	24.962	10.200
Universidad de Pittsburgh	26.953	8.200
College de William and Mary	6.951	8.100
Universidad de California	146.429	7.700

Fuente: Derecho de autor 1988, *The Chronicle of Higher Education* [reimpreso con autorización].

Un camino para elevar el prestigio es frecuentemente denominado "sembrar en el propio campo". Según esta estrategia, mejorar la selección en la categoría *junior* debería eventualmente elevar el promedio de calidad *senior*. Es una estrategia lenta y riesgosa, debido a que predecir los logros futuros de docentes-académicos jóvenes es difícil y la confirmación de juicios positivos o negativos puede tomar varios años. Una estrategia mucho más atractiva cuando el tiempo apremia, como nos suele suceder, es seducir una persona de calidad probada en otras universidades: mover a una megaestrella pedagógica de una institución a otra puede resultar un reconocimiento al instante.

También es una manera costosa de alcanzar metas loables. Las megaestrellas en todos los ámbitos implican recompensas financieras enormes y son lo suficientemente inteligentes como para explotar sus poderes en el mercado. Son capaces de solicitar edificios nuevos, grandes instalaciones de laboratorio, obligaciones de enseñanza especiales (reducidas), utilización de "reservas" de dinero discrecional de seis cifras, empleos para los cónyuges, la compra de casas costosas y mucho más. Un paquete típico de megaestrella de ciencias ronda entre los 2 y 4 millones de dólares (no es mucho en relación con los salarios de los profesionales del deporte, pero es un monto extravagante en términos del presupuesto de una universidad). Hay que agregar el temor persistente de que el objeto de toda esta devoción puede resultar un "volcán extinguido", una megaestrella que está pasada de edad. Es fácil comprender por qué a los decanos les transpiran las manos en cada negociación.

Con esto en mente, retornemos a la premisa de igualdad colegial y al lado oscuro de la vida académica. Obedecer las leyes de la oferta y la demanda es una gran tentación: son indicaciones simples y claras para acciones específicas. El número de biólogos moleculares de primera línea disponibles para las universidades es limitado debido a la demanda de sus servicios en la investigación industrial y gubernamental. Las fuerzas del mercado elevan sus salarios considerablemente más allá del promedio de los niveles académicos. Una megaestrella pedagógica en cualquier ámbito es el equivalente funcional a un lanzador de béisbol que regularmente gana 20 partidos y debemos reconocer que esos individuos son escasos. Las leyes de la oferta y la demanda nos dicen que esta clase de escasez implica elevadas compensaciones financieras. ¿Simple? En absoluto.

229

La racionalidad económica funciona bien cuando los resultados de pérdidas y ganancias son inequívocos y esto puede ocurrir en el mundo de los negocios cuando la propiedad es claramente identificable. Ya sea que estemos pensando en un equipo de béisbol o en una fábrica, en accionistas o propietarios individuales, tiene sentido administrar la institución de tal manera que se pueda satisfacer a aquellos que tienen derecho a los frutos de las ganancias. No digo que sea sencillo. Uno tiene que considerar los productos, la tecnología, el horizonte temporal, los riesgos, la satisfacción del empleado y muchos otros problemas. No obstante, tiene sentido recompensar a los individuos en proporción a la contribución que hacen a un fondo común de beneficios claramente calculados. El ganador del vigésimo partido merece ganar más que el lanzador .200 porque sus contribuciones resultarán en un alto porcentaje de victorias y eso significa grandes ganancias para el propietario. De modo parecido, el administrador de una división exitosa de una gran corporación puede reclamar justamente compensaciones que no están disponibles para aquellos responsables de las pérdidas.

Pero, ¿dónde están los resultados de pérdidas y ganancias de la universidad y quiénes son los propietarios? En términos sencillos, nosotros enseñamos y educamos a los estudiantes y producimos investigación. Algunos profesores tienen muchos estudiantes y otros unos pocos. En pocos casos, algunos profesores pueden no tener estudiantes. Debido a que los estudiantes son la principal fuente de ingresos por matrículas, puede resultar atractivo recompensar a los mejores profesores que imparten las clases más populares, de quinientos alumnos o más, que producen mucho ingreso por clases (mucho más que sus salarios).

Existen por lo menos dos dificultades importantes con esta política: un gran instructor puede no ser un investigador de primera categoría, y ese tendrá que tomarse en consideración y, aún mucho más importante, la oportunidad y capacidad de atraer un gran número de estudiantes depende de la asignatura que se enseña. Seguir un razonamiento basado en consideraciones de pérdidas y ganancias, significaría que aquellos que atraen gran número de alumnos son, de alguna manera, más importantes y valiosos. Como lo mencioné anteriormente, el curso más numeroso de Harvard es Principios de Economía. Casi 1.000 estudiantes se enlistan normalmente, rindiendo alrededor de 3 millones de dólares de ingreso por matriculación al año.[6] ¿Esto quiere decir que economía es más importante que los idiomas de Medio Oriente o termodinámica? Obviamente, eso depende un concepto subjetivo de lo que se entiende por importante. Economía es popular en las universidades porque cumple con ciertos requisitos de distribución curricular (generalmente forma parte del Core); porque los estudiantes creen que les ayuda a comprender el mundo en el cual viven; porque muchos apuntan a graduarse en un posgrado en Administración de Empresas o en Derecho donde la asignatura es vista como una buena preparación. Seguramente el estudio de árabe o Física cumple propósitos igualmente meritorios.

Cualquier líder académico experimentado —presidente, decano, director de departamento— sabrá que esta línea de razonamiento es una parodia sin sentido y solo puede tener consecuencias destructivas. Por supuesto, la demanda de enseñanza por parte del estudiante debe ser satisfecha, pero eso es solo parte de una gran misión. También es tarea nuestra la preservación e interpretación de la cultura, sin lugar a dudas de la reinterpretación de la

230

---

6. En 1988-1989, la matrícula (*tuition*) costaba 12.310 dólares, los estudiantes cursan ocho materias semestrales por año, y Principios de Economía es una materia anual.

cultura. Transmitimos las grandes tradiciones de una generación a la próxima, tratamos temas que pueden no ser muy solicitados o que parecen irrelevantes para las preocupaciones contemporáneas, porque sabemos que hay poca relación entre las ideas realmente importantes y las que están de moda; y estoy bastante seguro de que la solución a nuestros dilemas actuales tendrá que recurrir al entendimiento y el conocimiento que los pensadores tenían hace cientos de años, y nosotros somos los guardianes de esos tesoros. Una vez le dije al presidente Bok que aún si no hubiera estudiantes en Harvard que quisieran estudiar lenguas romances —en ese momento no era el tema más popular— teníamos la obligación de conservar el departamento vivo. ¿Por qué? Porque los clásicos de la literatura francesa, española e italiana son una herencia incalculable. Perder la influencia viva de estos clásicos sería el equivalente a hundirse en la época oscura.[7] Una universidad no puede ser dirigida por administradores de costos o como una empresa comercial, respondiendo solo a los mercados cambiantes. Eso es malo para nosotros y peor para las sociedades que buscamos servir.

Muchos de nosotros comprendemos que el mercado envía señales falsas si la misión de la universidad se toma seriamente y, aún así, no podemos ignorar las presiones internas y externas. Las señales son falsas porque la categorización de las asignaturas académicas por orden de importancia es muy defectuosa. Debemos elegir y destinar recursos; las decisiones pragmáticas favorecerán ciertas áreas e individuos, pero no están relacionadas con el valor intelectual intrínseco de las actividades individuales.

Hagamos la improbable comparación entre sánscrito y ciencias informáticas; seguramente no habrá necesidad de hacer hincapié en la importancia que tienen las computadoras: gran cantidad de estudiantes necesitan aprender Informática, cada experto nos dirá que estas máquinas están transformando nuestras vidas; pero el tema es nuevo aún y se esperan grandes avances para las próximas décadas, y cada universidad debe satisfacer estas necesidades. Se cree que el número de profesores de informática en las universidades aumentará de

231

---

7. Este párrafo conmovedor está tomado, más o menos textual, de un discurso pronunciado algunos años atrás durante una recaudación de fondos. Después de su publicación, he recibido una cantidad de cartas de directores y profesores de departamentos de lenguas romances con palabras de elogio. Es más, algunos de los que se comunicaron conmigo expusieron copias de mi discurso en sus tablones de anuncios. No estaba haciendo una distinción sobre sus disciplinas para obtener elogios —fue una suposición errada de su parte— simplemente era uno de muchos ejemplos posibles.

forma exponencial en el futuro, que solicitarán salarios elevados y recibirán privilegios especiales, reflejando de esta manera el poder del mercado. Sus cartas serán, seguramente, escritas en un procesador de texto por sus secretarias y tal vez enviadas por correo electrónico. La norma será permitirles lucrativos arreglos de consultoría privada y concederles un apoyo generoso de estudiantes de posgrado. Y los rigores de la enseñanza tenderán a aliviarse por reuniones profesionales —todas con deducción de impuestos— que se realizarán en algún lugar exótico. Las cargas horarias de enseñanza no serán excesivas; la competencia se encargará de ello. Sería imposible atraer a esos científicos a los campus sin estos cómodos arreglos. Las oportunidades que tienen son gigantes: trabajar en IBM o en Bell Labs duplica casi todos los atractivos de la vida académica ya que los niveles de ingreso son iguales y a veces más elevados.

Los profesores de Sánscrito se encuentran en una situación bastante diferente: en Estados Unidos existen solamente siete departamentos de Sánscrito, casi todos muy pequeños. En Harvard, donde el presupuesto mantenía un titular plenario y a un asociado cuando yo era decano, el departamento no tenía ni una oficina determinada ni una secretaria de tiempo completo. De acuerdo con mis fuentes, menos de 50 personas enseñan esta asignatura en este país. Aunque no son muchos los estudiantes que necesitan instrucción —las oportunidades de trabajo para los especialistas son extremadamente limitadas— los profesores especializados tienen que ofrecer una gran variedad de cursos, desde enseñar el idioma básico hasta la lectura de textos complejos.

No voy a afirmar que necesitamos expandir la enseñanza y la investigación del sánscrito, cuando la oferta y la demanda parecen estar equilibradas; sin embargo, sostengo que es de vital importancia que la lengua y la literatura de esta civilización se estudien en algunas universidades y que las pocas personas que lo estudian obtengan grandes beneficios que nosotros no podemos medir, beneficios que van más allá de la preservación de la cultura.[8] Nadie puede sostener que las contribuciones intelectuales del profesor de Sánscrito son menos valiosas a la empresa universitaria que las del científico de Informática; todos somos trabajadores en la viña del arte y de las ciencias, preservando, descubriendo y enseñando en las áreas de especialización que elegimos para cosechar diferentes cultivos. Abrir la mente de un estudiante en una clase

232

8. El físico J. Robert Oppenheimer estudió sánscrito cuando fue estudiante de grado de Harvard. ¿Eso lo hizo un mejor científico?, ¿quién puede decirlo? También podemos preguntarnos si se puede comprender a la India moderna sin una apreciación crítica de sus textos clásicos.

esotérica puede hacer más para cambiar el mundo que la explicación de un material oportuno frente a una multitud. Ese tiene que ser el ideal académico, pero, para usar una frase marxista, las contradicciones abundan.

Para mí estas contradicciones se tornaron particularmente vívidas cuando se seleccionó mi reemplazo como decano. Resultó ser un economista brillante de 39 años, ganador de la prestigiosa Medalla J.B. Clark otorgada por la Asociación Norteamericana de Economía a los miembros más destacados de la profesión menores de 40 años. Durante su carrera relativamente corta había obtenido una cátedra, un puesto con su nombre, una reputación internacional y una remuneración más que decente; sus distinciones fueron bien merecidas y cualquier institución se sentiría afortunada al tenerlo entre su personal docente.

Quiso la suerte, que su compañero de habitación en Princeton también formara parte de nuestro personal en el Departamento de Lenguas del Medio Oriente y resultó ser un conocido. Este hombre joven —él y el nuevo decano tenían exactamente la misma edad— enseñaban persa, árabe y otros idiomas y literaturas. Sus logros como lingüista, gramático y docente eran reconocidos por sus colegas de Harvard y en todas partes (seguramente, un grupo pequeño). Tenía un cargo sin *tenure* de Preceptor *senior* (docente de idioma), poco estable, de estatus bajo y con una remuneración excesivamente modesta. Las oportunidades para el *tenure* no eran muy buenas debido a que el mercado para especialistas en persa no es muy próspero. Ambas carreras ilustran nuestro dilema perfectamente.

233

Las contradicciones que nutren el lado oscuro de nuestra vida no están confinadas a distinciones entre los campos del conocimiento. El fenómeno de la megaestrella tiene el mismo efecto; los motivos de su existencia ya han sido explicados y las consecuencias son sutiles. La mayoría reconoce el poder de los mercados, la necesidad de nombres importantes para realzar las reputaciones departamentales y el glamour de los grandes premios. Al mismo tiempo, somos conscientes de lo imprecisos que son los resultados de pérdidas y ganancias y esto hace cuestionable apartarse de la práctica igualitaria.

Estas son algunas de las fuentes de nuestro descontento. Al hacer el balance, creo que las virtudes de nuestras costumbres y compromisos superan con mucho a sus vicios. Luchar para que eso siga siendo una realidad o, si es necesario, para que se convierta en realidad, es una gran responsabilidad de docentes y administradores. Ellos se enfrentan a la dura, a la casi imposible tarea de mantener el delicado balance entre las presiones externas y los ideales internos.

gobierno

CAPÍTULO CATORCE

El arte de ser decano

Como veremos, la administración académica es un arte muy peculiar. "Ser decano" es la forma de servidumbre administrativa con la que estoy más familiarizado, pero mis experiencias pueden aplicarse más ampliamente. Los burócratas académicos de toda clase no deberían tener problemas en reconocerse aquí.

Conforme el tiempo pasaba y yo adquiría mayor experiencia como administrador, una cantidad de amigos y conocidos buscaban mi consejo respecto a los atractivos del decanato, preboste e incluso presidente y, en casi todos los casos, ya habían tomado la decisión de aceptar el cargo administrativo, aunque no lo admitiesen, ni siquiera a ellos mismos. Mis amigos no necesitaban un consejo —era demasiado tarde para eso— pero necesitaban un panorama que describiera su futuro. A veces daba cursos intensivos de administración académica. En mi mente lo denominaba "graznidos de un pato perdido": me atreví a convertirme en un instructor de estos temas solamente al finalizar mi período como decano. Lo que sigue es un compendio de apuntes de clase.

El decano de la Facultad de Artes y Ciencias debe familiarizarse con el espectro completo de aprendizaje "no profesional", desde antropología hasta zoología (lo mismo deben hacer prebostes y presidentes). En mi caso eso significó nuevos y apasionantes encuentros con científicos y humanistas natos, y con científicos sociales fuera de la Facultad de Economía. No fueron encuentros casuales porque el decano debe comprender cálida y compasivamente las cosas que animan a dichos académicos. El conocimiento del decano no puede ser entendido en forma académica y, tal vez, no es más que un "entendimiento ejecutivo"; no obstante, es una experiencia enriquecedora.

El decano es la persona que conoce a más miembros del personal docente que ninguna otra persona, por lo general, por su primer nombre. También conoce a los estudiantes, al personal administrativo, a los policías, a los obreros de mantenimiento, a los jardineros, y a los ex alumnos; en resumen, a una parte importante de toda la comunidad universitaria. Ningún profesor común puede tener tan amplio círculo de amigos y asociados y pocos tendrán la oportunidad de hacer tantos enemigos. Aunque los decanos no siempre se encuentran con individuos en las circunstancias más propicias —hay demasiados conflictos y desacuerdos— todavía considero que la variedad de posibles amistades es una de las más grandes recompensas de ser decano.

236

Dejar la impresión de que ser decano es solo una experiencia positiva sería un error. Como cabeza administrativa de la Facultad de Artes y Ciencias, tuve que enfrentar la dificultad de que mis responsabilidades no estaban relacionadas con la descripción estándar de una profesión o área académica específica, "Artes y Ciencias" no es una asignatura. Los decanos de derecho y medicina, por ejemplo, siguen siendo abogados y médicos, y no pierden el contacto con sus pares. Esa no fue mi experiencia: ser decano de Artes y Ciencias significa que uno está completamente dedicado a la administración, y la mayoría de las cuestiones no tienen nada que ver con la profesión de cada uno, incluyendo economía. Cuando era estudiante, la pregunta "¿Alguna vez has estado en una nómina?", solía hacerse a los economistas incipientes en cierto tono burlón. Bien, he estado en una nómina durante muchos años y tiempos difíciles, pero eso no les preocupa a los economistas.[1]

En el Capítulo 3, ya he descrito un día en la vida del decano y la esencia de ese mensaje debería repetirse. Tanto los profesores como los estudiantes tienen tiempo a su disposición sin interrupciones: tiempo para escribir, leer, pensar, soñar y, también, para perder. El horario del decano —cualquier horario administrativo— no podría ser más diferente: citas de media hora que

---

1. Tal vez aquellos que siguen eligiendo economistas para cargos administrativos deberían tener este hecho en mente.

terminan durando todo el día y a veces hasta comenzando con el desayuno; es más, la mayoría de las comidas adquieren un carácter oficial y es esencial aprender a dar pequeños discursos mientras se está comiendo. Una vez me comparé con un dentista: doce a catorce citas por día, frecuentemente acompañadas por dolor. ¡Eso concluyó con una carta airada de un directivo de Odontología!

Nada de estas cosas son muy peculiares. Todo el que está a cargo de algo tendrán muchos amigos y enemigos. Los líderes de grandes grupos no pueden esperar ir más allá del "entendimiento ejecutivo" —leyendo apresuradamente los memorandos escritos por un asistente— y es lo opuesto a la habilidad profesional. Finalmente, dirigir un establecimiento de una envergadura significativa implicará moverse más allá de las descripciones estándar de las disciplinas. Artes y Ciencias no es más diverso que la General Motors o el Ministerio del Interior; las peculiaridades de la administración académica está en todas partes.

Hace algunos años fui a ver *Amadeus* (un estudio de dos vidas musicales: la del genio Mozart y la del compositor Antonio Salieri) y me sorprendí al verme apoyando al Maestro Salieri, *Hofkapellmeister* (director musical o administrador) en la corte de los Habsburgo, que podría ser considerado como un villano. Llegué a simpatizar con Salieri, que parecía estar en la posición de un decano típico. Mi corazón se unió a él debido a que el "Problema Amadeus" está con nosotros actualmente, especialmente en las universidades.

De acuerdo con la película —la historia emplea una gran cantidad de licencias artísticas— el carácter de Mozart es infantil y especialmente desagradable, su comportamiento es atroz y egoísta, pero sus dones musicales son divinos. Aparentemente sin esfuerzos, Mozart compone sinfonías y óperas de una belleza suprema; y, por el contrario, Salieri es un hombre bueno con talento medio. Su larga vida fue dedicada a la gloria de Dios y al emperador, y sus trabajos son el producto del sudor; ninguna de sus obras tendrá jamás el toque del genio. La reacción inicial de Salieri hacia Mozart es amistosa, pero cuando el genio se burla de él, los sentimientos se tornan hostiles (incluso amenazantes). En cierto momento, el miserable *Kapellmeister* se dirige a Dios con una queja amarga: sus años en la tierra han sido consagrados a las buenas acciones, y la inspiración y los poderes creativos han sido destinados al infantil y despreciable Mozart. ¿Esto es justicia?

Cada administrador académico en una universidad excelente debe haber compartido la desesperación de Salieri en algún momento. Nuestros departamentos

237

están habitados por académicos extremadamente talentosos, incluso algunos que merecen el título de genios, y una proporción importante tiene personalidades difíciles e infantiles (recuerde que al momento de la contratación se pasa por alto el temperamento). La gran erudición, aún la gran enseñanza, según mi experiencia se combina generalmente con rasgos estrafalarios de carácter. Las personas amables no terminan necesariamente últimas, pero sería difícil discutir que están bien representados entre los favoritos. Poco tiempo después de asumir como decano, uno de los científicos más importantes de Harvard solicitó una cita. La perspectiva era emocionante: conocía al caballero casualmente y esperaba ansioso mi encuentro con alguien cuyo nombre figura en la historia de los descubrimientos del siglo XX. Tal vez era ingenuo esperar una combinación de Einstein y Arrowsmith porque, de cualquier manera, no iba a ocurrir. Durante el transcurso de la entrevista, deseando llevarles a mis hijos un mensaje inspirador, tal vez inapropiadamente, me interesé sobre los orígenes de la inspiración científica de este hombre. Surgió una respuesta sin vacilación: "Dinero y adulación". Mi desilusión fue profunda pero me di cuenta que este genio científico comprendió demasiado bien lo que los decanos tienen para ofrecer. Salieri: tú eres uno de los nuestros.

238

Otro aspecto de nuestra cultura especial es la expectativa de reticencia. La sinceridad es una característica admirada en la vida norteamericana y eso incluye a la universidad. La ambición es tolerada, incluso alentada; el trabajo duro es respetado; nunca hemos seguido el ideal del amateur inglés, una apariencia de holgazanería disimulando energía. Estas características honradas y atractivas desaparecen en la elección de decanos, prebostes y funcionarios ejecutivos académicos. En los negocios, ¿puede imaginarse a alguien repitiendo constantemente sobre su falta de disponibilidad para el cargo de Principal Oficial Ejecutivo (CEO) o Principal Oficial de Operaciones (COO), mientras desea en secreto —tal vez haciendo campaña— el nombramiento? En la empresa privada, esto puedo ocurrir en algunas ocasiones, en nuestro mundo, es la regla: está mal visto que un profesor admita el deseo de un cargo administrativo. Uno de nuestros clichés dice: quien realmente quiere estos cargos debería ser descalificado. La administración es una forma de traición a la propia clase, un salto de "nosotros" a "ellos" y una traición a nuestra misión primaria: enseñar e investigar. Por este motivo también, es crucial dar pruebas de sufrimiento continuo una vez que se alcanza el cargo de decano o similar. Los colegas ofrecerán sus condolencias (las felicitaciones serían un abuso de modales) y el titular siempre debe anhelar públicamente retornar rápidamente al laboratorio, o a la biblioteca, o al aula, sin importar cuál es su verdadero estado de felicidad.

Seamos sinceros respecto a otro tema discutido ocasionalmente: las obligaciones administrativas traen aparejadas ventajas financieras a largo plazo. Remuneraciones extras y diversas compensaciones adicionales —por ejemplo, residencias oficiales— son privilegios al unirse al aparato de gobierno, y los ex decanos y presidentes son tratados generalmente con más amabilidad aunque sus desempeños hayan sido poco adecuados.[2] Esto podría explicar por qué estas posiciones raramente son rechazadas.

Otra peculiaridad es nuestro persistente rechazo a reconocer el valor de la experiencia como preparación para la administración académica; cuanto más alto es el cargo, menos atención se presta a las cualidades ejecutivas demostradas. Uno puede tener la impresión de que no se requiere experiencia previa. El actual presidente de Harvard asumió el cargo después de un período de 3 años como decano en la Facultad de Derecho, un horizonte bastante limitado. El último presidente de Yale era profesor de literatura renacentista, su sucesor trajo consigo 1 año y medio de servicio como decano de la Facultad de Derecho de Columbia. Mi sucesor fue director del Departamento de Economía por menos de 1 año. El exitoso y actual presidente de la Universidad de Nueva York trajo a su importante posición muy poca experiencia relacionada con el trabajo. Yo también encuadro en este modelo: 3 años de servicio como director departamental y encabezando una cantidad de comités de facultad, no constituyen un programa de entrenamiento significativo para hacerse cargo de 1.000 profesores, 8.000 estudiantes, 6.000 empleados y presupuestos que exceden eventualmente los 200 millones de dólares.

Estas prácticas no son irracionales. Comparado con otras instituciones, una universidad no dispone de un grupo de administradores experimentados preparándose para un ascenso; por el contrario, el proceso de selección "natural" (es decir, la adjudicación de *tenure*) rechaza todas las evidencias excepto las de pertenecer a la investigación y a la enseñanza. Además, aquellos que son seleccionados por razones académicas y luego enviados a puestos administrativos de bajo nivel no son admirados por sus colegas. Cargos superiores (decanos, presidentes, etc.) traen consigo un respeto reticente; los cargos inferiores solo traen aparejados una desaprobación disimulada. Un profesor que,

239

2. Un tema olvidado con frecuencia: las remuneraciones administrativas forman parte de los cálculos de pensión. Una década de estos pagos puede hacer una diferencia considerable al momento de la jubilación.

de buena gana, se convierte en vicedecano o asume un cargo en un semestre de verano se considera cansado de la investigación, en decadencia a causa de su edad, desesperado por un poco de dinero o todo lo arriba mencionado. Ahora podemos comenzar a comprender por qué la experiencia previa tiene tan poco peso. La elección de las personas más talentosas, capaces y respetadas necesita de la consideración de un grupo más amplio. Efectivamente, desde cierto punto de vista, las indicaciones administrativas anticipadas pueden ser una característica negativa.

Dada la situación poco común en las universidades —un cuerpo de ejecutivos *senior* o profesores con *tenure* cuyas habilidades se encuentran fuera de la administración— uno podría preguntarse: ¿por qué no recurrir a profesionales?; después de todo, dirigir una empresa, cuadrar presupuestos, supervisar el mantenimiento de los edificios, recabar fondos, desarrollar políticas de personal no está directamente relacionado con la investigación y la enseñanza en ningún ámbito, con la posible excepción de la Administración de Empresas. ¿No sería razonable dejar estas tareas desagradables y vulgares a ayuda contratada?

240

En general, creo que es una receta para el desastre. Las habilidades técnicas del ejecutivo —lectura del balance general, estimar el valor descontado o capacidad de deuda, o misterios similares— son trivialidades comparadas con el entendimiento de la naturaleza fundamental de la universidad. Toda esta comprensión viene de la experiencia interna adquirida durante largas horas en la biblioteca, en el laboratorio y con los estudiantes. Al comenzar mi carrera no académica, un profesor *senior* me dijo: "escucha los rumores, eso es lo que hacen los buenos decanos". Me tomó algún tiempo apreciar su profunda sabiduría. Obviamente mi viejo amigo no quería que me preocupara por algún reciente escándalo o una conversación durante un cóctel. Como llegué a darme cuenta, me había instado a que me mantuviera al tanto de un organismo complejo, escuchando: ¿Quién estaba haciendo el mejor trabajo en el departamento?, ¿cuáles eran las áreas de especialización prometedoras?, ¿había algún centro de investigación cuya calidad estaba declinando? Uno puede aprender las respuestas a estas y a otras preguntas prestando atención al cotilleo constructivo, siempre que se tenga un oído entrenado. En casi todos los casos esto se realizará con mayor competencia por alguien empapado en la cultura de la universidad. El enfrentamiento de las culturas puede ser ilustrado por una buena historia que bien puede ser apócrifa: cuando Dwight D. Eisenhower fue presidente de la Universidad de Columbia conservó un ayudante militar como correspondía a su rango de general del ejército. El joven comandante acostumbraba a sentarse fuera del despacho. Un día, un profesor mayor, con el traje muy arrugado, llegó para tener una cita. El ayudante lo miró de arriba abajo severamente y le dijo: "Abotónese, doc, usted va a entrar a ver al general".

Consejos útiles para administradores académicos

1. Nunca se sorprenda por nada

Entre los encantos del oficio está el hecho de que siempre hay eventos inesperados. Por lo general, una vida de profesor es tranquila y protegida, poca gente sabrá tu nombre. Los vecinos y los carteros se preguntarán por qué uno pasa tanto tiempo en casa, pero por lo general tienen cosas más importantes en las que pensar. Ser profesor universitario da la oportunidad de seguir una rutina placentera: mañanas trabajando en una oficina tranquila, clases no antes de las 10:00 a.m. (los estudiantes no aparecen antes) almuerzos prolongados y seminarios por la tarde, todo llevado a cabo en un relativo anonimato. No mostrar la cara no es una opción para el administrador principal: su nombre aparece en la prensa con regularidad, sus hábitos, comportamientos y decisiones se convierten en temas de discusión pública; y muchas cartas extrañas pasarán por su escritorio.

241

En 1976, llegó desde Argelia la siguiente solicitud de trabajo:

Estimado Sr.:

Tengo el honor de pedirle que me considere para el puesto de profesor en alguna facultad. Tengo nueve doctorados, he estudiado en la Universidad de Cambridge, pasé 80 años en Estados Unidos, conocí a muchos estudiantes norteamericanos, trabajé como neurólogo en muchos hospitales psiquiátricos de su país. He estudiado geofísica y varios idiomas, incluyendo egipcio, francés, holandés, chino y japonés.

Para contarle más sobre mí, fui amigo de varios presidentes norteamericanos (George Washington, Roosevelt, Abraham Lincoln), soy veterano de la Guerra Civil. He trabajado con la Metro Goldwyn Mayer [...].

A estas alturas dejé de leer y envié la solicitud a mi amigo el preboste de Yale. Nuestra institución hermana es famosa especialmente por sus estudios humanísticos y tenía la sensación que el caballero de Argelia encontraría un entorno más agradable en New Haven.

Más recientemente, llegó una carta de la región Central-Norte de Estados Unidos:

Estimado Sr.:

Necesitamos su cooperación para un problema grave que involucra a todos los profesores de Harvard. Estábamos mirando el *show* televisivo de Phil Donahue y había dos prostitutas y dos mujeres que intentaban ayudar a las prostitutas. Las primeras afirmaron que la mayoría de sus clientes eran abogados y profesores universitarios. Declararon que los hombres usaban perfumes y joyas, y que los profesores no solo venían de Missouri sino también de Massachusetts. Declararon que todos los profesores de Harvard iban a St. Louis, Missouri, cada semana por la gran oferta de hoteles… Los profesores pervertidos se quedaban en Massachusetts.

242

Intenté tranquilizar a la dama que escribió esta carta diciéndole que la capacidad hotelera de Boston se duplicó en los últimos años y le manifesté mi esperanza de que, de ahora en adelante, los profesores pervertidos se inclinarían menos a viajar.

Algunas veces, el público general hará sugerencias originales y útiles. De Brooklyn (Nueva York) llegó la siguiente epístola firmada por un caballero con el título (otorgado por sí mismo) de Asesor Especial de la Casa Blanca sobre "Misiles Sin Techo".

Estimado Decano de la Facultad:

Como lo sugiere su título usted obviamente tiene el don natural de previsión y, estando en posesión de todas sus facultades, me gustaría sugerirle una alternativa adecuada para el Programa de Crédito Garantizado para el Estudiante.

Como una propuesta modesta, sugiero la creación de un Programa de Crédito estudiantil para Misiles MX, es decir, los estudiantes recibirían préstamos basados en la cantidad de horas que pasan mensualmente dirigiendo misiles MX desde un lanzacohetes a otro.

Dicho programa permitirá a los estudiantes en su institución servir a Dios, a los misiles, al país y a su propia educación (todo al mismo tiempo...), [...].

Mi respuesta incluyó una profunda expresión de gratitud. Sin embargo, debo señalar que los centros de misiles estaban ubicados en el Oeste y, por lo tanto, los gastos de viaje de los estudiantes harían que este plan fuera menos atractivo para Harvard. Por desgracia para las universidades situadas en lugares más favorables, creo que nuestro gobierno puede decidir conservar los misiles estáticos.

Por supuesto, estas son todas cartas "chifladas": algunas veces son divertidas, no pocas veces desagradables y obscenas, la mayoría de las veces patéticas, pero ilustran una característica inevitable de la vida administrativa. Un llamamiento para encabezar una facultad, *college* o universidad es inspirador: pensamos en las grandes decisiones y debates sobre la filosofía de la educación, nos vemos a nosotros mismos hablando sobre "las humanidades" o "la ciencia" a la nación e incluso al mundo, no sabemos de antemano si en la vida será una montaña rusa que nos lleve de lo sublime a lo ridículo cinco veces al día. Temas de grandes principios forman parte del trabajo y esto es predecible y previsible, pero ¿quién creería que la elección de una contraventana de dos o tres paneles para los dormitorios llevó varias horas de negociación entre la olímpica figura del presidente de la Universidad de Harvard y su principal acólito, el decano de la Facultad de Artes y Ciencias? ¿ O que por el hecho de que la temperatura en una sala de conferencias era de 40°C y el micrófono no funcionaba —todo enfrente de 700 estudiantes de literatura inglesa—el decano sería públicamente acusado por dos profesores de infligir un dolor intolerable y de degradar y o matar las humanidades? ¡Es increíble, pero sucedió!

243

2. Aprender el valor de ser impreciso.

Como grupo, los académicos son intolerantes y críticos; en sus trabajos, están acostumbrados a dar y recibir fuertes críticas, y la precisión de pensamiento y expresión es una cualidad que despierta admiración. No es sorprendente que los profesores sientan cierto desprecio por los políticos (prometedores, habladores, charlatanes). No creo que muchos decanos compartan estas opiniones ingenuas. A través de los años, he desarrollado una profunda simpatía por los políticos que intentan sobrevivir en una democracia. De vez en cuando, lanzo algunas miradas envidiosas hacia una variedad de modelos totalitarios de gobierno que van desde Albania hasta Corea del Norte. Es mucho más sencillo ser un líder efectivo en un entorno así, y no es de extrañar que esos tipos permanezcan en sus despachos para siempre o al menos hasta que son asesinados.

Nosotros, por otro lado, vivimos en el mundo de intereses especiales. Las preocupaciones de los estudiantes son políticas, sexuales, sociales y ocasionalmente académicas. Cada tema está respaldado por un grupo de presión con una agenda detallada. La Facultad de Artes y Ciencias está dividida en alrededor de 50 departamentos, cada uno tiene su propio programa y no se concentrará en otra cosa. Negar una petición (por lo general, una asignación) y citar consideraciones de bienestar general no dará una impresión favorable. Luego estarán los ex alumnos, el gobierno, la prensa, el pueblo, cada uno en búsqueda de unos cuantos objetivos. Los egresados desean un equipo atlético razonable, excelencia académica, un personal docente comprensivo para cualesquiera que sean sus políticas, y tener garantizada la admisión de sus hijos. El gobierno quiere comprar investigación sin pagar su costo total y también quiere evitar la libre afluencia de información científica en nombre de una seguridad nacional vagamente definida. La ciudad quiere que la universidad pague los impuestos, que construya casas para los pobres y evitar la construcción de más dormitorios. Los representantes de la prensa están ansiosos por reemplazar completamente a las universidades, en particular como proveedores de conferencias sobre la moral pública.[3] Imagínense al decano (presidente, preboste) como una foca con una pelota gigante que diga *intereses especiales* balanceándose peligrosamente sobre su nariz.

El político democrático (y eso es lo que somos nosotros) comprende que la imprecisión es la cualidad que produce la aprobación máxima. La especificación inevitablemente conduce a una reacción negativa. Las recientes campañas

---

3. En relación con esto, quiero rendir un tributo al *Boston Globe*: sugiero un galardón especial a la hipocresía. Uno de los temas editoriales favoritos ha sido la deficiente actuación de la universidad en su implementación de los programas de acción afirmativa, en especial en lo referente a los cargos de *tenure*. Es una ironía que esas admoniciones se publiquen en el *Globe*, cuyo consejo editorial no muestra ni siquiera una mujer o un representante de las minorías. Evidentemente lo irónico de la situación no fue advertido por este grupo de caballeros de raza blanca.

Lo anterior fue escrito hace 3 años. Se han agregado dos mujeres que ahora representan la décima parte del consejo editorial. La composición racial no ha cambiado.

presidenciales introdujeron poderosos eslóganes: "quítate al gobierno de tus espaldas", "ten confianza en ti mismo", "conoce quién eres", y esa gran gema de "lee mis labios". En tanto no expliquemos lo que significan algunos de estos lemas, estas frases producen buenos sentimientos inofensivos.

Una ilustración específica del principio general puede ser útil. Durante los últimos años en Estados Unidos ha habido un debate nacional sobre educación. Los informes de varias comisiones han sido recibidos con aprobación por los medios y los educadores. Se nos insta a "renovarnos", a mejorar las habilidades de nuestros estudiantes y elevar el prestigio de los maestros, pero los documentos de las comisiones brindan pocos detalles concernientes a la implementación y pocos análisis sobre los problemas estructurales de la educación pública estadounidense. ¿Cómo se reforma un sistema controlado por 20.000 distritos escolares locales independientes? Después de todo, esa es la pregunta práctica más importante y, a pesar de la falta de respuestas, casi todos aplauden.

Por el contrario, algunos años atrás la Universidad de Harvard cambió su plan de estudios para los estudiantes de grado. Nuestros debates y conclusiones fueron supervisados de cerca por la prensa y el público porque el debate nacional estaba comenzando y nosotros somos notablemente visibles. Fuimos precisos y proporcionamos una gran cantidad de implementación detallada. Nuestros resultados fueron recibidos con mucha crítica (y algún elogio bienvenido); casi todos objetaron algo. Ese es el precio de la especificación en una época de pequeñas molestias. No estoy sugiriendo que la vaguedad es deseable siempre pero, en ciertas ocasiones, es útil.

245

3. Memorizar la correcta definición del adjetivo "receptivo": dar respuesta, constituir una respuesta, responder

Aquí tenemos una de las palabras peor utilizadas del inglés norteamericano, especialmente en el ámbito universitario: los jóvenes, y muchos no tan jóvenes, se han convencido de que ser "receptivo" es lo mismo que decir "sí". Aquellos de nosotros mayores de 40 deberíamos saber que una respuesta negativa también es receptiva y ningún administrador puede darse el lujo de olvidarlo.

Hago hincapié este asunto gramatical aparentemente sin importancia debido a la extraordinaria dificultad para deshacerse de los temas en una universidad.

La nuestra es una sociedad donde se mezclan en forma poco usual las generaciones. Casi la mitad de los habitantes de la Facultad de Artes y Ciencias —tengo en mente nuestros 6.500 estudiantes de grado— tienen entre 18 y 22 años, y cambian cada 4 años. Como grupo, los estudiantes tienen poca memoria y los mismos temas surgen año tras año cuando los nuevos líderes estudiantiles acaparan la atención. Con cierta frecuencia, los nuevos líderes acusan a los administradores de no ser receptivos a sus demandas, aunque anualmente se les ha dado una clara respuesta negativa durante la última década. Los profesores tienen memorias interminables y rencorosas y eventualmente se vengan. Se necesita por ejemplo, un colega para servir en un comité importante o tal vez se necesite apoyo para un voto controversial. Si se nota una falta de cooperación, recuerde que hace 8 años —y con toda razón— usted rechazó la petición de dicha persona por un estacionamiento mejor o por una ausencia adicional con sueldo.[4] A los ojos de los colegas, usted ha sido poco receptivo. Los administradores no pueden darse el lujo de olvidar *algo*, y mucho menos el significado de "sí" o "no".

246

4. Considere que la frase "sin comentarios" es, a menudo, la respuesta más apropiada a una pregunta. No hay obligación de hablar con la prensa. Evite hacer algo que no desee ver publicado en un periódico; fracasará pero el objetivo vale la pena

Todos los académicos desean ver sus nombres impresos en solapas de libros, artículos, e incluso en los periódicos. Para la mayoría de los profesores, esta es una experiencia positiva y, en el peor de los casos, un evento inofensivo. Escribir libros o artículos es una prueba de la productividad académica y, por lo tanto, una mala revisión ocasional es olvidada rápidamente y siempre podemos vengarnos escribiendo revisiones desagradables. A muchos colegas les satisface comentar públicamente sobre asuntos mundiales en la prensa diaria, que es una actividad especialmente agradable y no tiene riesgos; nadie recordará lo que se dijo hace una semana (el periódico de hoy será utilizado

---

4. Estos no son ejemplos estrafalarios. Cuando la revolución estudiantil irrumpió en Berkeley en 1964, los profesores dieron un apático apoyo al presidente Clark Kerr. Los motivos de dicha actitud fueron discutidos en aquel momento y el descontento del personal docente con las nuevas tarifas de estacionamiento parecía ser un factor importante.

mañana para envolver el pescado.), los asuntos mundiales no se ven afectados por lo que dicen los expertos, y los parientes se impresionan por la evidencia de nuestra autoridad. La forma definitiva de esta complacencia son los numerosos anuncios políticos o de servicio público que se publican con frecuencia en *The New York Times*. El promedio de las firmas pertenece a profesores que buscan influir sobre un tema de política pública importante y ver sus nombres exhibidos (por lo general, impreso en dimensiones microscópicas). De hecho, estos anuncios no tienen un efecto perceptible sobre nada, excepto tal vez en el balance de *The New York Times*.

La administración académica funciona bajo circunstancias completamente diferentes. Ahora la tarea es intentar que no aparezca el nombre de uno en los periódicos o utilizarlo solamente cuando sirva para un propósito institucional. No habrá necesidad de perseguir a los periodistas con ofertas de opiniones o información de fondo. Ellos serán los cazadores y uno será la presa y algunas veces tiene sentido tratar de evitar ser capturado. La libertad de expresión consiste en el derecho a imprimir lo que uno sabe que es cierto y no el derecho de saberlo todo. La discreción es una cualidad que todos los decanos, presidentes y prebostes deben tener o adquirir rápidamente.

247

En 1974, la comunidad científica de Harvard se vio perturbada por un incidente que, infortunadamente, se ha tornado común en los últimos años. Una serie de experimentos biológicos llevados a cabo por un profesor adjunto y un brillante estudiante de grado, su ayudante, prometían resultados de una importancia absoluta. Empezaron a circular rumores sobre el próximo Premio Nobel y se decía que un mentor de la facultad ya estaba descorchando el champán. Lo que siguió fue una desagradable sorpresa para todos los involucrados (salvo para un individuo): tras los primeros resultados prometedores, nadie pudo duplicar los experimentos; y así ha sido hasta ahora. ¿Qué pasó? Nunca nadie lo sabrá, aunque la sospecha recayó sobre el ayudante, que de alguna manera fue descubierto falsificando cartas de recomendación a su favor. Podemos asumir que esto fue un improbable golpe de suerte, o que alguien inventó la evidencia científica.

Esta triste historia ilustró la portada de muchos periódicos, dañando la reputación de la ciencia en general y la de Harvard en particular. Para mí fueron especialmente molestas las celebraciones anticipadas y la publicidad. Me parecía que en la biología moderna existe una presión competitiva excesiva: un campo que avanza con una rapidez vertiginosa y excitante, que ofrece fama y fortuna a aquellos que ganan por no más de una nariz. Esta atmósfera está muy bien descrita en el extraordinario libro *The Double Helix* de James Watson, y puede ser que esa sea la manera como deben suceder las cosas. Como el gran público, anhelo un equilibrio entre el *The Double Helix* y (¡sí!) *Arrowsmith*, ese joven investigador sin egoísmos que estudia sus tubos de ensayo a altas horas de la noche, en su laboratorio, pensando en la humanidad más que en la gente de etiqueta en Estocolmo y saludándose con el rey de Suecia.

Con ese humor sombrío, estaba caminando hacia mi despacho el 29 de diciembre. La universidad estaba cerrada y el jardín estaba desierto, pero luego vi una cara familiar: un periodista del *The New York Times* que alguna vez escribió cosas amables sobre mí. Naturalmente estaba dispuesto a ser amigable y charlamos sobre el incidente científico antes mencionado. El periodista me dijo sobre sus intenciones de escribir un artículo interpretativo para el periódico del domingo, y continuamos con nuestra conversación (realmente no era una entrevista). En este entorno relajado, cometí un grave error al hablar informalmente con alguien que había impreso mi nombre en forma favorable. Mencioné la competitividad excesiva entre los científicos y luego —incapaz de resistir una descripción inteligente y llamativa— describí a algunos biólogos como "Sammys Glicks de la peor clase".[5] Esta observación fue impresa el domingo y atribuida a un "administrador influyente de Harvard". Me sentí mortificado y dormí muy poco esa noche. Mi propia estupidez fue obvia: había violado una norma del buen administrador.

El lunes a la mañana, el director del Departamento de Bioquímica —un científico inteligente y reconocido a quien yo admiraba, respetaba y me agradaba— me entregó en mano una carta. La última frase decía: "Considero que esta declaración calumniosa por parte de un administrador de mi Universidad es un grave insulto al Departamento de Bioquímica y también hacia mí persona". La tentación de agacharme y reconocer mi ignorancia era grande. Bien hubiera podido intentar seguir aquel camino imprudente, pero al final, las circunstancias me condujeron por el camino de la virtud. Mi jefe, el presidente a quien confesé mi error, me dio un severo sermón protestante en el que me decía que debía confesarlo todo. Además, recuerdo haber hecho la misma aguda observación a alguno de mis compañeros. Finalmente, una referencia a Sammy Glicks tenía un cierto sabor étnico que encuadraba conmigo más que otra cosa.

---

5. Ver Budd Schulberg, *What Makes Sammy Run*.

Solicité encontrarme con los miembros del Departamento de Bioquímica. Después de reconocer mi error y disculparme, tuvimos un cándido y vigoroso intercambio de opiniones. Escucharon mis preocupaciones y quejas, y yo logré un mejor entendimiento de sus circunstancias. Nos despedimos siendo amigos y muchos años más tarde (después de dejar mi cargo) ofrecieron una cena en mi honor. Ningún otro departamento hizo algo así.

5. Cultive el arte de pedir dinero a la gente; su carrera puede depender de los resultados

La recaudación de fondos será siempre la obligación principal de los administradores *senior* de la universidad, no importa lo que se diga cuando la presidencia o cosas parecidas se ofrecen a ingenuos candidatos. En la jerga del negocio, uno debe aprender a convertirse en un "allegado": alguien que puede cambiar de amables, y a menudo embarazosos preliminares, a solicitar una donación de siete cifras. Se hace más fácil con la práctica.

Me contaron que cuando se le ofreció a Derek Bok la presidencia de la universidad, el socio mayoritario de la Corporación le dijo que no se preocupara por la recaudación de fondos. Él sabía que si Harvard hacía bien su trabajo, los problemas financieros se resolverían. Quisiera saber cuán a menudo el Sr. Bok recordó este irrisorio consejo cuando se levantaba después de la cena, con un cansancio brutal, en alguna ciudad distante para dar otro discurso: "Estoy encantado de estar con ustedes en Los Ángeles, Chicago, Kansas, Atlanta...".

La recaudación de fondos será siempre el *leitmotif* de la vida académica. Rico o pobre, público o privado, *college* o universidad, nunca hay suficiente dinero para seguir adelante. Donaciones anuales, campañas importantes, relaciones con ex alumnos, cultivar donantes, son actividades que se incluyen bajo el eufemismo de "desarrollo". Todas estas actividades se relacionan con el dinero y son una segunda naturaleza para los administradores. Casi todos nosotros podríamos o deberíamos ser capaces de entregar una solicitud brillante para casi cualquier actividad en nuestras escuelas dos minutos después de haber sido despertados, sin previo aviso, a las 3:00 a.m. El tamaño del público no tendría importancia; tener un plato mediocre de pollo sobre las rodillas puede fortalecer la respuesta pavloviana.

La recaudación de fondos es necesaria, pero es mucho más que un mal necesario. Poco a poco empezó a gustarme y nunca dejó de sorprenderme la

249

lealtad y generosidad de nuestros ex alumnos o la inteligencia y curiosidad mental de muchos funcionarios de la fundación. Pedir dinero es una manera excelente de examinar el mercado libre, el método más efectivo de controlar los sentimientos y prioridades de cualquier parte del público. El "Desarrollo" es una experiencia educativa para el donante y para el receptor. Exponer un argumento y convencer al potencial donante de su validez, es saludable para todos los involucrados. Una de mis cartas a favor de nuestra campaña anual fue devuelta de Midland, Texas, por un graduado de la clase del 48 con la siguiente nota: "Harvard es una institución gastada en un país condenado, ambos sobrevalorados. Traten de sacarle el mayor partido posible". Afortunadamente para nosotros y para el país, sus opiniones no representan a la mayoría. Personalmente prefiero la pregunta, igualmente improbable, planteada por el gran benefactor del siglo diecinueve Henry Lee Higginson (1834-1919): "¿No todo lo que importaba en el mundo dependía de aumentar la influencia de Harvard antes de que fuera demasiado tarde?".[6]

250

Muchos miembros de la comunidad universitaria tienen bastantes problemas para pedir dinero. A menudo muchas visitas cuya intención es bien entendida por las partes involucradas no conducen a ninguna conclusión (positiva o negativa) porque es tan difícil decir: "Nosotros esperamos que usted contribuya por lo menos con un millón de dólares en apoyo a nuestro esfuerzo supremo por conservar la excelencia de la universidad". Una hora de conversación amable pasa demasiado rápido, y pocos individuos harán grandes donaciones sin que se les pida. Ser judío, y por lo tanto haber sido criado en circunstancias donde pedir y dar para caridad se considera una rutina, es muy útil. Comprender y practicar *chutzpah*[7] también es muy útil.

Durante una campaña importante en la cual se recaudaron más de 350 millones de dólares para nuestra Facultad de Artes y Ciencias, pasé muchas horas con John L. Loeb, el reconocido financista y filántropo que ha realizado numerosas contribuciones a Harvard en el pasado. Mi propósito era asegurar lo que en el negocio es conocido como "donación de liderazgo": esperaba que él quisiera invertir en quince puestos *junior* en la facultad, lo que requería casi 10 millones de dólares; y no era una suma pequeña, aún para el Sr. Loeb. Él

---

6. Citado en Seymour E. Harris, *The Economics of Harvard* (Nueva York: McGraw-Hill, 1970), p. 272.

7. En hebreo se usa despectivamente para denominar a alguien que ha traspasado, sin vergüenza, los límites de una costumbre deseable. En yiddish, autoconfianza extrema, nervio, descaro.

es un hombre elegante, un "caballero de la vieja escuela" y con mucho afecto hacia Harvard; nuestras reuniones eran placenteras, al menos desde mi punto de vista, y llegó el momento de "cerrar". Para esta ocasión decisiva, le pedí al presidente Bok que me acompañara porque tener a un hombre tan importante al lado tiene una ventaja inestimable (era casi un prerrequisito para asegurar una donación importante).

Nuestra reunión tuvo lugar en la ciudad de Nueva York en el restaurante Four Seasons. Comimos (lo recuerdo claramente) hamburguesas caras y deliciosas. Mientras la conversación se dirigía gentilmente hacia montos específicos de dólares, nuestro anfitrión preguntó: "¿Me están pidiendo ustedes 5 millones?" Yo respondí: "No exactamente, señor; tengo esperanzas de que done 10 millones, de manera que eso inspire a otros a dar cinco". John Loeb frunció el ceño, su rostro se oscureció. "Henry —dijo— eso se parece una *chutzpah*" y luego agregó inesperadamente: "A propósito, ¿sabes tú cómo se deletrea esa palabra?" Demostré mi capacidad tomando una servilleta y buscando mi lapicera. De repente el presidente de la Universidad de Harvard me arrebató la servilleta de las manos y escribió en el papel CHUTZPAH en grandes letras de imprenta y se lo dio al Sr. Loeb (¡*O tempora*! ¡*O mores*!). Después de doblar cuidadosamente la servilleta en forma de pequeño cuadrado, el Sr. Loeb lo colocó en uno de los bolsillos de su chaleco. La comida llegó rápidamente a su fin y nosotros regresamos a Boston. Unos días después llegó la noticia más bienvenida: la donación del Sr. Loeb sería de alrededor de 9 millones de dólares. Nosotros establecimos que el valor de *chutzpah* fue aproximadamente de 4 millones de dólares.

251

6. "No se separe de la comunidad [...] no juzgue al compañero hasta ponerse en su situación" (Hillel en *Sayings of the Fathers*)

Este es un consejo excelente porque la tentación de separarse es grande y sus consecuencias desastrosas. Es demasiado sencillo para el administrador olvidar cómo se ve el mundo desde la perspectiva de los profesores —especialmente de los profesores *junior*— y de los estudiantes. Un administrador *senior* se convierte en un símbolo de su universidad y es peligroso confundir privilegios de representación con derechos personales. De repente, uno se encuentra alternando a gran escala, tal vez en una mansión oficial, sin gastar sus fondos personales. Hay que recordar que el dinero para esto proviene de la universidad: de los bolsillos de los estudiantes, profesores y ex alumnos; por supuesto, ellos son los beneficiarios, pero son ellos quien pagan a los invitados y usted no es el anfitrión generoso. Al viajar a otras universidades —especialmente al extranjero—[8] uno puede encontrarse en una limusina camino a un banquete y recibiendo regalos. Uno puede ser invitado a dirigirse a grandes audiencias durante ceremonias de graduación mientras recibe un título honorífico. No hay que considerar estas señales de honor como un reconocimiento personal porque están dirigidos a pensadores, creadores y a otros grandes investigadores. El reconocimiento que nos hacen, es completamente por derivación.

Los peligros de separación de la comunidad (colegas y estudiantes) deberían ser comprensibles fácilmente ya que son similares a los problemas que los administradores norteamericanos enfrentan actualmente. El distanciamiento de los pares tiene como consecuencia información pobre y pocas posibilidades de escuchar el cotilleo constructivo. Esa brecha socava también la autoridad administrativa que debería estar basada en el principio de *primus inter pares* (el primero entre iguales) más que en rangos y autoridad. Tal vez lo más serio sea la dificultad que puede surgir para que se acepten decisiones duras o poco populares. La aceptación de las mismas ocurrirá más fácilmente si no hacemos una farsa de la frase "estamos todos en el mismo bote".

7. Nunca subestime la dificultad de cambiar las opiniones y creencias falsas con hechos

Muchos egresados de Harvard son la imagen perfecta de esta proposición: actualmente, el promedio de clases es más pequeño que hace 20 años, y aún

---

8. En mi experiencia, las universidades extranjeras —en especial aquellas ubicadas en los países no occidentales— son las más ostentosas en el tratamiento de dignatarios. Un problema real desde el punto de vista de reciprocidad para los norteamericanos. El director de una universidad saudita me dijo que recibía dinero para comprar un Cadillac nuevo cada 2 años. Le dije que el presidente de mi universidad maneja un escarabajo de VW de 20 años de antigüedad; tal vez, un esnobismo inverso, pero, sin embargo, un símbolo fuerte. En la República Popular de China, como líder de una delegación académica, se me asignó una *suite* en todos los hoteles (los otros tenían habitaciones comunes) y transporte en una limusina manual del tamaño de un Rolls-Royce de 1936 y con estandarte rojo. La ventaja más exquisita eran los vuelos de cabotaje en primera clase en aerolíneas pequeñas. No había absolutamente ninguna diferencia entre la primera clase y la clase turista (los mismos asientos, la misma comida), pero, una cortina separaba los dos compartimentos.

así una gran proporción de nuestros licenciados están convencidos que sus tiempos fueron más íntimos desde el punto de vista educativo. Actualmente, más de un 90% de nuestros académicos *senior* enseña, por lo menos, una materia por año a estudiantes de grado y estas estadísticas no debilita la firme opinión acerca de que los profesores de Harvard no enseñan a estudiantes de grado. Parece muy tentador aferrarse a la creencia de que Harvard —o cualquier otro lugar— alcanzó su cima justo cuando uno fue un estudiante: hace 10 años o hace 15 años, el número de los mismos no tiene importancia (recuerde las palabras de John Buchan). En nuestro caso particular, estas convicciones se han mantenido vivas por 350 años y tal vez no debemos preocuparnos en exceso; sin embargo, mi punto es más general. Cuando se da la oportunidad —en ausencia de prueba científica incontrovertible, e incluso después— las personas creen lo que quieren creer, y la evidencia empírica no conduce a una rápida alteración de las opiniones preferidas. Desde el punto de vista de un directivo o administrador, no hay lecciones sencillas que se sigan de este hecho y lo menciono como una de las dificultades inevitables de nuestra existencia.

253

8. Aprenda a pensar en grande (especialmente cuando el dólar es la unidad de medida)

Uno de los impactos más grandes para los nuevos administradores académicos —por definición individuos con poca experiencia previa— es el monto de dinero que se mueve casualmente. Las universidades son grandes empresas y, por consiguiente, los montos son considerables: el presupuesto anual de la Facultad de Artes y Ciencias actualmente es superior a los 300 millones de dólares y el presupuesto de la Universidad de Harvard es de más de 700 millones de dólares. Es difícil comprender el tamaño de estos montos para un profesor típico que piensa en función de su propio salario, tal vez de la inversión de su propia casa, y considera cuantiosa una beca de investigación de 100.000 dólares. Realizar juicios multimillonarios en dólares es un hábito que se adquiere, a pesar de que en las primeras fases inspira puro terror; quiero decir, toma un tiempo sentirse cómodo con una factura de energía eléctrica de alrededor de 8 millones de dólares, una cuenta telefónica de más de 1 millón de dólares y laboratorios individuales que pueden costar aproximadamente unos 4 millones de dólares.

Tuve la mala suerte de ser nombrado decano en 1973 justo cuando comenzó a deteriorarse la situación financiera de la facultad. Estábamos produciendo un gran déficit anual y yo les había prometido a mis "jefes" (al presidente y a la Corporación) eliminarlo en 3 años. En aquellos días, me sentaba en mi despacho hasta tarde preocupado por las "pequeñas sumas" (es decir, pintar algunas aulas) por miedo a quedarnos sin efectivo. Pasó algún tiempo antes de que me diera cuenta de que pasaría 1 año y medio antes de que las consecuencias de una decisión fiscal se hicieran visibles, o que las pequeñas economías basadas en prácticas domésticas no afectarían el déficit de 3 millones de dólares. Surgieron dos conclusiones: los administradores nuevos tienden a equivocarse por ser demasiado conservadores, ya que les parece difícil saltar de sus propias circunstancias insignificantes a la gran situación. Al mismo tiempo, pensar frecuentemente en números de siete, ocho o incluso nueve cifras hace más difícil enfocarse en problemas tales como pagar el campamento de verano de los chicos. Una actitud ligeramente esquizofrénica es útil.

CAPÍTULO QUINCE

Gobierno universitario: siete principios para asegurar un rendimiento confiable

E l gobierno implica poder: ¿quién está a cargo?, ¿quién toma las decisiones?, ¿quién tiene voz y qué repercusión tiene es esa voz? Siempre son preguntas complicadas y conflictivas, especialmente si se las relaciona con la educación superior, y las razones son claras. Para comenzar, las universidades y los *colleges* son escuelas para adultos, y las necesidades de educación y adultez pueden ser difíciles de reconciliar. Segundo, las universidades en Estados Unidos son vistas a menudo como agentes de cambio social, como productoras de investigaciones que pueden afectar la política y también como lugares donde el ingreso o la pertenencia confieren ventajas de por vida a los individuos involucrados. Es comprensible que muchas personas están ansiosas de poder influir sobre esos resultados. Tercero, en nuestro país los *colleges* y universidades pueden ser fundaciones ricas así como también grandes empresas que utilizan sus recursos para una amplia gama de propósitos más o menos relacionados con la educación. Las universidades son grandes empleadores: administran carteras de inversión considerables, poseen bienes inmuebles residenciales, dirigen restaurantes, negocios de regalos, asesorías universitarias en el extranjero, y mucho más. La forma como las empresas y fundaciones ricas administran sus recursos provoca una inquietud legítima a toda clase de personas, dentro y fuera de sus muros, y exigen ser escuchados. Finalmente, casi toda la educación superior —pública y privada— recibe fondos o subsidios de los contribuyentes (alrededor del 20% del presupuesto de Harvard proviene de fondos gubernamentales). Tomar dinero público significa que los representantes del pueblo, incluyendo la prensa, tengan un interés legítimo en saber cómo se gobiernan quienes reciben ese dinero.

Al considerar los temas asociados con el gobierno de la universidad, mi interés fundamental es en las cuestiones académicas internas: si deberían los estudiantes participar en las reuniones académicas, si el plantel docente debería tener voz y voto en las políticas de inversión, quién debe determinar los requisitos académicos y otros temas similares. He descubierto que los principios detallados a continuación son útiles y estoy seguro de que se aplican a otras clases de organizaciones y considero que ninguno es primordial o absoluto.

Primer principio

No todo se mejora haciéndolo más democrático.

Me estremezco mientras escribo esta oración. Sin duda, las futuras generaciones de estudiantes y colegas tendrán pruebas adicionales de mis inclinaciones reaccionarias profundas. Aún así, este principio no es el primero en la lista por casualidad.

Estados Unidos y algunos otros países intentan practicar la democracia política. Aunque la práctica no cumple con la promesa del ideal filosófico, "un hombre [persona], un voto" describe el objetivo legítimo de nuestra vida política. Formalmente, cada voto tiene un mismo peso y la mayoría de nosotros cree que en nuestras relaciones con el gobierno "más" democracia es mejor que "menos". Hay quienes creen que el poder habría que distribuirlo más equitativamente también en otras esferas de nuestra existencia: por ejemplo, la economía podría ser más "democrática" si la distribución de ingresos fuera menos retorcida y yo creo que eso sería lo mejor.

Una fuerte creencia en el valor de la democracia política no es inconsistente con la práctica de formas menos democráticas en otras áreas de la vida. Por lo general, las familias no se rigen por principios democráticos, tampoco los ejércitos son democráticos, ni los hospitales o la mayoría de los lugares de trabajo. Las jerarquías formales e informales están donde corresponde: algunas voces son más poderosas que otras y sabemos por experiencia que el funcionamiento de estas instituciones no se mejora necesariamente distribuyendo el poder en forma más equitativa.

La mayoría de las instituciones son democráticas y tienen jerarquías, y eso se aplica a las universidades norteamericanas. Para generalizar, diría que las relaciones entre los principales grupos constituyentes de la universidad —estudiantes, docentes, y no docentes— son jerárquicas y, dentro de los grupos, las relaciones tienden a ser más democráticas. Aún esta proposición es un tanto imprecisa debido a la gran cantidad de distinciones que prevalecen entre los grupos: algunos miembros del personal académico son *tenure*, otros no lo son; los puestos no académicos incluyen vicepresidentes *senior* que ganan salarios de seis cifras y jardineros que cortan el césped por bastante menos, y estas voces no tienen el mismo peso; incluso los estudiantes no están de ninguna manera en una categoría homogénea. Después de todo, este rótulo atañe a novatos de 17 años y jefes de familias que asisten a escuelas profesionales.

La interacción entre los estudiantes y los docentes es la fuerza básica principal que crea jerarquía en toda la educación, de hecho la universidad existe, fundamentalmente, para la comunidad estudiantil. Las universidades son lugares a los que los estudiantes asisten en busca de los conocimientos de los profesores;[1] los estudiantes de posgrado pueden ser descritos como aprendices que son entrenados por profesores que son expertos en sus temas, y todos los estudiantes son juzgados y calificados por aquellos que son más competentes que ellos. Obviamente estoy describiendo una relación docente-alumno desigual o antidemocrática, pero ello no implica la opresión del estudiante o el ejercicio arbitrario de autoridad por parte de los docentes, lo que significa que no hay que ignorar ni los derechos de los unos ni el privilegio poco razonable de los otros. La jerarquía implica que predominan algunos puntos de vista y no sobre la base de la opinión mayoritaria.

Democratizar la universidad puede tener muchos significados: uno puede estar preocupado por cómo los docentes se gobiernan a sí mismos o por las prerrogativas del personal docente frente a la administración, y por mucho

257

---

1. No intento decir que los docentes son la única fuente de conocimiento. Los estudiantes aprenden entre ellos, de los libros y de otras formas misteriosas. No obstante, el rol de los docentes ha sido central en casi todos los sistemas de educación.

más. En los últimos años, especialmente desde la década del 60, el tema de la democracia ha adquirido otro significado, mejor reconocido ahora: más poder para los estudiantes, para los miembros del cuerpo docente en períodos de prueba y para los empleados no docentes dentro del entorno de la política universitaria. Un ejemplo extremo lo constituye algunas de las decisiones tomadas por la Universidad de Harvard cuando se creó el nuevo Departamento de Estudios Afroamericanos en 1969. Como resultado de la intensa presión estudiantil, la ocupación de los edificios y las amenazas abiertas, la facultad votó que seis estudiantes de grado —alrededor de la mitad del número total— serían asignados al comité y se encargarían del trabajo de diseñar el departamento. Tres de estos seis estudiantes debían ser elegidos por la Asociación de Estudiantes Africanos y Afroamericanos, que es una organización política estudiantil sin afiliación abierta (hay que ser negro para unirse). Todos los estudiantes miembros del comité tenían derecho a votar en los nombramientos para el *tenure* y contratación semestral; en otras palabras, los estudiantes de grado de raza negra recibían los mismos privilegios y responsabilidades que los profesores con *tenure*.[2] El resultado fue un período

258   breve de caos. Afortunadamente para nosotros, los profesores recuperaron rápidamente la cordura y, en unos pocos años, estas tareas —de todas formas inapropiadas para los estudiantes—fueron removidas completamente de las manos de los estudiantes de grado. A otras instituciones de aquí y del exterior les tomó más tiempo retornar a la sensatez.

El caso extremo existe en algunas universidades europeas donde la práctica del "cogobierno" nació en la década del 60: el poder, virtualmente sobre todas las decisiones, venía a ser compartido en forma equitativa entre los estudiantes, el cuerpo docente y los empleados (*drittelparität* [gobierno tripartito]) y algunas veces por el gobierno. Los resultados educativos han sido desastrosos. Los estándares académicos declinaron y se perdió el sentido de misión. Antes mencioné la experiencia holandesa y otra vez puede servir de ejemplo: el gobierno holandés enmendó la forma de gobierno de la universidad e instituyó una versión del "cogobierno" en 1972. En pocos años, muchos de los mejores institutos de investigación perdieron a sus profesores, especialmente en ciencias donde el escape hacia la industria era posible y tentador.

La democracia sobreaplicada —y con eso quiero decir "cogobierno", líneas

---

2. Ver Herny Rosovsky; "Black Studies at Harvard", en *The American Scholar* (otoño de 1969).

de autoridad poco claras y formas similares de parálisis administrativa— puede no ser un resultado accidental, quizás sea la reacción comprensible a la arrogancia y abuso de poder por parte de los directivos (administradores, profesores, ministerios burocráticos); en otras palabras, la democracia sobreaplicada puede ser generada por una democracia insuficiente (el movimiento de un extremo a otro). Así es como interpretaría lo que ocurrió en las universidades de Alemania durante la década del 60. Una jerarquía razonable nunca puede significar falta de responsabilidad [ver Séptimo principio]. No estoy intentando definir el nivel óptimo de la democracia universitaria. Mi objetivo es mucho más simple: más democracia no es necesariamente lo mejor.

Segundo principio

Existen diferencias básicas entre los derechos del ciudadano en una nación y los derechos que se logran al unirse a una organización voluntaria.

Como ciudadanos norteamericanos, somos iguales en términos de derechos políticos después de alcanzar la edad de 18 años, siempre y cuando no hayamos sido condenados por un crimen. La ciudadanía no es un acto voluntario para la mayoría de nosotros, puesto que no controlamos ni nuestro lugar de nacimiento ni la nacionalidad de nuestros padres. Quizás haya algunas limitaciones cuando la ciudadanía se adquiere por elección más que por nacimiento. Como norteamericano naturalizado, la Constitución me prohíbe ser presidente (en mi caso es solo un inconveniente menor, pero tal vez no sea igual de insignificante para Henry Kissinger, o para el ex Secretario del Tesoro Michael Blumenthal, o para el banquero de New York, Felix Rohatyn).

La pertenencia a una comunidad universitaria o ciudad universitaria es bastante diferente: se adquiere siempre por solicitud y/o invitación, lo cual debería legitimar las restricciones. Así como las corporaciones pueden vender acciones restringidas que nadie tiene que comprar, y los clubes pueden imponer ciertas normas[3] que nadie está obligado a acatar, las universidades pueden ofrecer cargos o admisiones con derechos limitados. El nivel óptimo de democracia universitaria no necesita —particularmente creo que no debería—

259

---

3. Pero, no cualquier tipo de normas. Solo porque una asociación es voluntaria, no le da el derecho de violar nuestras leyes. De esta manera las barreras raciales y en algunas instancias, de género están prohibidas en clubes privados de cierto tamaño.

seguir el modelo de ciudadanía nacional. Por consiguiente, los estudiantes son invitados a estudiar y no a gobernar la universidad; y los miembros del plantel docente son invitados a enseñar y a investigar, y a establecer una política educativa en su ámbito de conocimiento.

De hecho, los derechos del plantel docente también están limitados. Algunas áreas de gobierno y políticas se consideran con toda razón más allá de la jurisdicción de los profesores, por lo general, por razones de falta de competencia especializada o conflictos de intereses. Estas cuestiones generalmente se consideran como responsabilidad de los miembros del consejo de administración. No quiero insinuar que "derechos restringidos" signifique "sin derechos": cada uno debería poder expresar opiniones libremente y los mecanismos de "voz" o "aportación" son más que deseables —obligatorios si deseamos crear una universidad justa— para todos los grupos. Mi énfasis actual es solo sobre limitaciones y derechos que no se debería esperar que fueran los mismos para todos los grupos.[4]

260

Tercer principio

Los derechos y las responsabilidades en las universidades deberían reflejar el compromiso con la institución.

Durante mis años de decano, hice una declaración a un grupo de estudiantes de grado que se hizo pública y provocó mucha hostilidad de su parte. Estaba tratando el rol de varios grupos en nuestra comunidad y dije: "Recuerden que ustedes —los estudiantes de grado— están aquí durante 4 años, el cuerpo docente (los profesores con *tenure*) está aquí de por vida; y la institución está aquí para siempre". Esta banalidad fue interpretada por la prensa estudiantil como una señal de mi arrogancia e insensibilidad hacia los reclamos legítimos de la juventud. Fue impresa con frecuencia y por lo general debajo de una de mis fotos menos atractivas. Eventualmente, aparecía un cartel en el campus que anunciaba en letras grandes: "Recuerden que ustedes están aquí

---

4. Para una negación de la validez de los primeros dos principios, el lector debe referirse al libro de Roberto Weissman, "The Hidden Ruke; A Critical Discussion of Harvard University's Governing Structura", publicado por *Harvard Watch* el 7 de diciembre de 1987, bajo el auspicio de Ralph Nader. El Sr. Weissman y yo estamos de acuerdo en muy pocas cosas. Ciertamente él no está dispuesto a trazar una distinción entre los derechos de la ciudadanía nacional y la ciudadanía universitaria.

durante 4 años; el decano Rosovsky está aquí de por vida, pero un diamante es para siempre". Obviamente, yo había producido una impresión, pero no necesariamente la mejor posible.

¿Por qué una mayor trayectoria temporal dentro de la universidad hace que se oiga mejor nuestra voz? Ciertamente eso era lo que les estaba diciendo a los estudiantes, hay voces más importantes que la de ellos, no debido a su juventud sino porque son transitorios. Casi todas las formas de organización reconocen que la asociación prolongada (pasada y futura) ofrece una competencia especial y merece reconocimiento, hasta cierto punto. Cualquiera puede quedarse más tiempo de lo conveniente, pero si no intervienen otros factores, la mayoría de las organizaciones respeta y recompensa la antigüedad. Nosotros lo hacemos así porque un largo tiempo de servicio es un indicador de experiencia y lealtad, y una señal cierta que indica que la explotación a corto plazo no es un objetivo.

Las universidades se enfrentan a un problema especial: la mezcla de sus integrantes asegura que aquellos con una perspectiva corta serán más numerosos que todos los demás y aquellos con menos conocimientos y experiencia son una mayoría. Considere, por un momento, la vasta divergencia de permanencia en una universidad típica: los estudiantes de grado —alrededor de 6.500 en Harvard— obtienen sus títulos en 4 años y se van, los de posgrado —unos 10.000— como promedio permanecen por un tiempo ligeramente menor si incluimos la educación profesional. Algunos estudiantes asisten a tiempo parcial o están matriculados en programas especiales (estos pueden asistir pocas semanas), y hay más de 50.000 estudiantes en esta categoría. Cuando el estudiante se gradúa se convierte en ex alumno —alrededor de 200.00 están vivos y registrados por Harvard— y este gran grupo tiene una participación de largo plazo aunque menos directa en la universidad donde han estudiado: el valor de sus títulos está estrechamente relacionado con el prestigio de su institución.[5] Además, muchos graduados demuestran un compromiso de por vida brindando apoyo financiero, y de otra clase, a sus instituciones; sin embargo, la mayoría están apartados de la vida cotidiana de sus universidades.

261

---

5. Obviamente me refiero al valor extrínseco de un título académico; no lo que un estudiante haya logrado o ganado, sino como el mundo exterior evalúa a las universidades y a sus programas individuales. El valor intrínseco de un *master* en Administración de Empresas de Harvard puede no ser significativamente superior a los títulos ofrecidos por la competencia, pero no se puede dudar que las Escuelas de Administración de Harvard y de Stanford dominan extrínsecamente (salarios iniciales, posiciones importantes en la industria, etc.)

Harvard también tiene un plantel docente de alrededor de 3.000 profesores y casi la mitad detentan el *tenure*. Los profesores sin *tenure* (a menos que sean promovidos) pueden permanecer entre 8 y 10 años, mientras que una carrera académica típica puede durar 25 años o más. También debemos mencionar aquellos que son miembros de los Consejos de Gobierno, los titulares legítimos de las responsabilidades fiduciarias asignadas a la universidad. Lo suyo es una confianza legal y moral que requiere de unas cuantas personas orientadas hacia el bienestar presente y futuro de todo lo que les ha sido confiado. En Harvard, 37 individuos (siete miembros de la Corporación, incluidos el presidente y el tesorero, y 30 *overseers* entran dentro de esta categoría; luego hay empleados: administradores *senior*, secretarias, técnicos, plomeros, pintores, entre otros; el número alcanza los 11.000.

¿Cuál sería el efecto de un gobierno mayoritario? Un hombre, un voto daría a aquellos con el tiempo más corto de permanencia la influencia mayor. La influencia no estaría suficientemente compensada por el grado hasta el cual uno tiene que vivir con las consecuencias de las decisiones y acciones, y esa es una mala idea. El reciente debate sobre la desinversión en Sudáfrica ilustra mi preocupación: durante los últimos años, muchas universidades y fondos de pensión han vendido todas las acciones en compañías que hacían negocios en Sudáfrica. El principal propósito era expresar una postura moral contra el apartheid. Aquellos que instan a la desinversión también creen que forzarán al gobierno de Sudáfrica a abandonar esta práctica odiosa. No estoy mencionando la desinversión para discutir sus méritos, simplemente estoy planteando el tema para demostrar que las declaraciones morales no recibirán una evaluación cuidadosa bajo el gobierno mayoritario universitario o con alguna versión norteamericana de "cogobierno". Como en muchas otras decisiones, para decidir sobre la desinversión uno debería equilibrar cuidadosamente el placer de actuar ahora *versus* el posible dolor de las consecuencias a largo plazo; por ejemplo, no comprar acciones en negocios que operan en Sudáfrica puede reducir significativamente las futuras ganancias. La desinversión también puede ser vista por los críticos como el uso de fondos de donación para fines políticos, lo que puede conducir a la politización de los donantes y, tal vez, a nuevas regulaciones gubernamentales. Ninguno de estos temores puede ser realista, solo puede representar la timidez institucional; pero es crucial que sean considerados en detalle y en una atmósfera calma. La experiencia dice que eso no ocurrirá cuando las consecuencias a largo plazo parecen tan poco claras e incluso sin importancia para la mayoría de los estudiantes, para los miembros del personal docente y para muchos otros. ¿A la próxima generación le importará la posibilidad de un flujo de ingresos más pequeño? Una respuesta afirmativa no es convincente. Los miembros del consejo de administración que entienden sobre sus responsabilidades son la mejor esperanza para una consideración cuidadosa del futuro.

Cuarto principio

En una universidad, aquellos con conocimiento tienen más derecho a expresar su opinión.

No me refiero a un conocimiento general. Las opiniones de los estudiantes respecto de la conveniencia de una administración democrática o republicana en Washington son tan válidas como la de los profesores: un empleado que trabaja en la división de instalaciones y mantenimiento debería saber más que los profesores sobre el mantenimiento de los edificios; un policía de la universidad puede tener un mejor entendimiento sobre el crimen; y, por supuesto, el gran número de graduados comprende una vasta cantidad de conocimiento sobre casi todo, tanto general como especializado. Lo que les falta a estos grupos (con la excepción de algunos graduados en particular) es un conocimiento experto sobre la principal misión de las universidades: enseñar e investigar. Los estudiantes se inscriben en la universidad precisamente porque les falta conocimiento y desean adquirirlo, y los individuos con conocimiento experto pueden encontrarse entre el personal académico.

263

Estas no son declaraciones arrogantes o simples certezas absolutas. Los estudiantes son consumidores de enseñanza y por lo general tienen nociones valiosas sobre la calidad de la instrucción: sus opiniones merecen ser consideradas. Los graduados, en especial los de las escuelas profesionales, tienden a ser jueces sagaces de su educación y de la efectividad de los programas; estas voces necesitan ser tenidas en cuenta. Todos nosotros también reconocemos que los administradores profesionales universitarios, secretarias y personal técnico almacenan sabiduría en sus cabezas; pero las opiniones razonables no son la misma cosa que un entendimiento profundo y una responsabilidad máxima.

Es mejor dejar las opiniones concluyentes sobre temas educativos en manos de aquellos con calificaciones profesionales: académicos que han experimentado un período prolongado de aprendizaje y han dado pruebas de llevar a cabo trabajos de alta calidad en enseñanza e investigación, según lo que expresa el juicio de sus pares sobre la base de una amplia evidencia. Esto se aplica particularmente al control de los profesores sobre los planes de estudio porque las oportunidades de dar clases (con brío e imaginación) disminuyen en forma considerable cuando el contenido y la estructura son impuestos por "intrusos" sin debate y discusión. Cualquiera que haya asistido a instituciones dirigidas por las fuerzas armadas tendrá poca dificultad en apreciar este argumento.

Los profesores conocen las definiciones apropiadas de temas y estándares, y seguramente tendrán un sentido de fronteras intelectuales. También se inclinan más a resistir las modas pasajeras que aparecen periódicamente para capturar al público general y a los jóvenes. ¿Alguien recuerda el "Plan Princeton"? A principios de la década del 70, estudiantes bien intencionados, algunos de fuera de la universidad y algunos profesores instaron a la adopción de una práctica originada en la Universidad de Princeton: vacaciones durante las elecciones y algunos períodos de campaña para permitir a los estudiantes participar más activamente en el proceso democrático. Esta idea tuvo la misma duración que la moda del *hula hoop*.

Permítanme nuevamente hacer hincapié en el hecho de que el claustro académico no ejerce un poder absoluto. La mayoría de las decisiones educativas que toma un profesor son revisadas por los decanos académicos, presidentes y miembros del consejo de administración; los académicos son juzgados públicamente por sus pares por medio de clasificaciones, encuestas, y concesión de becas, así como también por el mercado en función del atractivo de las instituciones en las que encuentran cargos.

Para justificar "un mayor derecho de opinión para aquellos con conocimiento" se requiere una explicación especial. Las universidades norteamericanas son atípicas en que en su cuadro de administradores se incluye un Funcionario Ejecutivo Principal (CEO) a menudo denominado "presidente", que es quien está a cargo en la misma forma que un CEO dirige una empresa privada. El presidente de la universidad es responsable ante el Consejo de Administración que funciona como una junta de directores, y es quien tiene la última palabra sobre nuevas iniciativas, la contratación o despido de personal y muchos asuntos de política universitaria.

Sin embargo, se deberían mencionar las dos diferencias notables entre el CEO de una empresa y el de la universidad.

Primero, la universidad no tiene una línea única de resultados de pérdidas y ganancias, por lo tanto los estándares del desempeño ejecutivo son más difíciles de establecer. Segundo, una contrapartida aproximada del personal de direcciones media y *senior* de las empresas son los profesores con *tenure* que pueden ser despedidos solamente bajo circunstancias excepcionales. Se puede decir que el principal ejecutivo de la universidad tiene una mano atada detrás de su espalda pero, como se explicó en el Capítulo 10 sobre el significado del *tenure*, por buenas y suficientes razones.

El contraste con los sistemas universitarios basado en el modelo continental, el norteamericano es austero: en Francia, Alemania Occidental, Japón, Israel y en casi todos los lugares, el administrador principal es un *rector*, en la mayoría de los casos un profesor elegido por un claustro académico por un período de 2 ó 4 años. Sus compañeros administradores, tales como decanos o directores de departamentos, también son elegidos por períodos breves. Los procedimientos que no son norteamericanos son más políticos y más democráticos —los extranjeros tienden a describir nuestro sistema como *unitario*— pero el precio desde el punto de vista de la eficiencia y el logro de cambios en la dirección es muy elevado. En el sistema norteamericano, la responsabilidad la asume —para todos los propósitos prácticos— el presidente; en el sistema europeo, la responsabilidad pasa de mano en mano, hasta que todos quedan exhaustos.

¿Cómo se puede conciliar la práctica norteamericana con el Cuarto principio? En particular, ¿qué posible justificación puede haber para un veto presidencial en asuntos académicos? ¿No debería reinar incuestionable y suprema la sabiduría colectiva de expertos académicos? En Harvard, el presidente puede detener las promociones al *tenure* en cualquier facultad aún cuando profesores expertos están a favor de un candidato (muchas universidades otorgan poderes similares a sus presidentes). Obviamente estos poderes no pueden estar enraizados en un ningún tipo de habilidad: el conocimiento del principal ejecutivo en química, lenguas romances, medicina, psicología y docenas de otras áreas, no pueden estar lo suficientemente materializados en un individuo.

La autoridad del presidente tiene poco que ver con la capacidad individual y, por lo tanto, debe ser justificada sobre bases diferentes: primero, cuanto más elevado sea el lugar de uno en una jerarquía, menos énfasis se puede poner en la habilidad. Todo se ve demasiado pequeño desde la cima de una pirámide, pero el campo de visión se agranda mucho. Un general no necesita entender detalladamente todas las facetas de las actividades del ejército;

265

sería un requisito imposible y tal vez indeseable. No obstante, se le otorga al general el derecho al veto sobre las opiniones y acciones de los coroneles y capitanes más expertos. Lo mismo se aplica a todos los otros a quienes nosotros llamamos "directores generales", son usuarios de las capacidades y habilidades asistidos por especialistas para ser mejores líderes.

Segundo, nosotros podemos asumir que los conflictos de intereses son menos agudos en los niveles más altos de dirección, tema éste que se trata con mayor profundidad en el Quinto principio. Finalmente, la autoridad del presidente en el ámbito académico debería considerarse como judicial más que ejecutiva. Al presidente no se le otorga el poder para elegir quién, de acuerdo a su opinión, es el mejor especialista de un cierto tema. Su tarea es supervisar los procedimientos, arbitrar diferencias entre los expertos, en resumen, desarrollar una política clara o tomar decisiones específicas basadas en las muchas voces de aquellos con conocimiento profundo. En mi opinión, el principio de que aquellos con mayor conocimiento deberían tener mayor derecho a expresar su opinión no queda anulado por la autoridad presidencial.[6]

266

Quinto principio

En las universidades, la calidad de las decisiones se mejora evitando en forma consciente los conflictos de intereses.

Cuando la ventaja privada y las obligaciones públicas entran en conflicto, nos enfrentamos a un conflicto de intereses. Las universidades son estructuras complejas: muchos de sus miembros tienen responsabilidades hacia la comunidad (es decir, casi públicas) y podemos asumir que pocos de nosotros somos inmunes a las tentaciones de perseguir intereses privados.

---

6. Mi amigo, el profesor David Bloom de la Universidad de California plantea una pregunta interesante. El Tercer principio y el Cuarto principio ponen gran énfasis en la relación positiva entre la duración del compromiso y el conocimiento por un lado, y la voz y los derechos por el otro. Entonces, ¿por qué nuestra sociedad pone tan abrumadoras responsabilidades en las manos de los jurados (como promedio, individuos con poco conocimiento y sin una larga trayectoria con respecto a los temas que consideran)?

Creo que los jurados existen para dar un veredicto relacionado con una situación específica y estática: ¿la persona A ha asesinado a la persona B o Jones cometió un fraude en la devolución del impuesto sobre la renta, o las empresas C y D conspiraron para fijar precios? Ninguno de estos son temas para establecer o cambiar las políticas a largo plazo. Esta clase de temas se dejan tal vez indirectamente en manos de los jueces, y los jueces se parecen, en cierta manera, a los miembros del Consejo de Administración, presidentes, decanos y profesores titulares.

Consideremos un ejemplo simple y obvio: un departamento que considera conceder un *tenure*. ¿Se les debería dar un voto a los miembros de un departamento sin *tenure*? Si uno desea minimizar el conflicto de intereses, la respuesta es negativa, porque un voto afirmativo puede disminuir las propias oportunidades de promoción de un profesor *junior* si consideramos que la cantidad de puestos es limitada. Bajo ciertas circunstancias un voto positivo puede ser emitido por razones equivocadas. Una persona con cargo sin *tenure* puede apoyar a alguien simplemente para tener un amigo en la corte para cuando se considere su propio caso. Por supuesto, el deseo de tener amigos en la corte no está limitado a un determinado grupo, pero es realmente más importante para aquellos cuyo destino todavía cuelga en la balanza.

Participar en la selección de colegas sin *tenure* ocasiona problemas similares: elegir a los mejores candidatos podría reducir las futuras oportunidades para alguien que compite por una escasa vacante de *tenure*. Si un estudiante debe participar o no de estos procedimientos no me parece que envuelve conflicto de intereses, más bien diría que deberían ser excluidos sobre la base de falta de competencia [ver el Cuarto principio].

Los miembros del personal docente y los estudiantes también pueden experimentar conflictos de intereses grupales. Harvard se siente orgulloso de su gran legado, una riqueza acumulada donada por generaciones de graduados y otros benefactores. Sería un asunto sencillo (completamente legal) gastar las ganancias a un ritmo más rápido, disminuyendo las riquezas disponibles para futuras generaciones, mientras aumenta el bienestar de los que trabajan actualmente.[7] Considerando los recursos de Harvard, el personal docente puede decidir triplicar sus propios salarios y beneficios, y simultáneamente abolir todos los pagos de matrícula. ¡Qué idea tan atractiva y virtuosa! Con los nuevos niveles salariales, nadie podría rechazar una invitación para enseñar en Harvard y la calidad de nuestro claustro docente podría alcanzar nuevas alturas. Para aquellos que todavía están en el escenario, la triplicación de los propios salarios y beneficios puede considerarse meramente un reconocimiento de su valor intrínseco, ignorado durante mucho tiempo por las fuerzas impersonales de mercado. En cuanto a la abolición de la matrícula, eso seguramente ayudaría a los pobres como también a la sobrecargada clase

267

---

7. Esto se relaciona con el tema de duración del compromiso discutido en el Tercer principio. La diferencia es que el conflicto de intereses se centra sobre la ventaja personal o grupal, más que en dar el poder a aquellos que tienen un horizonte temporal más corto.

media y podría, posiblemente, elevar la calidad estudiantil. El dinero está disponible para hacer esto y mucho más durante algunas generaciones, después de todo, un *endowment* de más de 4 billones de dólares puede durar bastante tiempo.

Son ejemplos poco probables, pero ilustran al tema. Cierta autoridad es delegada correctamente a los niveles superiores y, de ese modo, se evita colocar a individuos o grupos en una posición donde la tentación de perseguir intereses privados podría ser irresistible. Este es el motivo por el cual no permitimos a los profesores que determinen sus propios salarios y beneficios, y son los decanos quienes los establecen y los presidentes y los miembros del consejo de administración quienes los revisan. Los salarios de los decanos son establecidos por el presidente, y los del presidente son fijados por los miembros del consejo de administración. Este también es el motivo por el cual no permitamos a los estudiantes que se autoevalúen, que diseñen sus propios requisitos de graduación, que fijen matrículas o que destinen parte del *endowment* de Harvard para la construcción de viviendas de bajo costo en Cambridge.

268

Asumimos, creo que bastante bien, que el nivel de conflicto de intereses disminuye a medida que ascendemos en la pirámide de responsabilidades. Al fijar salarios, un decano o un jefe de departamento puede considerar calidad, desempeño, competitividad, y presupuesto; ninguno de estos factores es tratado efectivamente por individuos o grupos que son beneficiarios directos de una decisión particular. Asimismo, los miembros del personal docente tienen mejor capacidad para juzgar a los estudiantes de manera desinteresada y profesional que los estudiantes mismos. Finalmente, el presidente y los miembros del consejo de administración, cuya tarea conjunta es revisar todas las políticas importantes, pueden hacerlo con el mínimo grado de conflicto de intereses: casi ninguno de los temas comunes —salarios, estándares académicos, retorno de inversiones, etc.— los afecta de manera directa. Reconozco que estamos discutiendo matices más que diferencias completamente inequívocas. Según mi opinión es que si bien puede ser imposible evitar completamente el conflicto de intereses, es crucial tratar de minimizarlo al máximo de manera consciente y con buena fe.

La lógica de minimizar el conflicto de intereses implica que los estudiantes, los profesores y los empleados no deberían servir, salvo en raras ocasiones, como miembros del Consejo de Administración de sus propias universidades. Ellos serían el equivalente a los "directores internos" y la buena práctica empresarial impone que esta categoría sea una minoría distinguida en juntas bien constituidas ya que el propósito fundamental de las juntas de administración es evaluar la administración, y no unirse a sus filas.[8]

Sexto principio

La forma de gobierno de la universidad debería mejorar la capacidad de enseñar e investigar.

La enseñanza y la investigación son las principales misiones de las universidades y por lo tanto, un sistema de gobierno adecuado debería realizar estas actividades lo más eficientemente posible. Para un economista, un alto grado de eficiencia significa una salida máxima por unidad de entrada; lo que requiere el uso cuidadoso de factores escasos: uno tiene que asegurarse que el tiempo de los profesores es utilizado de la forma más productiva posible. Considerando la principal misión de la universidad, toda la empresa debe ser organizada como para permitir la máxima oportunidad al personal educativo para llevar a cabo su trabajo y minimizar las responsabilidades excesivas, incluso las distracciones oficialmente alentadas, como son las responsabilidades administrativas. Estas prioridades se aplican a los estudiantes con igual validez: la estructura del gobierno necesita reflejar la premisa de que estudiar es el principal "derecho y responsabilidad" de los estudiantes y que otras actividades son secundarias a pesar de que puedan ser experiencias de vida valiosas. (¡Y eso incluye los deportes!)

Insisto en la consideración de este principio porque a menudo se entiende en teoría y se ignora en la práctica. El deseo de participar es grande, pero el autogobierno llega solamente a un precio alto: requiere mucho tiempo, conocimiento, compromiso y mucho de lo que los alemanes denominan *Sitzfleisch* [tener mucha paciencia]. En algunas actividades universitarias —por ejemplo promociones, ocupar cátedras, requisitos curriculares, etc.— la participación

269

---

8. Por lo general, los directores internos son ejecutivos *senior* a los cuales se les solicita participar debido a su conocimiento y sensatez. Tal vez algunos profesores y empleados pueden cumplir con este criterio. Es muy difícil para mí ver a un estudiante comprometido en este rol y no estoy solo respecto de esta opinión. Ver "SUNY's Student Trustee: Discomfort on Both Sides", en *The New York Times* (7 de julio de 1998). Donald M. Blinken, presidente de la junta de SUNY, dijo acerca de la junta de estudiantes: "Estuve muy descontento con su desempeño [...], cuando llegaba el momento de dar la cara, cada vez se derrumbaba por la presión estudiantil. No estoy completamente feliz con la idea de una 'Junta de Estudiantes'".

del plantel docente es esencial y bien vale el costo; ningún otro grupo puede ser un sustituto adecuado.

Sin embargo, con frecuencia los beneficios de dicha participación son ilusorios. Los profesores se quejan de las cargas administrativas y de la falta de tiempo para dedicarse a las bibliotecas o laboratorios, pero participan en innumerables comités sin quejarse, pasando el tiempo en debates infructuosos e inconsecuentes. Tal vez la cantidad de horas invertidas en esto no sea grande, pero los efectos acumulativos son considerables. Cualquier investigador sabe que el tiempo no interrumpido es el regalo más preciado, y eso es lo que la administración y el gobierno destruyen generalmente. El comportamiento del estudiante puede ser más racional: están extremadamente ansiosos por ocupar asientos en cualquier comité, especialmente si representan a la facultad; para ellos es un gran símbolo. Cuando se otorgan representaciones, los estudiantes pueden descubrir el aburrimiento profundo asociado con algunas de estas asambleas y la poca asistencia lo refleja. En ocasiones he visto que están fielmente presentes y aportan ideas valiosas. Durante nuestra revisión curricular en la década de los 70, los estudiantes de grado proporcionaban servicios excelentes y maduros.

270

Séptimo principio

Para funcionar bien, un sistema jerárquico de gobierno requiere un mecanismo explícito de consulta y responsabilidad.

Pongo este principio al final, no porque sea menos importante, ya que es tan importante como todos los anteriores, y puede ser el más esencial debido a que la eficiencia y sinceridad con que se manejen la consulta y la responsabilidad, determinan la calidad del gobierno. Desde mi punto de vista, existe una considerable superposición entre la responsabilidad y la consulta: actúan como una interacción química.

La consulta alienta la contribución en temas de política de los numerosos grupos que la universidad norteamericana moderna: estudiantes, empleados administrativos y obreros, profesores, egresados, la comunidad y, tal vez, algunos otros. Este proceso generalmente fluye de abajo hacia arriba —por ejemplo, de los estudiantes a los profesores o de las Secretarías a los administradores *senior*— y, obviamente, no todos tienen derecho a dar su opinión en cada decisión y es razonable que se exija alguna prueba de relevancia. Parte de la información que resulta de la consulta o de las contribuciones es desinteresada: los comités visitantes que revisan los departamentos son neutrales, pero alguna información es muy "interesada" como cuando los estudiantes discuten sobre los cambios en los requisitos académicos. Ambas son valiosas; y una de las lecciones más importante de la década de los 60 fue la necesidad de insistir en un amplio espectro de participación.

La rendición de cuentas (*accountability*), que actúa de arriba hacia bajo, es la otra cara de esta moneda que se aplica principalmente a aquellos con autoridad y describe como deben llevar a cabo sus responsabilidades. Ni la rendición de cuentas ni la consulta implican un modelo particular de toma de decisiones. Ya he dicho anteriormente que no todo se mejora haciéndolo más democrático. Esto no es inconsistente con una recomendación de que se haga una consulta efectiva y frecuente.

Una democracia utiliza las elecciones para indicar el nivel de satisfacción del pueblo con aquellos que ejercen el poder. Las universidades en este país no son administradas como democracias participativas, y en pocas ocasiones se pueden emitir votos. Debido a que las universidades son asociaciones voluntarias, es fácil expresar descontento no uniéndose a una comunidad particular y eligiendo otra (en Estados Unidos no faltan sustitutos); esto se aplica a estudiantes, profesores y administrativos, pero es demasiado simplista respecto a un problema tan serio y difícil. Una vez que los individuos han hecho su elección como miembros del personal académico, como estudiantes (o cualquier otra actividad dentro de la universidad), para que el sistema funcione es necesaria la convicción de que todo se conduce en forma razonable y justa, que no es arbitrario. En otras palabras, necesitamos la rendición de cuentas en sus dos sentidos aceptados: la disposición para dar explicaciones completas y honestas sobre todas las acciones administrativas, y que todos dentro del sistema sean responsables ante un individuo o grupo (pero solamente para ciertos propósitos).

271

La comunicación es una importante forma de rendir cuentas. Quienes están en una posición de poder deberían hacer disponible con regularidad información concerniente a sus opiniones y políticas. Como decano comencé el hábito de enviar un presupuesto anual a todos los miembros del personal docente —disponible para cualquier persona de la comunidad— que presentaba el año fiscal en detalle.[9] La rendición de cuentas es la voluntad

---

9. Fue sencillo de hacer. Por lo general, las novedades financieras eran malas y una descripción completa aumentaba la compasión de los profesores hacia un decano sobrecargado.

de explicar decisiones, respaldadas por evidencias, cuando lo solicita un estudiante, un colega o cualquier otra persona. En la forma de consulta, significa también tratar de asegurarse que todas las voces de una comunidad sean escuchadas. Es necesario que existan organismos a través de los cuales se puedan expresar opiniones —de apoyo o disentimiento— de manera libre y eficaz que llegue a todos y en especial, a aquellos en distintos niveles de autoridad. Los muchos comités de consulta desarrollan un servicio valioso con este fin. Incluso la provocativa prensa estudiantil es una fuente valiosa de información.

La rendición de cuentas también significa que aquellos a quienes se les confirió autoridad informen a determinados individuos o grupos. Así, los profesores deberían ser responsables ante los jefes de departamento, sobre todo cuando se refiere a responsabilidades de enseñanza. Los directores departamentales responden ante los decanos quienes son nombrados —y cuando es necesario, despedidos— por los prebostes o presidentes. Y los presidentes responden ante los comités de administración. En Harvard, el presidente es directamente responsable ante la pequeña (siete personas) Corporación que se "autoperpetúa, y la Corporación es responsable ante la Junta de Supervisores, solicitando "consejo y consentimiento" para tomar decisiones importantes sobre ese grupo mayor. Se ha tornado habitual para la Junta de Supervisores (*overseers*) revisar y por lo general aprobar los principales puestos académicos y administrativos.[10]

La responsabilidad, en el sentido de informar a una autoridad superior, requiere desarrollar explicaciones cuando se aplica a las universidades. Al llevar a cabo sus tareas, todos los empleados no docentes tienen jefes como si estuvieran trabajando en empresas comunes. Lo mismo ocurre con todos los administradores, académicos y no académicos. Los decanos, presidentes y vicepresidentes sirven según la voluntad de una autoridad superior y esto se acepta bien; pero el concepto de responsabilidad se torna más sutil cuando se

272

10. La Corporación de Harvard se autoperpetúa en el sentido de que cuando un miembro renuncia o se jubila, los miembros restantes seleccionan un reemplazo que debe ser aprobado por la Junta de Supervisores. Este es un arreglo poco común e incluso anacrónico. Por cierto, las dos juntas de gobierno de Harvard también son poco comunes con su delicada escisión de responsabilidades. Si mi propósito hubiese sido concentrarme en el gobierno de Harvard, hubiese dedicado más tiempo a dichos arreglos idiosincrásicos. Los he mencionado principalmente para subrayar que la selección de miembros del Consejo de Administración, sin duda, afecta el proceso de responsabilidad; por ejemplo, las elecciones pueden reflejar preocupaciones populistas. La autoperpetuación producirá una tendencia conservadora con un nivel considerable de certeza.

aplica a los profesores. Como señalé al tratar las virtudes de la vida académica, una manera de definir la labor docente, es decir, que es un trabajo sin jefe. Los profesores son los beneficiarios de una libertad enorme: sus obligaciones formales están limitadas a unas cuantas horas de la clase que son bastante menos significativas que las partes no especificadas de trabajo (investigación, discusiones y consejos de estudiantes y colegas, servicio universitario y profesional, y otros). ¿En qué sentido son responsables los profesores ante los presidentes y decanos cuando es casi imposible despedir a aquellos con cargos de *tenure*? ¿Trabajan completamente a su antojo?

En absoluto, aunque la responsabilidad es más difícil de hacer cumplir. En casi todas las universidades, los salarios reflejarán la investigación personal y el desenvolvimiento pedagógico. Aquellos que fijan los salarios —en especial presidentes y decanos— prestan atención a la revisión de los pares y a la evaluación de la enseñanza por parte de los estudiantes (en Harvard, deberíamos ser más diligentes en este tema). El grado de influencia de estos factores sobre los salarios y otros beneficios difiere marcadamente de una institución a otra, pero siempre persiste una relación. En el ambiente de la universidad también se entiende —demasiado vagamente quizás— que las "graves faltas de conducta" y el "incumplimiento del deber" son puntos débiles por los que los profesores pueden ser considerados responsables ante las autoridades administrativas superiores. Si se dieran a conocer y fueran bien definidas las transgresiones correspondientes a esta categoría, se podría hacer cumplir más fácilmente la responsabilidad.

Durante mis años en Harvard he conocido una cantidad de profesores que renunciaron porque temían —y probablemente hubieran enfrentado— cargos por "mala conducta grave". Si estos cargos se hubieran formalizado, los supuestos delitos variaban desde incorrección financiera hasta acoso sexual.

En mi período como decano el caso más complicado involucró a un científico político de reputación internacional.

Ya he dado una descripción de un incidente en el Capítulo 3: acusaba a los estudiantes de ser "inauténticos", se iba de la clase y tenía otras formas de comportamiento extraño (en muchas entrevistas nunca pude hacerle explicar el significado de "inauténtico"). Le dije que éramos una sociedad extremadamente tolerante, que nos podíamos acomodar a casi todo menos al incumplimiento flagrante del deber, y que irse de clase era una ofensa de esa clase. Se tornó obvio que me estaba enfrentando a un caso de enfermedad mental y, de acuerdo a las leyes actuales, no había manera de forzar a esta persona a

273

buscar un tratamiento; tampoco era su intención. Probablemente creyó que yo tenía necesidad de atención médica por ser incapaz de comprender el concepto de "inautenticidad". Al final, me vi forzado a colocar a mi colega en retiro médico involuntario, con pago y muy en contra de su voluntad. El pobre profesor enfermo renunció en protesta y algunos años después falleció en el exterior solo y en la miseria. Fue un episodio extremadamente doloroso y lo menciono solo para subrayar nuestro compromiso con la responsabilidad; sin embargo, estoy dispuesto a admitir que en todas nuestras universidades los derechos de los profesores son mucho mejor comprendidos y pregonados que sus responsabilidades y es un fracaso administrativo (casi directivo, diría) que se permita esta situación. Este tema lo trataremos nuevamente.

Un último punto concerniente a la necesidad de mecanismos explícitos de responsabilidad: ni la responsabilidad óptima ni la consulta significan archivos accesibles, reuniones abiertas, o lo que el gobierno denomina "Leyes de Libre Información". Existe una distinción importante entre los temas que no se hacen públicos y los que son mantenidos en forma confidencial por razones administrativas, lo que muchos de nuestros críticos han denominado "la norma oculta".

Privado y secreto no son la misma cosa, y el derecho de practicar la privacidad (dentro de límites) mejora la gobernabilidad. Demasiado sol puede producir quemaduras arruinando búsquedas de profesores o administradores; los estudiantes podrían avergonzarse si hiciéramos pública información no deseada y, más que nada, la calidad de las discusiones y debates colegiados francos y abiertos sufrirían a todos los niveles desde los Consejos a los grupos estudiantiles. Operar dentro de la privacidad controlada y limitada es un recurso que no debe cederse fácilmente.[11] Todos sabemos las consecuencias de la, así llamada, "Enmienda Buckley" por medio de la cual los estudiantes y los profesores tienen el derecho (salvo que se renuncie al mismo) de inspeccionar las cartas de referencia. El resultado ha sido una degradación tremenda de la palabra escrita: ahora las cartas para las personas que no renuncian al derecho de inspeccionarlas no tienen valor y nosotros recurrimos a una comunicación oral más inexacta. Todos estamos en peores condiciones.

---

11. Ver Judith Block McLaughlin y David Riesman, "The Shady Side of Sunshine", en *Teachers College Record*, 4 (verano de 1986, vol. 87).

Ahora puedo escucharlo

Un ejercicio en conservadurismo al estilo inglés.
Demasiada autoridad para los administradores.
Diseñado para conservar el statu quo.
Demasiado poder en las manos de los más antiguos y establecidos.
No hay lugar para la intuición intelectual y las energías creativas de los jóvenes.
Tan malo como el *tenure*.

Durante los últimos años, he presentado mis ideas relativas al gobierno universitario ante varios auditorios en Estados Unidos y en otras partes. Un breve trabajo para *The New Republic* trajo varias cartas con acusaciones previsibles de elitismo. Una presentación a un grupo de intelectuales alemanes produjo una reacción defensiva (¿estaba criticando a las universidades continentales?; ¡sí!) seguido de un informe periodístico poco comprensivo de mis reflexiones. En Israel y en especial en la Universidad Hebrea, donde expresé sugerencias para cambios en el gobierno a petición de los miembros del Consejo de Administración, mi nombre es detestable. Los profesores en este perfecto modelo de universidad alemana del siglo XIX —*solo* desde la perspectiva de su forma de gobierno— me consideran un traidor a mi clase y, lo que es peor, un "americanizador". Voces en la Universidad de Oxford se han unido recientemente a las críticas.[12]

275

Los eslóganes al comienzo de esta sección son solo unos pocos ejemplos de las reacciones comunes en este país. Para algunos, estas preocupaciones parecerán razonables, incluso lógicas. No creo que los hechos apoyen esta posición. Hay que recordar que nunca tuve la intención de analizar toda la educación superior norteamericana, me estoy limitando deliberadamente a un grupo de entre 50 y 100 instituciones importantes. Al considerar su historia de posguerra, ¿puede alguien afirmar que el statu quo ha sido preservado? ¿No es verdad que la mayoría de las universidades norteamericanas son gobernadas más o menos de acuerdo con nuestros principios? No hay necesidad de enfatizar el punto; casi todo ha cambiado. Los grupos de estudiantes son

---

12. R. Lucas, "Unamerican Activity: an alternative route to excellence", en *Oxford Magazine* (Trinity Term, 1989, N° 45). Para opiniones similares a las mías, ver "Oxford's Fading Charms" y "Oxford University: poverty ringed with riches", en *The Economist* (8 de julio de 1989).

infinitamente más diversos y también lo son, en un grado menor, los profesores. Los departamentos nuevos, las nuevas áreas dentro de los departamentos, las nuevas orientaciones, todos han florecido. También hubo cambios en los planes de estudio. Como de costumbre, los conservadores sienten que ha habido muchos cambios (el abandono de los Grandes Libros, la inflación de las notas, asignaturas de moda, etc.) mientras que la izquierda cree que los cambios no han sido suficientes. Me inclino por adoptar una posición centrista: para mí, el índice de cambio parece, como promedio, apropiado pero cualquiera que sea el punto de vista, no cabe duda de que el statu quo es un objetivo móvil.

Desde un punto de vista intelectual, las universidades norteamericanas han cambiado más —y de manera más creativa— que las instituciones de otras partes del mundo. El hecho no pasa desapercibido: en el exterior, las propuestas de reforma de la educación superior comienzan con una consideración del modelo americano. Ya he dicho que esto no es accidental. Por cierto, creo fervientemente que la filosofía de gobierno de las universidades norteamericanas es un factor importante para poder explicar la elevada calidad de las mismas. Permite que el liderazgo sea efectivo; hace posible la implementación de nuevas ideas; y la combinación de competitividad e independencia es un par de espuelas efectivo instándonos a lograr niveles de excelencia aún más elevados.

El verdadero elemento de contención no es la falta de cambio. Son la clase de cambios y la celeridad de los mismos lo que preocupa a nuestros críticos. Algunos están impacientes por el ritmo de transformación social: ¿por qué hay tan pocas mujeres con *tenure*, tan escaso número de profesores negros o hispanos para que sirvan de modelo de identificación? Se pueden dar las respuestas acostumbradas, pero no serán completamente convincentes. Por supuesto, hay también quienes consideran que el ritmo de transformación social se mueve demasiado rápido. Otros son intelectualmente impacientes: un enfoque especial de un tema no está representado suficientemente, o tal vez el movimiento hacia nuevas áreas del conocimiento es demasiado lento para los entusiastas. Algunos tienen una agenda política para la que les gustaría utilizar a la universidad: abolir el apartheid, el desarme universal, o predicar las virtudes de la libre empresa. El hecho es que nuestro sistema de gobierno frustra muchas críticas por las razones correctas.

Al enfatizar la duración del compromiso y del conocimiento, desalentamos la consideración excesiva de temas a corto plazo: no hay necesidad de

276

apresurarse porque la mayoría de nosotros todavía estará aquí en los próximos 2 ó 3 años. Al mismo tiempo, la "estructura unitaria" otorga el suficiente poder a los directores, decanos y presidentes para implementar grandes cambios cuando tienen un amplio apoyo colegiado. Una gran virtud de este sistema es que permite, e incluso alienta, la acción basada en una consideración cuidadosa del futuro. A diferencia de todos los negocios norteamericanos, las universidades no están a la merced de informes de ganancias trimestrales. A diferencia del gobierno, no hay necesidad de satisfacer un electorado a intervalos regulares y frecuentes. Por supuesto, estos beneficios que fortalecen nuestra capacidad de desempeño vienen acompañados de costos, y eso me retrotrae al irritante tema de la rendición de cuentas, el Séptimo principio y el vínculo más débil en una cadena sólida. Sin duda, ese vínculo débil es el profesorado con *tenure*.

Como ya hemos demostrado, los miembros *senior* del claustro de profesores están sujetos a las restricciones de "mala conducta flagrante" e "incumplimiento del deber", pero estas categorías se refieren solamente a situaciones extremas. Generalmente, las dificultades relacionadas con la responsabilidad surgen bajo las circunstancias más ordinarias: ¿cómo podemos hacer para que el profesor X se encuentre con los estudiantes durante horas de oficina?, (generalmente está en una conferencia internacional en París o Nepal); ¿por qué el profesor X se demora tanto en corregir las tesis de sus alumnos de posgrado?, (seguramente está ocupado dirigiendo una empresa de consultoría privada); ¿Es posible convencer al profesor Z para que haga una mayor contribución a su departamento enseñando una asignatura básica para muchos estudiantes de grado en vez de limitarse, como ha sido su costumbre durante muchos años, a un seminario de posgrado para dos estudiantes? (esto podría interpretarse como una sugerencia humillante para la sub-sub-subespecialidad de Z). Estos son verdaderos problemas a los que se enfrentan decanos, presidentes y estudiantes, y también son más frecuentes que "la mala conducta" o "el incumplimiento del deber" tal como lo interpretan los abogados. Para los usuarios del idioma común, estos rótulos pueden aplicarse fácilmente a este tipo de conducta.

No es necesario exagerar, se debe conservar la perspectiva. Ya le he proporcionado al lector una defensa vigorosa, y espero que convincente, del *tenure*. No intento retirar ninguna palabra de dicha defensa. La libertad es una condición necesaria para los trabajadores productivos e intelectualmente creativos. También he mostrado, en detalle, que estos privilegios no se conceden en forma casual, son la consecuencia de lo que considero son los procesos de

277

selección más exigentes para cualquier profesión; además, los administradores académicos no están completamente indefensos: la presión de los pares, ante todo, y los ajustes salariales son armas efectivas en muchos casos.

No obstante, lograr imponer una responsabilidad efectiva de los académicos *senior* para con los estudiantes y empleados debería ser prioritario para todos los administradores académicos. No tengo nada nuevo o asombroso para sugerir, pero a continuación expongo algunas ideas que (de acuerdo a mi experiencia) han tenido resultados positivos.

1. La evaluación por parte de los estudiantes —regularizada y levemente supervisada para asegurar la equidad— es un dispositivo efectivo tanto para identificar y recompensar la enseñanza excelente como para mejorar el sentido de pertenencia entre todos los miembros del personal docente. Nadie, ni los "*barones*" del *tenure*, quieren que su desempeño inadecuado sea expuesto al público. La evaluación debería aplicarse en todos los aspectos de la vida estudiantil: enseñanza, *majors*, planes de estudio, vivienda, etc.

278

2. Aumentar la autoridad y dignidad de los directores de departamento es otro paso altamente deseable. En especial en nuestras mejores universidades, estas personas tienen que asumir el papel de suplicantes frente a sus colegas con *tenure*. Dentro de los límites razonables, deberían ser capaces de *asignar* responsabilidad para los cursos, no rogar cooperación, y deben tener voz y voto en el ajuste de salarios. Con frecuencia, los directores departamentales permanecen en sus puestos laborales solo por un breve período (3 años más o menos) esperando impacientemente la primera oportunidad para salir de una posición humillante. Hacer que el cargo de director sea más atractivo incrementando la autoridad y las recompensas mejoraría la duración del servicio y la exigencia de responsabilidad. Si se da a los directores el poder de alterar los incentivos, el resto vendrá solo.

3. A pesar de mi escepticismo expresado con anterioridad sobre los comités —y en especial las reuniones entre profesores y estudiantes— infortunadamente no existe un buen sustituto para ellas. Hacen más bien que mal, sobre todo cuando los temas considerados son definidos correctamente: planes de estudio, ayuda financiera, regulaciones sociales y temas similares. Deberíamos tener un interés mayor en oír las voces de los estudiantes y relacionarnos con ellos en especial cuando se trata de temas de políticas porque tienen algunas buenas ideas y también porque el proceso mismo es una parte valiosa de la educación. Pocas cosas son más beneficiosas para una figura de autoridad que explicar y justificar su posición (o la posición de su predecesor) frente a una audiencia que cuestiona. A menudo se obtiene cambios positivos de actitud.

4. En toda la universidad, todos deberían poder apelar cualquier decisión ante una persona que está en una posición un escalón más arriba que el supervisor inmediato. Un profesor debería poder solicitar compensación por encima del nivel del decano de la facultad; debería permitírsele a un estudiante refutar una decisión del profesor a la altura de un director departamental; derechos similares deberían estar disponibles para todos los empleados. Para ser completamente efectivos, estos mecanismos de revisión y apelación deben ser claros, fáciles de usar y darse a conocer ampliamente.

5. Por último, una excelente sugerencia de Jeffrey C. Alexander:

> La naturaleza no académica y no estudiantil de las juntas de gobierno de la universidad las hace demasiado tímidas o demasiado agresivas para decidir la relación entre la universidad y la sociedad. ¿Por qué? Porque ellas mismas no están estrechamente en contacto con la racionalidad de los valores que la universidad debe proteger. Debido a esto, pueden surgir situaciones peligrosas, situaciones en que los intereses de la universidad se ven amenazados de diferentes formas que las juntas no académicas no podían prever [...] Los poderes de asesoría formales y explícitos deberían ser asignados al claustro de estudiantes y al de profesores, de acuerdo a los cuales un voto con determinado porcentaje requeriría que un tema fuera discutido y eventualmente votado por la Junta de Gobierno de la Universidad.[13]

279

Alexander hace hincapié en los procedimientos formales y los votos, y puede que no sea necesario. Informalmente, todos estos pasos ya son familiares a muchos miembros de los consejos administrativos. Las opiniones de los estudiantes y del claustro de profesores crean continuamente nuevos ítems de agenda para la Junta de Gobierno, y deben ser tratados a través de los votos o por otros medios.

13. The University and Morality, en *Journal of Hgher Education*, 5 (septiembre-octubre de 1986, vol. 57), p. 472.

CAPÍTULO DIECISÉIS

Epílogo: omisiones y conclusiones

Algunos lectores pueden creer que en este manual se han evitado muchas cuestiones difíciles. ¿Pueden estos pecados de omisión explicar el matiz prometedor de la presentación? ¿Qué pasa con las difíciles relaciones entre el gobierno y las universidades: fondos para la investigación, recuperación de gastos generales, temas de confidencialidad y similares? También se ha evitado tratar el tema de las relaciones de la universidad con el sector privado. No ha habido una discusión profunda sobre las consecuencias de la financiación de investigación con fines de lucro y sobre el aumento de la participación del claustro de profesores en la transferencia tecnológica y en la empresa privada. Y qué decir de los programas de acción afirmativa, el acoso sexual, los grupos minoritarios, relaciones comunitarias... la lista podría ser mucho más extensa.

Existen dos razones por las que elegí darles menos importancia a estos temas. Primero, deliberadamente me limité a temas con los cuales tengo un contacto personal e íntimo. Teniendo en cuenta la naturaleza de las responsabilidades del decano, mi tarea principal se relacionaba con el funcionamiento interno de la universidad. Las relaciones externas son el reino de los presidentes y personajes augustos similares. Además, los temas considerados difíciles tienden a tener el carácter de restricciones externas: interferencias del mundo real. Obviamente estas interferencias tenían una enorme importancia en las operaciones del personal docente, pero la formulación de políticas y las resoluciones eran manejadas por individuos que representaban a toda la universidad, y no solamente a un sector.[1] Cuando, por ejemplo, el gobierno negociaba políticas relacionadas con la recuperación de gastos generales —los costos indirectos de las actividades gubernamentales de investigación— lo hacían con los vicepresidentes y no con los decanos.

Además, y esta es mi segunda razón, no estoy convencido de que estos *sean* los verdaderos temas difíciles; estos están siempre en la mente del público y se publican en las páginas de periódicos y revistas. Su importancia manifiesta se relaciona frecuentemente con las luchas corrientes para mejorar la sociedad norteamericana —por ejemplo, eliminar el racismo y el sexismo— o con temas urgentes de políticas públicas. Estos temas cambian y podemos esperar una mejora, incluso soluciones. Me parece que las verdades sobre las que he discutido son más fundamentales. ¿Cómo seleccionamos profesores?, ¿cómo nos gobernamos a nosotros mismos?, ¿a quién admitimos?, ¿qué enseñamos? son, para la universidad, los temas más difíciles, verdaderos y eternos; nunca se terminan.

Sin embargo, me gustaría dedicar algunas páginas a una clase de comportamiento —una tentación— que probablemente nunca desaparecerá de las universidades ni siquiera cuando las instituciones alcancen un nivel de integración social superior a lo que uno se pueda imaginar en la actualidad. Me refiero al acoso sexual, infortunadamente un tema común en todas las sociedades y en todos los tiempos, pero rara vez discutido o resistido. Sin duda es un tema especialmente importante para la educación superior debido a la naturaleza invariable de nuestra demografía: estudiantes jóvenes (adultos), y profesores de todas las edades que ejercen diferentes niveles de autoridad sobre estos estudiantes. En la vasta mayoría de los casos, los hombres son los que acosan a las mujeres y, en los últimos años, las mujeres han comenzado a contraatacar. Las circunstancias hicieron que no solo me familiarizara con el problema, sino que también desarrollara un acercamiento filosófico y determinara pautas de acción y control.[2]

---

1. Por las mismas razones, he tenido poco que decir sobre la Facultad de Medicina y la Facultad de Derecho.

2. Lo que sigue reproduce ampliamente mi carta abierta de abril de 1983 a la Facultad de Artes y Ciencias con respecto al acoso sexual. Como administrador académico *senior*, "nunca escribí una carta que firmé, ni nunca▶

¿Cuál es precisamente el problema? En el contexto académico, el término "acoso sexual" puede ser utilizado para describir un amplio espectro de
comportamientos. El elemento fundamental es la atención personal inapropiada por parte de un instructor u otro funcionario que está en posición de
determinar la evaluación del estudiante o que de otra manera puede afectar
su desarrollo académico o su futuro profesional. Dicho comportamiento es
inaceptable en una universidad porque es una forma de falta de profesionalismo que socava seriamente la atmósfera de confianza esencial en la empresa
académica. El entorno educativo y las relaciones entre los profesores y los
estudiantes son temas muy preocupantes.

En la última década hemos progresado considerablemente hacia un ambiente genuino de educación mixta. La discriminación manifiesta contra las
mujeres parece ser poco frecuente. La mayoría de los docentes procuran tratar
a todos los estudiantes como individuos de manera justa, y no como miembros de una categoría basada en el sexo.

No obstante, todavía no hemos alcanzado un estado en el cual las mujeres
en las universidades puedan sentir que no están en desventaja debido a su
sexo. Los estudiantes continúan informando sobre comportamientos de los
docentes, que son desalentadores y ofensivos para las mujeres. Los mensajes
alienantes pueden ser sutiles e incluso involuntarios, por lo que sería útil ofrecer ejemplos específicos que ilustren la gama de comportamientos en clase
que tienden a comprometer la experiencia de aprendizaje especialmente de
las mujeres, aunque el problema no es solo de ellas.

Algunas prácticas de enseñanza son abiertamente hostiles hacia las mujeres: por ejemplo, mostrar diapositivas de mujeres desnudas en forma graciosa
o caprichosa durante una conferencia seria, es de mal gusto pero también es
humillante para las mujeres. (¡No es un ejemplo inventado!)

Otras prácticas de enseñanza alienantes pueden ser irreflexivas e incluso
pueden ser el resultado de esfuerzos especiales para ser útiles a las estudiantes
mujeres. Es una especie de desdén invitar a las mujeres de la clase a participar
en temas como el matrimonio y la familia, imponiendo la presunción que
solo ellas tienen un interés "natural" por este tema.

283

▶firmé una carta que escribí". Esta carta particular, y otros anuncios del decanato tuvieron como coautor a mi
colega, el decano asociado Phyllis Keller. He notado con mucho placer que nuestras reflexiones han sido cita-
das con aprobación en una revista legal. Ver Peter DeChiara, "La necesidad de regulación en las universidades
sobre las relaciones de sexo consentido entre profesores y estudiantes", en *Columbia Journal of Law and Social
Problems*, 137 (1988, vol. 21).

No existe un término específico para las prácticas de clase descritas. Su efecto común es concentrar la atención en las características del sexo en un contexto en el cual el sexo sería de otra manera irrelevante. Por esta razón, el término general "sexismo" es a menudo utilizado para describir esta categoría de comportamiento poco profesional.

Volviendo nuevamente a los profesores y a los estudiantes, sostengo que las relaciones amorosas, que pueden ser apropiadas en otras circunstancias, son siempre equivocadas cuando ocurren entre un docente y un estudiante hacia el cual tiene una responsabilidad profesional. Además, esas relaciones pueden tener el efecto de menoscabar el ambiente de confianza del cual depende el proceso educativo. Implícito en la idea de profesionalismo, está el reconocimiento por parte de quienes están en posiciones de autoridad, de que en sus relaciones con los estudiantes siempre hay un elemento de poder. Es importante que aquellos con autoridad no abusen del poder que les fue conferido.

Los miembros del plantel docente deben saber que cualquier relación amorosa con sus estudiantes los hace responsables ante una acción formal contra ellos iniciada por un estudiante. *Aun cuando ambas partes hayan consentido al desarrollo de dicha relación, es el funcionario o instructor quien, en virtud de su responsabilidad especial, será considerado responsable de un comportamiento poco profesional.*[3] Debido a que los estudiantes graduados que actúan como docentes auxiliares pueden estar menos acostumbrados que los profesores a verse a sí mismos como personas con responsabilidades profesionales, sería importante que tuvieran especial cuidado en sus relaciones con los estudiantes a quienes instruyen o evalúan.

Otras relaciones amorosas entre profesores y estudiantes que ocurren fuera del contexto educativo, también pueden acarrear problemas. En una relación personal entre un funcionario y un estudiante para quien el funcionario no tiene en el momento actual una responsabilidad profesional, el funcionario debería ser consciente de la constante posibilidad ser ubicado inesperadamente en una posición de responsabilidad para la instrucción o evaluación del estudiante. Las relaciones entre los funcionarios y los estudiantes son fundamentalmente asimétricas por naturaleza.

En mi opinión, estos principios se aplican de igual manera a las relaciones entre los profesores, con *tenure* o no.[4] Las oportunidades de abuso de poder

---

3. Muchos de mis colegas vieron esto como una novedad.

4. Y ciertamente a relaciones entre supervisores y subordinados de toda clase.

son comunes y para todas estas transgresiones, insto a desarrollar procedimientos claros y castigos severos.

No hay nada divertido en el acoso sexual, pero comúnmente estos temas serios llevan a la risa. Durante la preparación de mi epístola para el claustro de profesores, patrocinamos una encuesta intensiva de estudiantes mujeres, profesoras y empleadas no docentes con respecto al acoso sexual. Los resultados no fueron de lo más placenteros: más de un tercio de las personas consultadas informaron sobre algún tipo de comportamiento inapropiado por parte de los miembros del sexo opuesto. Una pregunta, dirigida a una profesora: ¿Ha sido usted alguna vez acosada por alguna una persona con autoridad? Ella respondió: Henry Rosovsky es la única persona que tiene autoridad sobre mí y él es un perfecto caballero. Un elogio anónimo y apreciado.

Una comunicación más extensa y personal llegó del profesor emérito J.K. Galbraith.

Estimado Henry:

Como comprenderás, quedé encantado y afligido con tu reciente comunicación de parte del Consejo de la Facultad, titulada: "Acoso Sexual. Temas relacionados". Mi placer tuvo que ver con la elocuencia y delicadeza del lenguaje con que está escrita la carta, conservando los valores de Harvard. La referencia a las "relaciones amorosas" en el "contexto institucional" es espléndida y refleja el sentido agudo de la Universidad de Harvard e incluso una sensibilidad al estilo de Nueva Inglaterra. Durante varios años he sido asesor de uno de los diccionarios más famosos (*The American Heritage Dictionary*, para ser preciso). En este momento estoy instruyendo a sus editores respecto de su uso y al cual se deberán ajustar si desean obtener nuestra aprobación aquí en Cambridge.

Mi aflicción es personal. Justo hace 45 años, siendo ya un profesor experimentado de Harvard con un contrato de 3 años, me enamoré de una joven estudiante. No fue en un contexto educativo; sin embargo, un amor no educativo es una "situación" en contra de la cual usted también aconseja tener cuidado. Una consecuencia no totalmente impredecible de este fallo del decoro académico y profesional, como se exige actualmente, fue que nos casáramos. Entonces, e incluso felizmente, seguimos juntos. Pero ahora mi aflicción: como un miembro *senior* de esta comunidad, soy consciente de la necesidad de ser un ejemplo para los más jóvenes, y posiblemente más

285

ardientes, miembros de esta comunidad.

Tengo que hacer todo lo posible para redimir mi error, mi esposa, de más está decir, comparte mi preocupación, ¿qué aconsejaría usted?

Respondí:

Estimado Ken:

Me alegra que mi carta sobre acoso sexual le haya llevado algo de encanto a su vida; sin embargo, me arrepiento profundamente haberle ocasionado angustia. Mis advertencias contra el amor no educativo no son severas: principalmente insto a la práctica de la "sensibilidad". Conociéndolo, estoy seguro de que eso nunca fue un problema para usted; pero sí comprendo sus sentimientos de descontento sobre eventos pasados.

Dos pensamientos me vienen a la mente: uno como humano y el otro como decano. El incidente en cuestión, según su propio relato, ocurrió hace 45 años. Creo que al mismo puede aplicarse la ley de exención de obligaciones y derechos. Como decano y como alguien que recientemente ha sido acusado por un profesor de comportarse como un cardenal, estaré encantado de venderle una indulgencia. ¿Qué tal una cátedra para celebrar su feliz unión y también el tiempo en que el amor (educativo o no educativo) estaba de moda?

"Como se muestra aquí —remarcó Galbraith— ningún decano de Harvard responde una carta sin dar alguna indicación de su necesidad de apoyo financiero, como la dotación de una nueva cátedra académica."[5] Estoy muy tentado de concluir mi libro con esta profunda observación, pero no lo haré porque un tema final requiere una breve nota.

El que haya escrito un libro positivo sobre universidades y educación superior es poco común. Críticas recientes nos han etiquetado como "cerradores de mentes", "analfabetos culturales" y "protectores de estafas pedagógicas". Se dice de nosotros que cultivamos las superespecializaciones y el oscurantismo y el coro de críticas ha venido de todos los rincones de nuestra variada sociedad: algunos estudiantes, padres y ex alumnos; la prensa y los políticos y también

5. De *A View from the Stands* por John Kenneth Galbraith, derecho de autor 1986 de John Kenneth Galbraith. Reimpreso con autorización de Houghtn Mifflin Company.

de dentro de nuestros ámbitos profesionales. Bloom, Hirsch, Bennett y Bo-
yer han apuntado su artillería pesada hacia las universidades con gran éxito
popular. Recientemente, el informe *Humanities in America* (1988)[6] emitido
por la presidenta del Patrimonio Nacional para las Humanidades, elogió el
interés del público en literatura y arte; tuvo palabras agradables para algunas
cadenas televisivas, mencionó museos, bibliotecas y consejos humanistas estatales; pero la Sra. Cheney no tuvo nada bueno que decir sobre los *colleges* y
las universidades.

Esta avalancha de juicios ásperos me hace recordar una historia: un norteamericano, un francés y un japonés han sido capturados por terroristas y
enfrentan la ejecución a la mañana siguiente. A cada prisionero se le ofrece el
tradicional "último deseo". El francés pide que una cena elegante le sea traída
por avión desde su restaurante favorito de París. El japonés quiere una última
oportunidad de dar una conferencia en la que pueda explicar el verdadero
secreto de las exitosas técnicas de dirección de su país. El norteamericano
pide que le disparen antes de esa conferencia... El dolor de un sermón más
sería intolerable.

Hay dos cosas claras para mí. Mi actitud benigna irritará a algunos; ser
positivo no es nunca popular en los círculos intelectuales. Pero también sé
que "dispárenme primero" no es una actitud saludable. ¿Por tengo que ser el
único diferente?

Muchos de los temas que tan frecuentemente agitan a nuestros críticos
han sido tratados: planes de estudio, enseñanza *versus* investigación, *tenure*,
admisiones y gobierno, pero mis conclusiones han sido bastante diferentes
puesto que en su conjunto han sido optimistas en vez de quejumbrosas. Esto
no se debe a que me haya enfocado en "dos tercios de lo mejor". Aquellos que
encuentran defectos en nosotros, señalan a las universidades y a los *colleges*
como los principales pecadores; como el ejemplo perfecto de aquello que, en
sus términos, hay que deplorar en la educación superior norteamericana.

Existen aspectos misteriosos aquí. Al menos por el momento, nuestros
críticos más severos tienen un sabor político de derecha. ¿Los críticos conservadores no se sienten incómodos ante nuestros obvios atractivos en un mercado libre?, ¿no es el mercado su idea de un árbitro perfecto? Las universidades
privadas son acusadas de engañar a los estudiantes por medio de matrículas
elevadas, pero existe una cantidad considerable de alternativas públicas más

287

6. Reimpreso en *The Chronicle of Higher Education* (21 de septiembre de 1988).

económicas y de calidad similar. Se dice que las universidades se concentran demasiado en la investigación y muy poco en la enseñanza; pero, en nuestro sistema educativo, la mayoría de las instituciones no hacen investigación. A veces se nos acusa de que nos importan solamente los estudiantes de posgrado; sin embargo, un futuro alumno puede elegir fácilmente entre una amplia gama de *colleges* que rara vez ven a un estudiante de posgrado. Las universidades no tienen el poder del monopolio, actuamos en un mercado altamente competitivo y sobrevivimos solo por ser atractivas para quienes requieren de nuestros servicios. Obviamente, las instituciones selectivas lo han hecho muy bien.

Permítanme aclarar que estoy de acuerdo con muchas críticas específicas dirigidas a nosotros: planes de estudios incoherentes, profesores indiferentes, "cursos intrascendentes"—donde quiera que ocurran— me disgustan tanto como a nuestros inquisidores; pero diferimos, por supuesto, sobre la presunta frecuencia de estos acontecimientos. Más importante aún, me perturba un conjunto de actitudes y amplias conclusiones completamente injustificadas.

No creo en las promesas exageradas sobre los resultados que se puedan lograr a través de la educación.

No soy un nostálgico.

Sé que siempre habrá una diferencia entre ideal y realidad.

Primero, la promesa exagerada: la educación es la respuesta a las enfermedades sociales. Es claro que las actitudes negativas hacia la educación superior están relacionadas con la revuelta estudiantil de la década del 60, con nuestra derrota en Vietnam, el deterioro de la competitividad de Estados Unidos y otras fuentes semejantes de desdicha nacionales. En síntesis, es un negativismo que alimenta todos los descontentos de nuestra sociedad. Observadores, críticos, ciudadanos comunes miran al Estado de la Unión, no les gusta lo que ven, y culpan a la educación. Por ejemplo, culpar a las escuelas de administración en vez de a los directores y trabajadores por un rendimiento económico pobre es fácil y cómodo, y los educadores contribuyen a esta inclinación prometiendo demasiado. Insinuamos que la educación asegura buenos trabajos y cuando eso no ocurre (como ocurrió en la década del 70) el resultado es la amargura. Vendemos educación enfocándola sobre las dimensiones de carrera o de valor agregado en vez de cómo un fin en sí misma, que conduce a una vida valiosa, basada en el auto examen, y no necesariamente una vida financieramente más exitosa. Muchos tendemos a confundir la buena educación con el buen carácter y cuando el público lee que en nuestras famosas escuelas se gradúan personas que obtienen provecho de información privilegiada y otros bandidos semejantes, sacan una conclusión negativa con respecto a la calidad de la educación superior de este país. Cada profesor debería saber, cada administrador sabe y cada decano está eternamente convencido de que la relación entre el carácter y la educación es débil. Tenemos que recordar que muchos nazis habían leído los libros indicados, que fueron el producto de planes de estudios clásicos y ampliamente admirados. También estoy seguro que los pilotos japoneses que bombardearon Pearl Harbor podrían haber obtenido altas calificaciones en el test SAT. Simplemente, creo que el impacto positivo y directo de la educación es limitado Una mejor educación debería llevar a un nivel más elevado de virtud cívica: esa es una presunción básica de nuestra democracia, pero siempre habrá muchas excepciones.

Gran parte de la insatisfacción actual se basa en la nostalgia, una emoción que no comparto. Hace más o menos 40 años, cuando los señores Bloom, Bennett, Hirsch y yo éramos estudiantes de grado existió una supuesta Edad de Oro y, como dijo John Buchanan con ironía, la civilización ha estado en decadencia desde entonces. En aquellos hermosos días, el Core del Plan de Estudios era un verdadero plan de estudios, (y la nota C del caballero reinaba suprema); los estudiantes de grado se sentaban embelesados a los pies de mentores que entablaban con ellos un diálogo socrático (la imagen sugerida se parece a una versión hollywoodense de Oxford de los años 30). Estos hermosos años fueron destruidos por los excesos de los 60: drogas, sexo, inflación, desprecio por lo clásico y rock and roll.

Me gusta más la universidad actual que la de hace 40 años, y quizás esa sea la razón de mi optimismo y también es mi mayor diferencia con los críticos. ¿Ha desaparecido el aprendizaje común —tan apreciado por nuestros críticos— en las últimas generaciones? Solo en el sentido de que los estudiantes y los profesores eran mucho más homogéneos: las "admisiones ciegas a las necesidades" no se conocían; la presencia de judíos, afroamericanos, asiáticos y mujeres era escasa; y existían pocas universidades nacionales y todavía menos becas nacionales. El aprendizaje no era el reflejo de la virtud curricular o pedagógica, sino la consecuencia de un estrecho privilegio de clase. Era una clase de aprendizaje común más económico y más sencillo, el privilegio de unos pocos, pero no añoro esa época. ¿Es realmente cierto que hace 40 años los estudiantes nos sentábamos en nuestros dormitorios comiendo galletas y tomando leche mientras debatíamos los méritos de los cuartetos de Beethoven? ¿Son ahora las únicas opciones el *punk* y el rock ácido a un volumen que

289

asegura la sordera a los 30 años? No en mi mundo.[7]

Aunque mi actitud es positiva, sé que es ancha la brecha entre lo ideal y la realidad en educación superior. Particularmente es manifiesta porque hay más afectación en *colleges* y universidades que en las escuelas primarias y secundarias, y eso agranda la brecha. A los profesores les gusta vestir el manto del altruismo: sirvientes mal pagos de los estudiantes y de la sociedad, buscadores de la verdad. Y luego, el público nos ve, de tanto en tanto en la prensa, como falsificadores de evidencia científica (¡tramposos!), hambrientos de dinero (un artículo reciente sobre Harvard fue titulado ingeniosamente *In Pecunia Veritas*) y ocasionalmente hasta poco patriotas. Me he comparado a mí mismo y a mis colegas con jueces y curas (atados a la dignidad conferida por nuestras togas), pero el comportamiento académico no se ajusta siempre a esos estándares ideales.

Nada de esto es sorprendente. Inevitablemente las universidades reflejarán sus sociedades, sus más y sus menos, sus ventajas y desventajas, Esta es una de las razones de por qué —en los tiempos modernos— las sociedades represivas nunca han sido el hogar de grandes centros de aprendizaje. Sin embargo, por nuestra propia cuenta no podemos cambiar la sociedad o sacarla del salvajismo. Nuestro liderazgo debe ser circunscrito: podemos producir nuevos conocimientos, enseñar habilidades profesionales y artes liberales, pero no podemos erradicar el racismo, la pobreza o el uso de drogas nosotros solos. En una sociedad codiciosa no seremos inmunes a la tentación. No podemos ser una isla paradisíaca en un mar de descontento.

Pero la modestia y el realismo en lo que respecta al poder de la educación superior no implican que nuestro rol en la determinación de la calidad de vida de la sociedad sea insignificante. Somos líderes en el desarrollo de ideas y alternativas. Entrenamos estudiantes en la vanguardia de los conocimientos mientras intentamos con toda energía cambiar las fronteras de dicho conocimiento.

290

---

7. En lo que se convirtió en un pasaje famoso, Alan Bloom escribió: "Las personas jóvenes saben que el rock tiene el ritmo de las relaciones sexuales. Es por eso que el *Bolero de Ravel* es una pieza de música clásica muy conocida y apreciada por ellos", en *Closing of the American Mind*, p. 73. En un intento de realizar una verificación empírica casual de esta afirmación fascinante (en mi época, al tango se le atribuían poderes similares), le pedí a algunos amigos que le mostraran estas frases a sus hijos adolescentes. Cito una repuesta de Indianápolis: "entrevisté a mis hijos adolescentes que son amantes de la música rock contemporánea, y me di cuenta de que apenas están familiarizados con el *Bolero de Ravel* y tampoco les gusta. Espero que eso no indique alguna disfunción sexual.

A nuestros muchos críticos les digo: honi soit qui mal y pense (que se avergüence quien haya pensado mal); lo que a primera vista pudiera parecer malvado puede ser insignificante, inocente o el reflejo de las costumbres sociales. Para nosotros mismos digo: no nos arriesguemos siendo autocomplacientes, esforcémonos por la perfección, hagamos que la brecha entre el ideal y la realidad sea lo más pequeña posible.

291

293

294

297

298

301